Innovación a la mexicana

Innovación a la mexicana

Más allá de romper paradigmas

RAMÓN MUÑOZ GUTIÉRREZ

conecta

Innovación a la mexicana
Más allá de romper paradigmas

Primera edición: septiembre, 2014

D. R. © 2014, Ramón Muñoz Gutiérrez

D. R. © 2014, derechos de edición mundiales en lengua castellana:
Penguin Random House Grupo Editorial, S.A. de C.V.
Blvd. Miguel de Cervantes Saavedra núm. 301, 1er piso,
Colonia Granada, delegación Miguel Hidalgo, C.P. 11520,
México, D.F.

www.megustaleer.com.mx

Comentarios sobre la edición y el contenido de este libro a:
megustaleer@penguinrandomhouse.com

ISBN 978-607-312-215-3

Impreso en México / *Printed in Mexico*

A Dios por darme y alegrarme la vida.
A mis padres por traerme y prepararme para la vida.
A mi esposa por enriquecerme la vida.
A mis hijos por innovarme la vida.

Índice

Introducción

Hace tres años comencé a practicar la meditación contemplativa, con ello se disparó mi proceso de revisualización de paradigmas. Tengo en mis recuerdos un antiguo cuento oriental donde un maestro se va a la soledad de un templo en las montañas durante meses. A su regreso sus discípulos, intrigados, le preguntan sobre sus aprendizajes. "Aprendí sobre la muerte", respondió el maestro. "¿Y eso qué tiene de revelador? Todos sabemos que vamos a morir", le replicaron. Con voz pausada el maestro les dijo: "Es verdad, todos sabemos que vamos a morir, pero no todos lo sentimos". Yo sabía, desde hace más de una década, que lo que estaba pasando en el mundo era un cambio de época. La diferencia era que ahora yo lo estaba sintiendo.

En una de mis meditaciones me surgió la idea de "Innovación a la mexicana". Empezó como todas las ideas que son abstractas y vagas, y que si no se les prestara atención no tendrían energía y, por lo tanto, nunca tendrían vida. Pero mi mente se aceleraba y mi corazón se entusiasmaba con la sola mención de la palabra. Sabía que me hallaba ante algo que valía la pena la pena explorar y profundizar. Ese sentimiento (mezcla de pensamientos, emociones y sensaciones) ya lo conocía. Lo había experimentado en otras etapas de mi vida. Empecé a compartir con mi familia y con mis amigos esa idea, sin forma ni sabor a nada, aunque en mi mente la danza de símbolos, imágenes y colores y las combinaciones, junto con las oportunidades, se multiplicaban.

Mi amigo Ariel Rosales, *editor-at-large* de Penguin Random House México, me había invitado a comer. Hacía tiempo que no nos veíamos. Siempre disfruto de su ilustrada conversación y de su cálida compañía. El restaurante era El Bajío, en Polanco. Cocina mexicana auténtica y exquisita. Después de tomarnos un tequila con cerveza, de comer unas empanadas de plátano —que yo ni sabía que existían— y el tradicional mole de olla, le platiqué acerca de mi proyecto de "Innovación a la mexicana". Ariel, sin pensarlo mucho, me lanzó la pregunta: ¿y por qué no escribes un libro que se titule justo así, "Innovación a la mexicana"? ¿Y por qué no?, pensé para mis adentros, mientras saboreaba una deliciosa nieve de zapote negro. Y qué mejor marco para estimular la idea que un restaurante que simboliza la verdadera tradición mexicana.

Habrían de seguir conectándose sucesos y eventos. Fui invitado por el presidente de la Coparmex, Juan Pablo Castañón, para presidir la Comisión Nacional de Innovación. Después de 17 años de participar en la política, al concluir mi periodo en el Senado, había transitado al mundo empresarial, el sitio de donde había partido más de un par de décadas antes, cuando salí de Bimbo. Desde esta plataforma, que tanto había aportado al desarrollo empresarial y a la competitividad del país, durante 85 años, y donde desfilaron tantos luchadores sociales, como mi gran amigo Carlos Abascal Carranza, yo tenía la oportunidad de impulsar el proyecto "Innovación a la mexicana", y con ello promover la cultura de la innovación y, así, incorporarla en el actuar diario. La innovación como lo usual en la vida de todos los mexicanos.

Me di a la tarea de seleccionar el foro donde habría de exponer y someter a prueba mi propuesta, con todos sus supuestos implícitos. La oportunidad se me presentó cuando fui invitado a participar como ponente en el foro "Ideas para cambiar el mundo", organizado por el Universal Thinking Forum, celebrado en México y que reunió a 21 mentes brillantes internacionales de la ciencia, el arte, el deporte, la investigación y el pensamiento. En 21 minutos, públicamente cronometrados, expuse mi propuesta de "Innovación a la mexicana". La mejor respuesta vino de parte de los jóvenes universitarios. Una larga fila que me expresaba sus inquietudes, sus proyectos, sus ideas, sus sueños. Sabía que tenía que seguir adelante.

Para explicar mi proyecto necesitaba encontrar una metáfora. ¿Y qué mejor metáfora que la "ola mexicana"? Me refiero al espectáculo creado por los asistentes a un evento deportivo que se levantan secuencialmente de forma radial y que se popularizó en nuestro país durante la disputa del Mundial de futbol de 1986. En un sentido no metafórico, sino físico, las olas para formarse necesitan de la velocidad del viento, de la distancia de agua "abierta" que el viento tiene que soplar, del ancho del área afectada por este viento, del tiempo del que dispone el viento para soplar y, por último, de la profundidad del agua. Para hacer realidad la sexta ola de la innovación, es decir, la "ola de la innovación a la mexicana", habría que percatarnos de la velocidad tan vertiginosa con la que están sucediendo las innovaciones; de la distancia que nos separa de los países del Primer Mundo como Suecia —que en 2013 empezó a cerrar cárceles por falta de reos—; de la enorme superficie territorial en la que vivimos —Suiza, otro país del Primer Mundo, cabe 48 veces en México—; de los tiempos tan cortos y apremiantes de que disponemos para innovar y, por último, de la profundidad de los problemas que nos aquejan como país en materia de inseguridad y desigual distribución de la riqueza. El hecho de que más de 11 millones de mexicanos vivan en condiciones de pobreza extrema es algo que debería hacernos parar de nuestros asientos y contribuir con nuestro pequeño y limitado movimiento a la generación de "una ola de innovación y prosperidad" cada vez mayor. Muchos mexicanos y mexicanas ya lo están haciendo. En lo que a mí respecta, espero que este libro sirva de inspiración para que más de alguno se levante de su asiento, desde el que observa el juego de la vida, y se conecte con la vida misma.

Por lo pronto pongamos todos nuestros relojes a tiempo para que sepamos qué hora ha dado. *La hora de la "innovación a la mexicana" ha llegado.*

CAPÍTULO 1

La era de la innovación

No hay mejor manera de mostrar los peligros de no adaptarse a una nueva forma de pensar, que recordar una ciudad que alguna vez representó lo mejor del espíritu empresarial: Detroit. A mediados del siglo XX, Detroit floreció como capital del dinamismo mundial gracias a tres nuevas empresas: Ford Motor Company, General Motors y Chrysler.

En los años cuarenta, cincuenta y sesenta, fue la joya de la corona americana. "En todo el mundo Detroit es sinónimo de la grandeza industrial de Estados Unidos", aseveró el presidente Harry Truman en aquellos tiempos. En cierto momento los fabricantes de coches perdieron su espíritu empresarial, y al igual que el *Titanic* lentamente se hundieron. La industria automotriz se relajó demasiado. Detroit no se derrumbó en un día. Primero sufrió una deflación gradual. Para cuando sonaron las alarmas (cuando General Motors perdió 82 000 millones de dólares en tres años y medio y se dirigía a una quiebra segura) ya era demasiado tarde. Abandonada es sin duda la palabra que viene a la mente cuando se recorren los alrededores de la calle principal de Detroit. Las casas se pudren vacías, muchos edificios se van cayendo a pedazos. Detroit es la segunda ciudad más peligrosa de Estados Unidos (después de Flint, Michigan). La mitad de los niños son pobres. Es la ciudad líder en desempleo. Ahora es el símbolo de la desesperanza. El éxito es frágil y la perfección fugaz. La bancarrota de Detroit puede ser la ocasión para "terminar con 60 años de decadencia", según declaró el gobernador de Michigan, Rick Snyder. "Desde 2000 la ciudad ha perdido 28% de su población, y

38% de su presupuesto se gasta pagando obligaciones del pasado como las pensiones", dijo el administrador de emergencia de Detroit, Kevyn Orr. Ambos comparecieron ante los medios para explicar la declaración de bancarrota, la más importante de una municipalidad en la historia estadounidense.

Reid Hofman, el fundador de LinkedIn, se pregunta: ¿por qué tantos ganadores terminan como Detroit? Cada caso es distinto, pero las causas subyacentes suelen incluir la arrogancia que surge del éxito, el fracaso en reconocer y hacer frente a la competencia, el poco deseo de aprovechar oportunidades que implican algún riesgo y la incapacidad de adaptarse al cambio incesante. Las fuerzas de la competencia y el cambio que hicieron caer a Detroit son globales y locales. Amenazan cualquier negocio, sector o ciudad, y, lo más importante, también amenazan a cualquier individuo, cualquier familia. Si hablamos de tu carrera profesional, en este momento puede estar recorriendo el mismo camino que Detroit. Las mismas fuerzas del cambio que echaron abajo la antes grandiosa ciudad industrial pueden derribar tu carrera, sin importar lo segura que te parezca en este momento.

Alemania tiene su propia Detroit. Así titula su reportaje el *New York Times*, publicado en febrero de 2014. Los medios noticiosos de la ciudad de Oberhausen la describen como la "Detroit de Alemania", dado que por segundo año consecutivo ha recibido la dudosa distinción de ser la ciudad alemana con la más alta deuda per cápita. Esta ciudad de 211 000 habitantes parecería tener poco en común con su contraparte estadounidense en bancarrota. Hay esculturas que adornan parques bien cuidados, edificios *art déco* de ladrillo oscuro que siguen en uso, y aunque muchos escaparates a lo largo de la zona comercial principal del centro de la ciudad están vacíos, ninguno está en ruinas. Pero podrían estarlo dado que la ciudad no está prosperando. Sus días de gloria, entre las dos guerras mundiales, luego de nuevo en los años cincuenta, cuando las industrias minera y siderúrgica ofrecían empleo a decenas de miles de personas, pasaron hace tiempo. Cuando cerró la última mina de carbón en 1992, seguida por la planta siderúrgica cinco años después, se perdieron más de 50 000 empleos. Donde estaba antes esta planta ahora hay un centro comercial flanqueado por una arena moderna y un acuario, que atrae a turistas de toda la región (el acuario alcanzó notoriedad por ser el hogar del pulpo Paul, que se hizo famoso en el Mundial de 2010). Pero los aproximadamente 10 000 empleos creados por el sector de servicios —y los impuestos pagados por las nuevas empresas— representan sólo una fracción de los generados anteriormente por la industria pesada, dejando un déficit cada vez más grande en el presupuesto de Oberhausen. El margen de maniobra se estrecha cada vez más. Ya no se plantan flores en los parques de la ciudad, donde los retirados reemplazaron a los jardineros profesionales, cuyos empleos fueron eliminados como parte de una reducción de empleados municipales.

Sentado en un café, el pedagogo retirado Reinhard S. se resiste a la decadencia de su ciudad. Su padre era fundidor en Gutenhoffnungshütte y lo envió a estudiar, como mandaban los cánones socialdemócratas de la época. Cerrada la empresa, cuyo nombre puede traducirse como "siderúrgica de la buena esperanza", vecinos como él se resisten a renunciar a ella. Los habitantes de Oberhausen no sólo se resisten a perder la esperanza, sino también a cerrar el teatro municipal, que le cuesta a la ciudad unos ocho millones de euros anuales. El tesorero del municipio, Tsalastras, cree que mantener las instituciones culturales como el teatro, los museos, una escuela de música y el Festival Internacional de Cortometrajes —creado por ricos industriales hace casi 60 años— es fundamental para ayudar a la ciudad a atraer a los urbanistas jóvenes y creativos, que son la clave para el futuro de Oberhausen. Hace referencia a un grupo de arquitectos y artistas que se hizo cargo de la torre del reloj de la estación de trenes como ejemplo. Durante años, el reloj estuvo a oscuras, con sus manecillas congeladas en el tiempo. Christopher Stark, de 40 años, junto con otros miembros de Kitev, la cooperativa cultural que ayuda a dirigir, renovaron la instalación eléctrica y actualizaron los mecanismos del reloj después de que se les concedió un arrendamiento a largo plazo de la torre en 2007. "Cuando llegamos a la ciudad para un proyecto diferente, no podía creer que algo tan simbólico como los relojes en la principal estación de trenes no estuvieran funcionando", dijo Stark. "Pensé que no puede ser, es como si toda la ciudad estuviera paralizada."

¿Qué sucede cuando un viejo paradigma es reemplazado por uno nuevo? ¿Es verdad que cuando un paradigma cambia todo se regresa a cero? Pensemos un poco en el caso del incienso de los nabateos. En la era dorada de Arabia (siglo I a.C.) la comercialización del incienso era la base de su riqueza: "el incienso humeaba en todo altar del mundo habitado". Los nabateos habían tomado Petra, la ciudad tallada en piedra, la joya de Jordania, que quedaba a mitad de camino entre la entrada al Golfo de Aqaba y el Mar Muerto: la ruta del incienso. ¿Qué fue lo que cambió? Fue promulgado el edicto de Milán, en el año 313, por el cual se estableció la libertad de religión en el imperio romano, dando fin a las persecuciones dirigidas por las autoridades contra ciertos grupos religiosos, particularmente los cristianos. Dicho edicto fue firmado por Constantino el Grande y Licinio, dirigentes de los imperios romanos de oriente y occidente, respectivamente. Se trató de un edicto de tolerancia, de libertad de conciencia para todos los habitantes del imperio, no específico a favor de los cristianos. En una palabra, la religión pagana (con su culto a varias divinidades griegas y romanas) dejó de ser la religión del imperio para convertirse en una de tantas, y la religión cristiana pasaba de ser perseguida a tolerada. El consumo del incienso había iniciado su desplome.

Desde luego esto a los historiadores de la ciencia no les sorprende. Ellos están acostumbrados a revoluciones en las que una teoría se viene abajo y otra triunfa. Pensemos ahora en la Enciclopedia Británica. Editada a finales del siglo XVIII, contaba con 18 volúmenes y 16 000 páginas. Fue elaborada por varios grupos de expertos que escribieron artículos académicos bajo la dirección de un gerente. Un gran logro y una maravillosa obra que permaneció por al menos dos siglos como la obra maestra de las enciclopedias. Pues bien, la Enciclopedia Británica ya no se imprime: la noticia de la desaparición de la edición impresa causó estupor, por haber sido dicha colección la más prestigiosa, y una de las más antiguas, de esas referencias impresionantes que acostumbraban llenar los estantes de las bibliotecas privadas y públicas. ¿Qué fue lo que cambió? En 2001 un comerciante de acciones bursátiles llamado Jimmy Wales se propuso construir una enciclopedia monumental, usando un modelo de producción diferente; no habría más sabios ni grupos de expertos. Su idea era aprovechar el conocimiento de cualquiera que pudiera pensar que podía escribir algo sobre algún tema. Así nació Wikipedia, la enciclopedia libre, gratuita y accesible para todos, que para 2005 era ya la más grande del mundo, elaborada por 20 000 colaboradores y que ahora se ofrece en más de 75 idiomas. La Enciclopedia Británica no supo reaccionar a tiempo a la revolución digital. Tampoco Encarta de Microsoft pudo frenar a Wikipedia.

Tal vez uno de los ejemplos que mejor evidencia el cambio tecnológico es el del correo tradicional y el correo electrónico. En 1901 Arthur H. Pitney patentó su sistema de sellos para cobrar los envíos. Las máquinas para poner sellos en sobres, que eran un gran negocio hace unos años, sufrieron una caída constante a medida que el mundo cambiaba del correo común al fax y al correo electrónico. ¿Por qué enviar un mensaje por correo postal cuando se dispone de un smartphone o se está conectado a internet? Hacemos mucho menos esfuerzo, no es necesario ningún trámite, es gratis y la entrega es instantánea. Hoy los servicios postales y de mensajeros en el mundo, a la par que combinan los átomos con los bits, siguen inmersos en profundos ejercicios de revisualización, buscando la diversificación.

¿Y qué podemos decir de los discos compactos? Pues que están en la fila para entrar al museo. Los CD se han visto impactados ante el fenómeno creciente de "bajar música y compartir archivos". Las descargas musicales representan más del 29% de los ingresos de la industria musical. Los sellos musicales saben que el futuro es internet y el mundo de las recomendaciones personales, los cuales están reemplazando a la mercadotecnia tradicional (radio y canales de televisión). Los "nuevos catadores" (filtros) son Google, los blogs. La venta de CD va en picada. En 2010 viajé a Bogotá, Colombia, y tuve la oportunidad de conversar con los integrantes de la agrupación musical Los Tigres del Norte, quienes me comentaron que cuando la industria disquera reaccionó ya era muy tarde. Apple ya se había convertido en el vendedor de música al menudeo más grande del mundo. Desde su lanzamiento en 1998 se han descargado más de 25 000 millones de canciones por medio de iTunes (con un precio base por canción de 99 centavos de dólar). Había que "reinventarse" y de nuevo "meterle duro a los conciertos en vivo". Estamos apreciando el fenómeno de la objetivación de los objetos. Muchos sostienen que la música ahora es gratuita, pero los espectáculos en vivo cada vez son más caros. Cuando se pone el cuerpo, la performance tiene un valor singular y creciente, donde importa tocar y sentir los objetos.

¿Cuántos de nosotros crecimos tomando fotos con cámaras Kodak para llevarlas luego a los centros de revelado? En 1888 su primer mensaje de publicidad decía: "Usted aprieta el botón y nosotros haremos el resto". La gente dejó de apretar el botón y tras un siglo de fotos vino la quiebra. Eastman Kodak dominó la industria por décadas. En el apogeo de su éxito esta empresa llegó a emplear más de 140 000 personas y a valer más de 28 000 millones de dólares. Incluso inventaron la primera cámara digital. Hoy la nueva cara de la fotografía digital se ha convertido en Instagram. Cuando Instagram se vendió a Facebook por 1 000 millones de dólares en 2012, empleaba a sólo 13 personas. Hoy Kodak está en bancarrota. La empresa fue a concurso de acreedores en enero de 2012 por los altos costos de pensión y tras haber quedado rezagada durante muchos años en la adopción de tecnología digital de su negocio fotográfico. Recientemente han anunciado su regreso bajo las siglas KODK como una compañía tecnológica de imagen para las empresas. Desde luego que Kodak es un caso emblemático, pero no es el único. Las tiendas de Tower Records deberían ser un caso de estudio para aquellos que no entienden que el mercado está cambiando alrededor de ellos. Mientras que otras tiendas de discos comenzaron a reconocer que era necesario renovar por completo su negocio —avanzar hacia una combinación de clubes y tiendas de música y danza para iniciar sus propios sellos discográficos o convertirse en "destinos" en lugar de sólo las tiendas—, los líderes de Tower Records insistieron en que la web "sin duda no va a tomar el lugar de las tiendas". La bancarrota de T&R nos cuenta otra historia. ¿Y qué podemos decir de Blockbuster? En 2010 Netflix obtuvo más de 160 millones de dólares de beneficio. En Estados Unidos, Blockbuster, la famosa empresa líder en el alquiler de películas, con un dominio total del mercado desde 1990, por su parte, no consiguió adaptarse a la era de internet, y ese mismo año se declaró en bancarrota.

La lección ha sido clara: los rezagados simplemente tienden a la extinción. Cuando el mercado cambia, necesitas cambiar con él. A no ser que seas pionero y entonces serás tú el que lo cambie.

Los ejemplos de cambios pululan por todos lados. Los diarios anuncian que "los jueces británicos se quitan la peluca para ahorrarle unos 600 000 dólares anuales al erario público", con lo que pondrán fin a una tradición de más de 200 años en Gran Bretaña y dejarán de llevar las tradicionales pelucas blancas en los juicios. Los magistrados de casos civiles y de familia dejarán también de utilizar las capas rojas, y comenzarán a vestir túnicas negras simples. La decisión fue anunciada por el Lord de Justicia, Charles Phillips, quien considera que la vestimenta elaborada perpetúa una imagen de los jueces totalmente alejada de la realidad y envuelta en tradiciones innecesarias.

Ni siquiera Plutón se escapa. En el verano de 2006, 2 500 científicos se reunieron en Praga, República Checa, en la asamblea general del sindicato astronómico internacional. Como se ha descubierto que hay algunos pedazos de roca aún más grandes que Plutón orbitando alrededor del Sol, el antiguo planeta fue reclasificado como planeta enano. ¡Esto sucedió de manera inmediata! En un momento Plutón era un verdadero planeta y al siguiente ya no lo era. Esta reclasificación sorprendió y entristeció a algunos pero tuvo poco impacto en el esquema general de nuestras vidas. Volvió obsoletos los libros de astronomía escritos antes de 2006.

Para el historiador marxista británico recién fallecido Eric Hobsbawm, "el corto siglo XX terminó con problemas, para los cuales nadie tuvo, o siquiera dijo tener, soluciones. Mientras que los ciudadanos del fin de siglo tanteaban su camino hacia el tercer milenio en medio de una niebla global, todo lo que sabían por cierto era que una época de la historia había terminado".

Desde hace más de una década el ingeniero Carlos Slim Helú, a quien tuve el honor de conocer en mi paso por la Oficina de la Presidencia de la República en el periodo del presidente Vicente Fox, viene sosteniendo en sus conferencias que "estamos viviendo un cambio de civilización total, con nuevos paradigmas". A estas alturas del partido nos queda perfectamente claro, por desgracia a muchos todavía no, que *lo que estamos experimentando no es una época de cambios, sino un cambio de época*. Este cambio de época, en palabras del Papa Francisco, se ha generado por los enormes saltos cualitativos, cuantitativos, acelerados y acumulativos que se dan en el desarrollo científico, en las innovaciones tecnológicas y en sus veloces aplicaciones en distintos campos de la naturaleza y de la vida. Estamos en la era del conocimiento y la información, fuente de nuevas formas de un poder muchas veces anónimo.

En mi opinión el concepto que mejor nos ayuda a comprender esta nueva época es el acuñado por el sociólogo polaco Zygmunt Bauman: "Lo líquido". Y sus numerosas obras así lo reflejan. Tiempos líquidos, amor líquido, modernidad líquida, miedo líquido... En sus propias palabras: "Ha desaparecido la modernidad sólida. Ha llegado la época líquida. Cualquier gestión de una crisis crea nuevos momentos críticos, y así en un proceso sin fin. En pocas palabras, la modernidad sólida fundía los sólidos para moldearlos de nuevo y así crear sólidos mejores, mientras que ahora fundimos sin solidificar después".

Para darnos una idea de las diferentes épocas o eras de la humanidad podemos observar la gráfica 1.

En la era agrícola los protagonistas eran los agricultores y campesinos. En la era industrial fueron los trabajadores en las fábricas. En la era de la información fueron los trabajadores del conocimiento. En la era conceptual los protagonistas están siendo los creadores e innovadores. Podemos observar que todas las etapas han sido impulsadas por el progreso tecnológico. El físico Freeman Dyson llamó a la tecnología "un regalo de Dios".

Ciertamente aún no hemos acuñado el nombre con el que todos nos habremos de referir a esta nueva época de manera unívoca. Tal vez lo conozcamos dentro de un par de décadas. Por lo pronto se me ocurre explicar lo que está pasando echando mano del viejo cuento indostánico de los "siete ciegos y el elefante": En un pueblo había siete hombres ciegos que eran amigos, y ocupaban su tiempo en discutir sobre cosas que pasaban en el mundo. Un día surgió el tema del "elefante", ninguno había "visto" nunca un elefante, así que pidieron

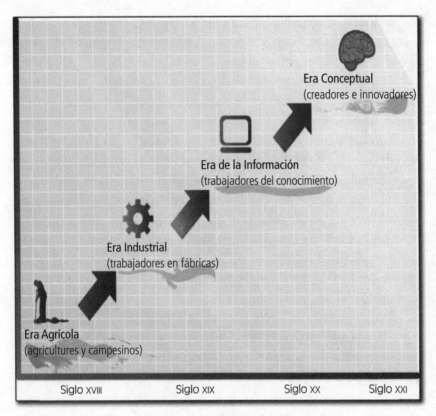

Era Conceptual
(creadores e innovadores)

Era de la Información
(trabajadores del conocimiento)

Era Industrial
(trabajadores en fábricas)

Era Agrícola
(agricultures y campesinos)

| Siglo XVIII | Siglo XIX | Siglo XX | Siglo XXI |

Gráfica 1

que los llevaran ante un elefante para descubrir cómo era. Uno tocó su costado, otro la cola, otro la trompa, otro la oreja, otro la pata, etc., después se reunieron para discutir lo que habían "visto". Uno dijo: "un elefante es como una pared" (pues había tocado su costado). "No, es como una cuerda", dijo otro. "Estáis los dos equivocados", dijo un tercero, "es como una columna que sostiene un techo". "Es como una serpiente pitón", dijo el cuarto. "Es como una manta", dijo el que había tocado la oreja. Y así siguieron y siguieron discutiendo.

De igual modo, desde hace varios años, una serie de filósofos, sociólogos, pensadores, científicos, tecnólogos, etc., han intentado definir lo que significa esta nueva época. Así, para Peter Drucker es la "era de la discontinuidad", para Jeremy Rifkin la "era del acceso", para Eric R. Kandel la "era del inconsciente", para Joshua C. Ramo la "era de lo impensable", para Eric Schmidt la "nueva era digital", para José Antonio Marina la "era del aprendizaje" y para C. K. Prahalad es la "era de la innovación".

Al igual que en el cuento de los ciegos y el elefante, todos tienen una experiencia "parcial" y, a la par, una representación cierta sobre la nueva realidad en la que hoy vivimos y a diario somos sorprendidos.

Muchas de las galaxias que los astrónomos ven en el universo han dejado de existir desde hace cientos de años. Todavía se ven porque las imágenes sólo pueden viajar a la velocidad de la luz hacia la Tierra y no más rápido. En términos metafóricos, eso mismo pasa cuando vemos paradigmas que nos llevan a pensar que la anterior época aún sigue vigente. Las estrellas ya perecieron, aun cuando su luz sea percibida muchos años luz después. Los astrónomos saben que en realidad lo que están anunciando es el nacimiento de una nueva supernova.

Si algo caracteriza a esta nueva época es la "revolución del tiempo". Vivimos en un mundo de cambios acelerados. Al preguntarle en una entrevista al cantautor Manu Chao sobre si hace planes a largo plazo, responde: "A tres meses, no más allá, el mundo cambia muy rápido". Vivimos en una era de aceleración tecnológica, en la que aparecen sin cesar nuevos paradigmas y donde el intervalo entre ellos es cada vez menor (de la regla 10-10 a la regla 1-1: el caso YouTube). El ritmo del cambio realmente está acelerándose cada vez más. Hoy, una computadora personal que se encuentra en una tienda ya es obsoleta, pues las próximas dos generaciones de computadoras personales ya están en los laboratorios, esperando entrar a la producción en masa. El ciclo de los productos, desde el descubrimiento básico hasta el mercadeo masivo y el reemplazo con un modelo aún mejor, se ha reducido de 40 años a seis meses o menos.

El mundo está cambiando con tal rapidez que la mayoría de las personas no comprenden en lo que nos estamos metiendo. Noventa trillones de correos electrónicos enviados en un año; 247 billones promedio de correos enviados en un día; 800 millones de usuarios de Facebook. ¿Podemos explicar esto? La aparición del ciberespacio marca la prioridad del tiempo sobre el espacio. Estamos en la era de la inmediatez y lo instantáneo. La comunicación se produce a la velocidad de la luz. Siempre hemos experimentado cambios, pero rara vez con tanta intensidad y velocidad, y nunca con esta magnitud y alcance. Este cambio es radical, no incremental. ¿Se acuerdan del Roadrunner? Se trata de aquel monstruo que IBM construyó para el laboratorio nacional de los Álamos, bajo el ala del Departamento de Energía. Este superordenador, además de superar la barrera del petaflop de procesamiento, logró quedarse en varias ocasiones con el primer puesto de la lista top 500. Sin embargo, casi cinco años después de su puesta en marcha (2009), Roadrunner fue declarado obsoleto, y retirado del servicio. ¿La razón principal? Nada menos que su eficiencia energética.

En un mundo que no duerme, el énfasis está puesto en el cambio.

> Ahora bien, ésta es mi hipótesis sobre lo que está dando lugar a una nueva época: la confluencia de dos nuevas revoluciones. Por un lado, una nueva "revolución industrial" y, por otro, una nueva "revolución del conocimiento".

Un ejemplo de una empresa mexicana que es parte de esta nueva revolución industrial es Nemak (forma parte del Grupo Alfa), la cual es líder mundial en producir cabezas de motor y recién invirtió más de un millón de dólares en investigaciones de nanotecnología y desarrollo tecnológico en México. Y es que Nemak investiga *aplicaciones de nanotecnología* para estar a la vanguardia en cabezas de motor, y sobrepasar la demanda de los clientes, informa Salvador Valtierra Gallardo, director de Innovación de la firma. La compañía también explora la innovación abierta, ya que si en alguna parte del mundo hay gente que ya lo está haciendo, es fácil hacer una sociedad, comprar, rentar o alcanzar algún trato, opina. "La idea es que mediante la innovación abierta, nuestros procesos de desarrollo sean más cortos. Lo estamos discutiendo, es algo que requiere más negociaciones porque implica propiedad intelectual y su manejo", explica. Para Nemak, la parte tecnológica es vital. "La manera como nos vamos a defender en el futuro es con base en el conocimiento; si no tenemos conocimiento, es difícil que podamos competir contra China; ahora estamos en otro nivel de competencia porque abastecemos a todo el mundo: Porsche, Audi, General Motors, Ford, Nissan, y muchos otras empresas trasnacionales más."

La nueva revolución industrial en el mundo de la fabricación se está caracterizando por ser digitalizada y personalizada. Las cosas se hacen, cada vez más, de manera digital. Ciertamente apenas 10% de las industrias han dado el salto a la digitalización. Esto va a cambiar pronto dramáticamente porque fabricar —la experticia, el equipo y el conocimiento asociado con crear y suministrar cantidades de copias de un producto— está en el inicio de pasar a la digitalización.

Cuando una industria pasa a digital ocurren cambios fundamentales: la digitalización cambia no sólo la manera en que se hacen las cosas, sino quién las hace. Todo se está desplazando de lo analógico a lo digital. Digital significa que podemos producir soluciones en masa y, a la vez, personalizar. Significa también pasar del mundo de los átomos al mundo de los bits. Un bit (dígito binario) es la unidad más pequeña de información que utiliza un ordenador. Son necesarios ocho bits para crear un byte. Al parecer podemos pensar que los átomos son portadores de bits de información o podemos pensar que los bits de información son portadores de átomos. Lo cierto es que no podemos separar las dos cosas.

Éste es un ejemplo bastante ilustrativo acerca de la transición del mundo de los átomos hacia el mundo de los bits. Para imprimir los directorios de la sección amarilla en Estados Unidos se utilizaron 680 000 toneladas de papel hace seis años. En 2012 sólo se utilizaron 120 000 toneladas. ¿Y qué decir de este otro en relación con la revolución digital? Del primer ordenador electrónico en 1946: 19 000 tubos de vacío; 6 × 12 metros cuadrados. Ocupaban habitaciones enteras. Al microprocesador actual: 1 000 millones de transistores; 250-500 milímetros cuadrados. Caben en el ancho de una uña. Y la cosa no para ahí. El Raspberry Pi es un ordenador de placa reducida o placa única (SBC) de bajo costo, desarrollado en el Reino Unido por la Fundación Raspberry Pi con el objetivo de estimular la enseñanza de ciencias de la computación en las escuelas. Tiene el tamaño de una tarjeta de crédito y se conecta al televisor y un teclado. Puede ser utilizado para muchas de las cosas que hace la computadora personal, como hojas de cálculo, procesadores de texto y juegos. También reproduce video de alta definición.

En el terreno de la fabricación, ¿qué se necesita para convertirse en un creador? En opinión de Chris Andersen, para convertirse en un jugador integral, de lo que él llama la tercera revolución industrial, sólo se necesita establecer un taller del siglo XXI. Las herramientas para ser un fabricante digital son cinco: *1)* software CAD (diseño asistido por computadora): puede dibujar sus ideas en la pantalla y editarlas; *2)* impresora 3D: para convertir la idea en prototipo rápidamente. Las impresoras 3D existen desde hace un par de décadas pero el costo de su desarrollo apenas empieza a ser efectivo. Hay muchas aplicaciones que están a la espera de explotar cuando mejore la relación de precio. Se espera que pronto haya modelos económicos en comercios como Walmart y Costco. El gobierno del presidente Barack Obama lanzó hace poco un programa que instalará talleres de impresión 3D en 1 000 escuelas públicas del país. Y China no se queda atrás, sólo en la ciudad de Shanghai se están construyendo 100 talleres de impresión; *3)* escáner 3D: un buen escáner puede digitalizar el mundo mucho más rápido de lo que se puede dibujar en el CAD; *4)* cortador láser: permite hacer cualquier cosa diseñada en la pantalla en plástico, madera o metal delgado. Utilizar el cortador láser es la manera más fácil de fabricación digital pero es la herramienta menos necesaria, ya que será más fácil subir el archivo a un servicio en línea y que lo hagan a un precio muy bajo; *5)* máquina CNC: utilizan taladros para fabricar en casi todos los materiales y son más baratas que un cortador láser. Las máquinas CNC sustraen mientras las 3D agregan.

Si alguien no cuenta con estas cinco herramientas, no importa. Existe una cantidad de servicios basados en la web que ofrecen producciones de alta calidad. Ponoko y Shapeways son las más conocidas. Se colocan las especificaciones en sus páginas y se consiguen objetos fabricados en la cantidad que se desee. Ellos incluso monitorean el proceso y asesoran sobre la selección de los materiales, precios y todos los aspectos técnicos. Ya existen servicios como éstos en el campo de la electrónica, textil y cerámica. Se puede hacer todo desde el escritorio. La adopción de las tecnologías digitales ha replanteado todo el proceso de fabricación. Ahora se puede acceder a facilidades de producción sin problemas y de forma rentable. Es como tener una fábrica de productos en la nube a la orden. Chris Anderson en su libro *Hacedores: la nueva revolución industrial* sostiene que así como la red acabó con el monopolio de los medios de masa, en los próximos años asistiremos al final del monopolio de la manufactura en masa. La democratización de las tecnologías ha impulsado a una nueva generación de emprendedores, donde el conocimiento y la experiencia son reemplazados por nuevas capacidades y habilidades.

Otro fenómeno muy interesante de esta nueva revolución tecnológica es el creciente uso de los dispositivos móviles y de sus capacidades cada vez más potentes, lo que hace que a la gente ya le sea obsoleto utilizar una computadora de escritorio. El creciente mercado de dispositivos móviles y de las aplicaciones para el trabajo, la escuela y el entretenimiento ha provocado que cada vez más usuarios dejen de usar una computadora de escritorio. La consultora internacional Deloitte realizó un estudio de "predicciones sobre tecnología, medios y telecomunicaciones 2013", en el que dijo que por primera vez serán adquiridos 1 000 millones de teléfonos inteligentes o smartphones en todo el mundo en 2013, una cifra récord. La compañía Cisco prevé que para 2015 habrá el mismo número de teléfonos móviles en el planeta que de humanos y pronostica que para 2020 existirán alrededor de 50 000 millones de dispositivos móviles conectados, un promedio de tres equipos por persona, que estarán creando más de 1.3 zettabytes de tráfico por internet al año, el equivalente a descargar 38 millones de DVD por hora. "Los retos son grandes, pero también las posibilidades de vivir en ciudades inteligentes", dijo la compañía Cisco.

De la mano del crecimiento de los dispositivos móviles conectados, va a la alza la llamada App Economy (economía de las aplicaciones). Estados Unidos creó 466 000 puestos de trabajo y generó 20 000 millones de dólares en 2011. De ahí en adelante no ha dejado de crecer, gracias a los 1 000 millones de usuarios de smartphones (de los 5 000 millones de usuarios móviles). En conjunto se han descargado más de 50 000 millones de aplicaciones (apps) App Store. En adelante, las empresas deberán adentrarse por completo en todo lo que significa "momentos móviles"; los consumidores esperan que sus dispositivos móviles maximicen absolutamente cada momento, convirtiendo sus experiencias, compras y comunicaciones en vivencias multitareas. Deberemos crear aplicaciones para el acceso a información recurrente, para que nuestra marca aporte valor y apoye a nuestro consumidor en cada momento, para comprar, para compartir. En determinados sectores, como el de la salud, el móvil será una gran oportunidad; 83% de los países desarrollados han llevado a cabo al menos una iniciativa de salud basada en la tecnología móvil y los consumidores están utilizando la tecnología para seguir, gestionar, vigilar y mejorar su salud. En México tenemos el interesante caso de HDS (Health Digital Systems). Su fundador es Jaime Cater, un emprendedor nato, graduado de la Universidad Anáhuac. Tuve la oportunidad de visitar las instalaciones de esta empresa y de ser atendido por Víctor Reyes, el Chief Innovation Officer. HDS es una empresa que ofrece un sistema integral de la información para la industria médica, permitiendo a las entidades facilitar, financiar y regular los servicios de salud para acceder, monitorear y compartir datos médicos en una red en línea segura en tiempo real.

Las aplicaciones representan un negocio global de 25 000 millones de dólares. La industria de las aplicaciones "es como la de los automóviles a comienzos del siglo pasado", dijo Simon Khalaf, presidente ejecutivo de la firma de análisis móvil Flurry Inc. "Se observa el crecimiento de las vías y se sabe que será algo grande. Pero sigue estando en pañales", manifestó.

Chetan Sharma Consulting, en su informe anual sobre el estado de la industria mundial del móvil de 2012, advierte que en un máximo de cinco años la empresa que no tenga en el móvil la mayoría de su negocio digital, será irrelevante. Más: en los próximos 10 años habrá más cambios que en los 100 anteriores. Aún más: la red 4G se está desarrollando tan rápidamente como lo hizo la 3G. No hay nada similar en el mundo al número de abonados a la telefonía móvil. Ni siquiera el servicio eléctrico o el de agua. La cantidad de internautas, por ejemplo, es casi la tercera parte de los movilnautas, y los telespectadores apenas llegan a su quinta parte. Los teléfonos fijos en nuestras casas sólo están siendo usados por algunas mamás y por el personal de servicio (y estos últimos no porque no tengan su móvil sino para no gastarse su crédito). Para conseguir los primeros 1 000 millones de abonados transcurrieron 20 años; para los últimos 1 000 millones bastaron 15 meses.

De acuerdo con Shawn DuBravac, director de investigación de la Asociación de Electrónica de Consumo (CEA), en esta era de conectividad, donde la moneda corriente son los datos, los dispositivos que logren hacer un puente entre lo digital y lo análogo brindarán satisfacción a los usuarios. Con una población mundial de internautas de 2 000 millones de personas que pasan alrededor de cuatro horas conectadas al día, la mesa está puesta para la conectividad. Los usuarios de smartphones utilizan más sus móviles para cinco tareas: navegar en la web, enviar mensajes, gestionar sus cuentas de correo electrónico, manejar redes sociales y utilizar aplicaciones.

Una *startup* mexicana que se está moviendo como pez en el agua en el mar de la App Economy es NA-AT Technologies (NA-AT en maya significa conocimiento y sabiduría), fundada por Carlos Chavarría. Esta empresa controla 18% del mercado de aplicaciones móviles para el sector financiero y 3% del sector a nivel nacional y cuenta con un Centro de Desarrollo en el Tecnológico de Monterrey. NA-AT busca posicionarse como líder en el desarrollo de aplicaciones en México.

Así mismo estamos transitando de la producción en serie a la producción personalizada. El siglo XX fue el más cómodo en la historia de la humanidad. Objetos que hace 100 años significaban un gasto importante, como unos zapatos, una radio o un bolígrafo, se universalizaron gracias a la producción en masa. A cambio, el hombre moderno perdió originalidad. La economía de escala que había permitido llevar el bolígrafo hasta su bolsillo por un precio razonable era también la que exigía que miles como él compraran exactamente lo mismo. Esos tiempos se acabaron, ya no existen más. La gente desea una mayor individualidad conforme se vuelve más próspera, y la tecnología lo permite. Un peinado como el de nadie más en la oficina, una corbata hecha a mano, comprada en un pequeño local de París, una playera diseñada por uno mismo.

Los destacados autores Joseph Pine y Stan Davis escribieron: "la personalización en masa será tan importante en el siglo XXI como lo fue la producción en serie en el siglo XX". Los gerentes dicen: "nuestro objetivo es la manufactura simultánea: hacer los productos conforme habla el cliente", y "toda la mercadotecnia actual se está moviendo hacia la personalización". Es el secreto para la retención del cliente. Hoy en día, sitios web de empresas como Converse y Nike, por ejemplo, permiten que los usuarios creen zapatillas personalizadas con unos pocos clics, y cuestan poco más que los modelos que pueden encontrarse en las tiendas.

Otro ejemplo es Zazzle, una tienda en Estados Unidos que permite personalizar productos que van desde fundas para iPhone hasta camisetas y patinetas. "Una de las más poderosas tendencias de consumo es hacia la individualización; los consumidores no quieren que les den el mismo entretenimiento o productos —dice el cofundador de la empresa Jeff Beaver—. Quieren crear los suyos propios, publicarlo y aprovechar nuevas tecnologías y servicios para expresarse." Además de elegir entre decenas de millones de diseños y miles de millones de combinaciones de productos, los usuarios de Zazzle pueden subir al sitio sus propias ideas y venderlas. Así, cada día se publican 150 000 nuevos productos. "El desafío más grande al posibilitar una personalización en línea efectiva radica en que los productos aún no existen —agrega—. Debemos mostrarle al usuario cómo se vería el producto si fuera fabricado." Para hacer eso la compañía utiliza tecnologías de visualización especiales, técnicas similares a las que utiliza la industria del cine para construir instantáneamente productos en forma virtual sobre un espacio tridimensional, al tiempo que utiliza fotografía computacional para aplicar imágenes y diseños sobre su superficie. La fabricación "hágalo usted mismo" es "personalización en masa", la cual permite al consumidor diseñar el producto según el gusto propio. Ahora todos podemos ser diseñadores.

Veamos ahora el caso de Local Motors, empresa fundada por John (Jay) Rogers, un veterano de la última guerra de Irak. Aquí no contratan a ningún equipo de diseño ni desarrollan internamente proyectos de investigación y desarrollo (I+D). Disponen de una comunidad virtual de cerca de 5 000 diseñadores, de 121 países, que participan en competiciones y diseñan colectivamente la próxima generación de automóviles. En la actualidad localmotors.com es la meca de los diseñadores y aficionados del mundo del motor. La mayoría de los componentes de los autos los consigue en el mercado de segunda mano de Ford, BMW, Mercedes, el que tenga la pieza adecuada al mejor precio. No tiene concesionarios; vende los coches directamente en las microfábricas donde se producen. Sus vehículos están focalizados en mercados especializados; por ejemplo el todoterreno Rally Fighter para competiciones de resistencia, llamado también "el coche del Lego", ya que una serie de sus componentes pueden separarse y recombinarse cuantas veces lo queramos.

La personalización es un gran negocio. No es casual que empresas como la española Telefónica consideren la "personalización" como el primero de sus cinco pilares. Los otros cuatro son: compromiso, oferta, atención e innovación. La personalización (también llamada "customización") pone en evidencia que estamos pasando de una "cultura de masas" a una "masa de culturas". Los mercados se han fragmentado tanto que resulta imposible categorizarlos, porque los nuevos productos y servicios que ahora existen se hicieron no necesariamente para que fueran éxitos. Por tanto, ahora el interés se centra en películas que no ganan premios, en música que no llega al *hit parade*, en libros que no conforman la lista de los *best-sellers*, pero que no obstante tienen audiencias de millones en todo el mundo, integrando un mosaico de minimercados y microestrellas (en opinión de Chris Anderson, en "la larga fila"). La tecnología está transformando los mercados masivos en millones de nichos. ¿Qué motiva a la gente a desarrollar productos de nicho, o a pertenecer a pequeños grupos que comparten aficiones muy particulares? La razón es simple: lo hacen para adquirir reputación, prestigio, porque no quieren "ser normales", sino "especiales". Un ejemplo interesante es el que me compartió mi amigo Omar Ruvalcaba, un diseñador desafiante. Es acerca del proyecto en el que él mismo es el creativo: la alianza entre los tenis Vans y los plumones Sharpie para dar vida al proyecto "Marca tus pasos", un interesante concurso donde el ganador puede estudiar becado cualquier diplomado de diseño en el Tec de Monterrey.

En la misma línea de la personalización se inscribe el caso de la empresa mexicana Bamboocycles, que está aprovechando una tendencia creciente hacia el ciclismo urbano y ganando reconocimiento por su diseño innovador. Su fundador, Diego Cárdenas, de 25 años de edad, diseñador industrial, ha hecho de un tubo de bambú el componente principal de su original bicicleta. Se inclinó por este material en su búsqueda de algo ligero, atractivo y amigable con el medio ambiente. Ahora sus elegantes bicicletas hechas de bambú de origen local y fibra de carbono han encontrado su lugar en el Museo de Arte Moderno de la ciudad de México y en las páginas de revistas de Francia, Estados Unidos y China. Su sueño es que las bicicletas sean consideradas como el medio de transporte ideal en la ciudad de México. El programa Ecobici —en el que los usuarios pagan una cuota anual mínima por el derecho a tomar prestadas las bicicletas por un intervalo de 45 minutos— es un avance en este sentido. La originalidad, además del bambú —lo que reduce la vibración y hace que cada pedaleada sea más suave— y de que cada bicicleta es hecha a mano, posibilita personalizar tu Bamboocycles con los componentes Polo&Bike.

En líneas anteriores mencioné que en esta nueva época están confluyendo dos nuevas revoluciones. Ya he explicado un poco acerca de la nueva revolución industrial. Toca el turno a la nueva revolución del conocimiento.

Para el economista estadounidense Lester Thurow la tecnología y el conocimiento están haciendo temblar los cimientos del capitalismo del sigo XXI. Mientras todo lo demás cae fuera de la ecuación competitiva, el conocimiento y las habilidades se han convertido en las únicas fuentes de beneficio competitivo y sostenido a largo plazo. Y en la misma dirección se pronuncia el eminente físico teórico Michio Kaku: "Toda la confusión que está generando esta nueva revolución puede resumirse en un concepto: la transición del capitalismo de mercancías al capitalismo intelectual".

Como senador de la República tuve la oportunidad de presidir el Comité para el Fomento de la Competitividad, lo que me permitió indagar sobre los países más competitivos del mundo. Un estudio sobre 144 economías, el informe 2012-2013 sobre competitividad global del Foro Económico Mundial (WEF), señala que Suiza sigue siendo el país más competitivo del mundo (en primer lugar también en las dos versiones anteriores del informe). Los lugares 2 al 10 son ocupados respectivamente por Singapur, Finlandia, Suecia, Holanda, Alemania, Estados Unidos, Reino Unido de la Gran Bretaña, Hong Kong y Japón. México pasó de la posición 58 a la 53. Estos países son los más competitivos y a la vez los más innovadores del mundo, como lo demuestra el Índice de innovación global. Y estos países nos demuestran que *el éxito seguirá basado en la gestión del conocimiento*. Pero no se trata de cualquier tipo de conocimiento. La nueva revolución del conocimiento" tiene que ver con un conocimiento complejo, conceptual, colaborativo, diverso, polivalente, productivo, conectivo, acumulativo, novedoso. En resumidas cuentas, tiene que ver con un conocimiento creativo e innovador. Dos casos ilustrativos de esta "era conceptual" y relacionada con países del Primer Mundo son las compañías Ikea y Philips. Ingvar Kamprad, fundador de Ikea (Suecia), así la define: "*Somos un negocio conceptual*: nuestro propósito es crear una vida cotidiana mejor manufacturando muebles bellos y duraderos a precios tan bajos que sean costeables para la mayor cantidad posible de personas". Sólo para darse una idea de lo innovadora que es esta firma los invito a ver este promocional con realidad aumentada: http://www.youtube.com/watch?v=vDNzTasuYEw. En mi reciente visita a la planta que la empresa holandesa Philips tiene en México, su director general, Sergio Villalón Antuñano (por cierto el primer mexicano en ocupar esa posición), así se expresaba: "Lo que vendemos es un concepto que integra diseño, eficiencia, ahorro de energía, ambientación, flexibilidad y, desde luego, tecnología (con aplicaciones incluidas)". Si has visto el Ángel de la Independencia cuando se ilumina de rosa o la iluminación en calles del Centro Histórico para resaltar la arquitectura, ése es el tipo de conceptos y experiencias que desarrolla esta empresa. En resumen, se trata de un "concepto que genera experiencias".

Ikea y Philips no son casos aislados de lo que está ocurriendo en Holanda. Éste es un país exitoso, y ello se debe principalmente al espíritu emprendedor, la inteligencia para hacer negocios y la innovación constante. Claramente la prosperidad no es algo que se da por descontado. De ahí que el gobierno, las empresas y los centros educativos hayan presentado nuevas ideas sobre cómo aumentar la competitividad para el año 2020, las cuales se exponen en el reporte "Innovación: Holanda a la cima". El gobierno holandés comprende la importancia de estimular la creatividad, la innovación y el espíritu empresarial para ofrecer soluciones tanto a las necesidades actuales como a los mercados del futuro. Los holandeses han avanzado al puesto número siete, gracias a sus políticas de innovación —entre otras razones—, pero no se conforman, tienen grandes ambiciones y quieren estar entre las primeras cinco economías más competitivas. Para lograrlo se están enfocando en innovar con todo en los sectores que consideran estratégicos tanto por razones históricas como geográficas: gestión del agua, agricultura y alimentos, horticultura, energía, alta tecnología, ciencias de la vida, química, logística e industrias creativas.

Muchos otros países se están subiendo a la ola de la innovación, como lo revela el documento "Innovación Canadá: un llamado a la acción", en el cual podemos leer:

> Estudios han documentado repetidamente que la innovación de negocios en Canadá está rezagada respecto de otros países altamente desarrollados. Esta brecha es de vital importancia porque la innovación es la máxima fuente de competitividad a largo plazo para los negocios y la calidad de vida de los canadienses. La habilidad de crear nuevos productos y servicios, de hallar nuevos usos para los productos existentes y de desarrollar nuevos mercados —estos frutos de la innovación son las herramientas que garantizarán el éxito de Canadá en el siglo XXI—.

El Premio Nobel de Economía Robert Solow señala la innovación como la principal fuente de productividad y empleo. La nueva revolución del conocimiento tiene como plataforma la educación y en la cúspide la innovación, misma que surge, en buena medida, de la combinación de ciencia, tecnología y arte, como lo podemos apreciar en la gráfica 2.

Cuando en los Estados Unidos analizan el juego global competitivo y los avances de países como China e India, surgen voces como la de Curtis Carlson, del Stanford Research Institute: "La única mane-

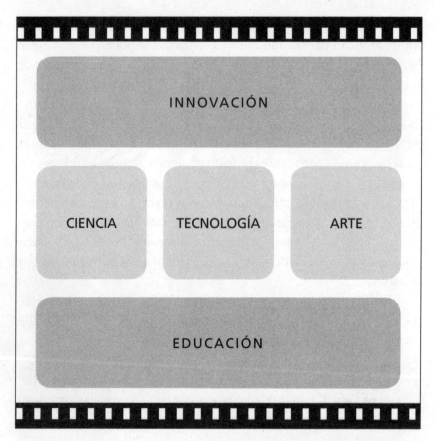

Gráfica 2

ra que tenemos de salir adelante es aprendiendo a utilizar las herramientas de la innovación y creando nuevas industrias basadas en el conocimiento dentro del mundo de la energía, la biotecnología y otros sectores científicos".

Finlandia encabeza la lista de los 40 países desarrollados con los mejores sistemas educativos, según el reporte global elaborado por la firma especializada en educación, Pearson. Le siguen en la lista Corea del Sur, Hong Kong, Japón y Singapur. Estos países tienden a ofrecer a sus profesores un estatus alto en la sociedad y a tener una cultura orientada hacia la educación. Estados Unidos ocupa la posición número 17. Los *rankings* son calculados de acuerdo con varias mediciones, que incluyen calificaciones en pruebas internacionales y las tasas de graduación entre 2006 y 2010. El estudio nota que si bien el financiamiento es un factor clave en la creación de sistemas educativos fuertes, la cultura que apoya los procesos educativos es aún más importante.

Los gobiernos de todo el mundo compiten por construir el ambiente más favorable para los negocios y están abrazando la innovación. Por ejemplo, en el rubro "facilidad para hacer negocios", México está en el lugar número 43 en la escala de facilidad para hacer negocios del Banco Mundial. El estudio "Haciendo negocios" es el décimo de una serie de informes anuales que investiga las regulaciones que mejoran —y las que inhiben— la actividad mercantil. Cubre 185 economías y 11 áreas de la vida de un negocio, entre las que destaca el número de trámites para iniciar un negocio. Singapur ocupa la primera posición, seguido de Hong Kong y Nueva Zelanda. No sorprende la posición de este último país: sólo se requiere un trámite para abrir un negocio. Consulta http://www.doingbusiness. org/reports/global-reports/doing-business-2013.

Los países más competitivos a nivel global ponen de manifiesto que la educación, enfocada en la ciencia, la tecnología y el arte, y traducida en innovaciones, es el mejor motor de la paz y la prosperidad.

La nueva revolución del conocimiento tiene que ver también con la competencia global por los talentos. ¿Qué país tiene los mejores cerebros? Un recuento de los ganadores de los premios Nobel hasta 2010, publicado por el *News Magazine* de la BBC, señala que Estados Unidos ha producido el mayor número de ganadores. Sin embargo, un análisis hasta 2009 de la evolución en la concesión de los premios en el área de ciencias muestra una figura más precisa. Considerando el país de nacimiento del laureado, se observa que Alemania estuvo a la cabeza durante los primeros tres cuartos del siglo XX. A partir de 1985 Estados Unidos tomó el liderazgo. El talento, como bien lo enseña el filósofo José Antonio Marina, no está antes, sino después de la educación, que es, en todos sus niveles, generadora de talento. Necesitamos generar talento porque es el fundamental recurso económico de nuestro tiempo. Antes la riqueza de las naciones estaba determinada por su materia prima, su territorio o su potencial financiero. Ahora el talento es la gran riqueza y, afortunadamente, se puede generar en cualquier lugar. Además sabemos que es posible aprender habilidades que antes se suponían innatas, como la creatividad, la innovación y el emprendimiento. Como señalan la OCDE y la UNESCO, vamos a vivir en una "sociedad del aprendizaje", que impone un "aprendizaje permanente", y que tiene que organizar estructuras privadas o públicas para hacerlo posible. Es fácil detectar esa ola de fondo. El lema es claro: aprender o marginarse.

Si bien existe una relación entre la competitividad y la innovación con la generación de empleos, en contrapartida los países que no han innovado son los que están generando mayor número de desempleados. La Agencia Central de Inteligencia (CIA) de los Estados Unidos recoge en su particular publicación denominada "The World Factbook" "un extraordinario *ranking* mundial de desempleo con la mayoría de los países del contexto económico internacional". Si bien es cierto que no aparecen todos los países y los datos sólo están actualizados en algunos casos hasta el año 2011, la lista que ofrece la CIA muestra las tasas de desempleo para una nada despreciable cifra de 201 países de todo el mundo.

¿Por que hay tanta diferencia entre los países ricos y los países pobres? ¿Cómo es que países que se igualan en escolaridad no se igualan necesariamente en productividad? Ante estas preguntas, Ricardo Hausmann, director del Centro para el Desarrollo Internacional, de la Universidad de Harvard, y a quien conocí en un congreso de la Coparmex en Acapulco, responde: "Los países pobres saben hacer pocas cosas. Los países ricos saben hacer muchas cosas". En el fondo todo se reduce a cuánto saben hacer. Y, para explicar su posición, se vale de una metáfora que hace referencia al famoso Scrabble (un juego de mesa en el cual cada jugador intenta ganar más puntos mediante la construcción de palabras) como teoría del desarrollo. Si tú tienes una letra no puedes formar muchas palabras. Entre más letras tengas más palabras podrás formar. Las intuiciones en que se basa su teoría son cuatro: *1)* países con más letras pueden formar más palabras. Son más diversificados; *2)* productos que requieren más letras los pueden hacer menos países. Los productos son menos ubicuos; *3)* países con más letras debieran poder hacer palabras más largas. Productos menos ubicuos; *4)* mientras más letras tenga un país, más diversificado será y menos ubicuos serán sus productos. Como podemos apreciar, Hausmann pone un énfasis especial en la relación intensa que se da entre diversidad y ubicuidad. Es decir, es en la diversidad donde radica el secreto de la innovación. Y es así que las personas se especializan y las sociedades se diversifican. Esto lo podemos confirmar en los Países Bajos, que tienen tradicionalmente una economía abierta y diversificada y el comercio con otros países es de gran importancia.

La nueva revolución del conocimiento combina ciencia, tecnología y arte. Pedro Felipe Buitrago Restrepo e Iván Duque Márquez han acuñado un concepto que me parece por demás interesante: "la economía naranja", en clara referencia a la "economía creativa". Ambos autores, con el patrocinio del Banco Interamericano de Desarrollo, han elaborado un manual justo con ese título: "La economía naranja: una oportunidad infinita", donde exponen sus ideas y conceptos claves. Los autores abren un debate sobre la importante oportunidad de desarrollo que Latinoamérica y el Caribe no pueden darse el lujo de perder. El enorme desafío que implica integrar económica y socialmente a 107 millones de jóvenes de manera exitosa va a requerir de mucha imaginación. La economía creativa representa una riqueza enorme basada en el talento, la propiedad intelectual, la conectividad y, por supuesto, la herencia cultural de nuestra región. Se trata de aprovechar mejor las oportunidades que se esconden en las avenidas del conocimiento que constituyen las artes, los medios y las creaciones funcionales.

A propósito de naranjas, vamos a referirnos a Israel. Si existe un lugar en el mundo que pueda compararse sin ruborizarse con el Silicon Valley californiano, ése es Israel. La historia es bastante conocida: Israel era el primer exportador mundial de naranjas hace 30 años, pero hoy vende al exterior tecnología, software, ingenieros y patentes. ¿Cómo han logrado saltar "de las naranjas a la tecnología"? ¿Cómo logró Israel —un país de 7.1 millones de habitantes, sin recursos naturales, rodeado de enemigos y en un constante estado de guerra— crear más *startups* que Japón, India, Corea, Canadá y el Reino Unido? (Una *startup* es una organización temporal diseñada para buscar un modelo de negocio repetible y escalable.) La respuesta al parecer apunta a una combinación de liderazgos que promueven la iniciativa empresarial y la innovación, de excelentes universidades, grandes empresas, *startups* y del ecosistema que las conecta —capital de riesgo, talento tecnológico, proveedores, exenciones fiscales a empresas—. Hoy Israel, los "granjeros de alta tecnología", la "nación *startup*", es un país que exporta conocimiento creativo e innovador.

Un proyecto mexicano que habrá que seguir de cerca es el de "Guadalajara: Ciudad Creativa Digital" (GDL CCD). Tiene como objetivo desarrollar a Guadalajara como un mejor lugar para vivir y trabajar, transformar la imagen de México como un líder internacional de producción audiovisual, crear un modelo sostenible para el futuro, crear un *clúster* para la producción de medios de talla mundial y hacer de la ciudad un destino mundial de diseño. La primera etapa del proyecto constará de un Centro de Innovación para el Aceleramiento del Desarrollo Económico (CIADE), un Centro de Negocios y una Incubadora de Empresas (en las que se integrarían pequeñas y medianas empresas así como algunas firmas globales de animación digital). La industria de medios y entretenimiento genera, a escala mundial, miles de millones de dólares al año. Con el GDL CCD sus organizadores aspiran a captar 200 000 millones de pesos anuales de aquí a 2025 (una participación de apenas 1% de ese sector). Por algo se empieza.

La nueva revolución del conocimiento está empujando con fuerza la revolución de las neurociencias. La neurociencia es el estudio científico sobre cómo la fisiología cerebral interviene en nuestro comportamiento. Incluye la neuroanatomía, la neuroquímica y la neurobiología. "En la ciencia del siglo XX hubo tres grandes temas: el átomo, el ordenador y el gen." El desciframiento del genoma humano fue posible sólo mediante el uso de supercomputadoras que pudieron descifrar los 3 000 millones de bits de información contenidos en el ADN. Habrá que adicionar la neurona. Así, hoy se habla de neuroeconomía, neuromarketing, neurofilosofía, neuroética, neuroeducación, neuropolítica y un largo etcétera. Aparte de sus aplicaciones médicas, la neurotecnología está invadiendo otros terrenos, como las finanzas, la mercadotecnia, la religión, la guerra o el arte. Estamos entrando en lo que Zack Lynch ha llamado "la neurosociedad".

John Bargh, de la Universidad de Yale, sostiene que así como Galileo "desplazó a la Tierra de su lugar privilegiado en el centro del universo", esta revolución intelectual desplaza la mente consciente de su lugar privilegiado en el centro de la conducta humana. En los dos últimos decenios del siglo XX surgió una nueva ciencia de la mente a partir de la convergencia entre la psicología cognitiva y la ciencia del cerebro. Y es que estamos inquietos porque seguimos sin saber cómo los procesos biofísicos cerebrales se convierten en fenómenos psicológicos. Y es por ello que nos preguntamos: si la ciencia puede descifrar el código genético, ¿por qué no ha de poder descifrar el cerebro? Para avanzar en este esclarecimiento se han echado a andar iniciativas como la del "cerebro azul" (Blue Brain) por parte de la Comunidad Económica Europea y el proyecto conocido oficialmente como Investigación Cerebral mediante Neurotecnologías Innovadoras de Vanguardia (BRAIN, por sus siglas en inglés). El presidente Obama quiere que las investigaciones incluyan a instituciones públicas pero también privadas. En tono de broma, ha dicho que si los humanos hemos sido capaces de dibujar "las galaxias más lejanas" es imperdonable que no conozcamos cómo funcionan "los 1 300 gramos de materia que tenemos entre nuestras orejas". Hablamos de una especie de Google Earth cerebral. Se trata de dos esfuerzos por generar un mapa estructural y funcional de las principales conexiones neuronales, y así entender lo que ocurre dentro de la mente.

Estas dos nuevas revoluciones están cambiando los paradigmas del mundo de un modo que ni siquiera imaginamos. En opinión del sociólogo francés Michel Maffesoli, en la postmodernidad vivimos en una sociedad efervescente y lo que experimentamos es una "saturación". En química hay saturación cuando las moléculas que componen un cuerpo se separan. Sin embargo, al mismo tiempo, con esas moléculas se produce la composición de otro cuerpo. Se trata de la saturación de los grandes valores que compusieron el modernismo —fe en el futuro, fe en el progreso (la creencia en el cáracter continuo e ilimitado del progreso humano ha sido socavada por las catástrofes humanas del siglo XX), predominio de la razón—, de esos valores que marcaron los siglos XVII, XVIII, XIX, hasta los años cincuenta o sesenta del XX. Ahora hay saturación simplemente, porque en un determinado momento se produce una fatiga, un hartazgo, el desgaste de un modelo, de un paradigma. Y en el momento de esa fatiga observamos una recomposición que genera una atmósfera brumosa, un burbujeo que lo cubre todo. Hasta aquí Maffesoli.

Una modalidad de esta "saturación" la podemos apreciar en la enorme variedad de productos que existen ahora, en buena medida como parte del fenómeno de la globalización, mismo que permite el acceso a productos de muchos países. Un ejemplo de esto es la "guerra" que se ha desatado en el mundo de los supermercados. Todos quieren lanzar su propia marca blanca a un precio más barato. Pocos se dan cuenta de que los clientes, la mayoría de las veces, compran las marcas blancas sólo para equilibrar un presupuesto esperando que vengan tiempos mejores. Un estudio realizado por investigadores de las universidades de Columbia y Stanford, concluyó que en la medida que las opciones aumentan el consumidor parece abrumado y acaba por no comprar nada. Yo soy uno de esos. Sobra decir que no todos comparten estas conclusiones. Pero lo cierto es que en un mundo de saturación las mentes no se dan abasto. Cada día se publican en papel más de 5 000 libros en el mundo. En términos de mensajes, 11 países de la Unión Europea emiten más de seis millones de anuncios por televisión cada año. El bombardeo electrónico, cada día, según Scientific American, crece en un millón de páginas web, que se agregan a los millones de páginas ya existentes. Internet se ha convertido en el tercer medio publicitario no convencional, por delante de la radio y detrás de la televisión y la prensa escrita. En 2013 se realizaron casi 6 000 millones de búsquedas en Google cada mes. Cada minuto se suben 20 horas de video a YouTube, es decir, 134 000 videos al día. Ante esta explosión de opciones la gente está tan agobiada con las posibilidades de elección que tiende a paralizarse. Demasiadas alternativas hacen que la gente evite tomar decisiones. Aumentan las expectativas y hacen que la gente tenga miedo de escoger mal. De ahí que por efecto de contraste muchos busquen adoptar un enfoque minimalista. El mundo es cada vez más abrumador, nuestros trabajos son cada vez más exigentes, los negocios son cada vez mas complicados, la economía es más incierta que nunca. La vida simple parece ser cuestión del pasado. Moisés Naím le llama a esto la "revolución del más": hoy hay más de todo, hay más países, hay más gente, hay más tecnologías, hay más partidos políticos, más productos, más empresas, más organizaciones no gubernamentales (ONG), más terroristas, más filántropos, más música, más información, más de todo... Bienvenidos a la era de los excesos... *Pero de lo que no hay más, es tiempo.* La misma velocidad con la que vivimos la vida, acelerados por las tecnologías, las demandas competitivas y nuestras propias expectativas revolucionadas, hace que siempre andemos "cortos de tiempo". En palabras del filósofo y ensayista alemán Rüdiger Safranski: "Vivimos bajo un estricto régimen del tiempo, donde éste se convierte en un bien escaso. Ésa es la moderna escasez de tiempo. Pero ahí se esconde una experiencia mucho más antigua y fundamental de la escasez del tiempo, a saber, la escasez ontológica de tiempo, [que] consiste, dicho con toda sencillez, en que el propio tiempo de vida tiene que parecerle escaso al hombre, porque sabe que está limitado por la muerte. Una vida es rica si participa de diversas velocidades".

Como lo señalé en párrafos anteriores, estas dos nuevas revoluciones están cambiando los paradigmas del mundo de un modo que ni siquiera imaginamos. Y desde luego, el mundo de los gobiernos, las universidades, las empresas y las ONG está siendo impactado desde sus mismos cimientos. En el ámbito de las empresas y los negocios, los desafíos que se experimentarán en los campos de las personas, las finanzas, las operaciones (manufactura), las ventas, el *marketing*, la investigación y el desarrollo, y la innovación, serán monumentales. En el ámbito de las personas el principal desafío lo habrán de repesentar los jóvenes de la hoy llamada "generación del milenio", que se caracterizan por ser digitales, flexibles, colaborativos, ambiciosos, creativos y multitareas, están marcando la pauta y dejando muy en claro que el negocio digital que no sea móvil, será irrelevante. Estamos hablando de una generación de jóvenes que piensan y actúan diferente, y todo como consecuencia del cambio. Es aquí donde se habrá de librar la gran batalla mundial por el talento. ¿Cómo atraer, motivar y retener a los mejores talentos? No sé quién tenga la respuesta a esta pregunta, lo que sí tengo muy claro es que los que no la tienen son los departamentos de recursos humanos. En el terreno de las finanzas estamos evolucionando de los préstamos y las líneas de crédito al capital de riesgo, al *crowdfunding* (financiación colectiva, especie de micromecenazgo), donde los consumidores más avanzados participarán cada vez más en el prelanzamiento de nuevos productos y marcas e incluso en la financiación de innovaciones o hasta en *startups* que consideren atractivas. La cantidad que los consumidores interesados gastaron en plataformas de *crowdfunding* ha aumentado desde 530 millones de dólares en 2009 hasta 1 300 millones de dólares en 2011 y 2 800 millones de dólares en 2012 (fuente: Massolution/The Economist, mayo de 2012). El éxito de sitios como Kickstarter o IndieGoGo ha hecho que sean miles los proyectos de todo tipo que buscan financiación a través de ellos. Como todo en la vida, a unos le va muy bien y a otros no tanto. Un caso interesante es la empresa Fondeadora, una plataforma de *crowdfounding* pionera en el mercado mexicano, que se enfoca en el sector creativo y provee un espacio donde los creativos pueden conseguir los fondos necesarios para realizar su proyecto con la ayuda del fondeo colectivo. Con una meta económica y un tiempo definido, los proyectos viven en la página y reciben aportaciones de los "fondeadores" que los ayudan a lograr su objetivo a cambio de alguna recompensa (www.fondeadora.mx).

En el campo de las operaciones las filosofías de *lean management* están invadiendo todos los ecosistemas empresariales. Lo que inició Toyota ha sido popularizado por Eric Ries. Y aún más allá de las operaciones está el impacto en la manufactura. ¿Cuál será el futuro de la industria manufacturera? Gran Bretaña, como muchos otros países, ha pasado por un periodo de gran desindustrialización. Casi nueve millones de personas fueron empleadas en la industria manufacturera británica en 1990; para 2011 esa cifra se redujo a menos de tres millones. Alrededor de 10% de la economía lo forma la industria manufacturera, la mitad de lo que era en 1990. En diferentes países, desde Estados Unidos hasta la rústica China, un coro de voces está pidiéndole al gobierno que potencie la industria doméstica para que haga más cosas.

El problema es —según un estudio sobre "El futuro de la manufactura" publicado en Londres en 2013 por la Oficina para la Ciencia— que la mayoría de los políticos no entienden la industria manufacturera moderna, y mucho menos cómo la tecnología la está transformando. En el futuro muchos manufactureros ni siquiera tendrán una fábrica, de acuerdo con el reporte, que fue encargado por el gobierno británico a paneles de expertos formados por hasta 300 ejecutivos y académicos. Su veredicto: "La industria manufacturera ya no se trata únicamente de la producción. La producción es el núcleo de un conjunto de actividades mucho más amplio". La industria manufacturera ha sido tradicionalmente considerada como un proceso que convierte la materia prima en productos físicos. Hoy en día, la parte física de la producción está en el centro de una cadena de valor mucho más amplia. Las manufactureras están generando cada vez más ganancias de otras actividades, muchas de las cuales están catalogadas como servicios. Como apunta el reporte, 39% de las compañías británicas con más de 100 empleados obtienen valor de servicios relacionados con sus productos en 2011, 24% más que en 2007.

Esos servicios son variados. Rolls-Royce, por ejemplo, ahora obtiene aproximadamente la mitad de sus beneficios de los servicios, incluyendo el arrendamiento de motores de jet a las aerolíneas en una base *power-by-the-hour*. ARM, que diseña los chips que son usados en la mayoría de los smartphones, no tiene una fábrica pero le proporciona sus diseños a una federación de otras firmas que los hacen. Decenas de firmas de ingeniería especializadas en un exitoso *clúster* británico en la industria automotriz desarrollan nuevos vehículos para fabricantes de automóviles a nivel mundial, pero construyen pocos autos por cuenta propia. En el futuro más productos manufacturados como éstos serán empacados con servicios: los componentes vendrán con sensores que darán alertas automáticas cuando el producto necesite reparación; "remanufacturar" se volverá común mientras las compañías obtengan más responsabilidad por la manera en que sus bienes son reusados y reciclados. JC Bamford, mejor conocido como JCB, líder mundial en equipo de construcción, ahora provee un rango de partes usadas remanufacturadas a sus estándares originales y mejoradas para todas sus máquinas. El reporte también miró hacia el reapuntalamiento, donde las compañías repatrian manufacturas que han sido "outsourceadas" por compañías extranjeras. Con los costos salariales aumentando, especialmente en China, y nuevas tecnologías cambiando la economía de la producción, puede tener sentido logístico hacer las cosas en tu país de nuevo. Aun así, el reporte encuentra escasa evidencia de reapuntalamiento en Gran Bretaña. Algunos fabricantes lo están haciendo. Hornby, un fabricante de juguetes, ha regresado 60% de la producción de su modelo de pintura Humbrol desde China; Laxtons, una compañía de hilo de Yorkshire, ha comprado su producción de regreso de otros lados, y Bathrooms.com ahora les da la mitad de sus contratos a productores británicos, cuando antes se los daba a productores chinos.

Sin embargo los cambios más grandes a la fábrica del futuro vendrán de la tecnología. El diseño y la simulación por computadora reducen el tiempo y el costo de traer nuevos productos al mercado. La robótica avanzada hace que la automatización sea más barata y flexible. Y los nuevos materiales, como las nanopartículas, les darán a los productos novedosas propiedades. Los nuevos procesos de producción, como la impresión 3D, ya son usados por los diseñadores para hacer partes prototipo, pero ahora las compañías de ingeniería también los utilizan para hacer productos finales. Las fábricas intensivas de gran capital que emplean muchas personas y hacen máquinas complejas, como las plantas automotrices de Nissan y Jaguar Land Rover en Gran Bretaña, continuarán. El reporte predice que muchas otras manufactureras serán a menor escala y que algunas incluso tendrán lugar en los mismos hogares. El precio de la impresora 3D más barata está por debajo de los 2 000 dólares, y ya está siendo usada en talleres caseros para hacer artesanías y gadgets. La industria manufacturera también debe volverse más sustentable, dice Sir Richard Lapthorne, un industrialista que lideró los grupos de expertos del reporte durante los dos años del proyecto. "En el futuro las compañías no serán capaces de permitirse el tirar las cosas", dijo. Por ejemplo, una fábrica llevada por British Sugar en Wissington, Norfolk, no sólo hace productos de remolacha azucarera, sino que usa las sobras para producir bioetanol, alimento para animales y composta (derivada de la remolacha). El calor sobrante de la fábrica calienta un invernadero que produce 140 millones de tomates al año. Incluso las emisiones de dióxido de carbono de la fábrica son recicladas a través del invernadero para ayudar a las plantas con la fotosíntesis. Muchas de las más recientes tecnologías requerirán menos trabajadores. Esto significa que la industria manufacturera no producirá muchos nuevos trabajos, al menos no directamente en la fábrica. Aun así, con una visión más amplia de la industria y sus servicios relacionados, las fábricas del futuro pueden potenciar los empleos en general. Entender esta cadena de valor más compleja será crítico para cualquier gobierno que quiera apoyar a la industria y no dificultarle el trabajo.

Entre las principales preocupaciones que confrontan a los fabricantes en todos lados están la educación y el entrenamiento. La industria se hará mucho más habilidosa. Para 2020 habrá alrededor de 800 000 puestos de trabajo para cubrir en Gran Bretaña, una vez que la gente se retire o abandone la industria manufacturera, llevándose su experiencia con ellos. Ayudar a la gente a obtener el aprendizaje necesario, las cualificaciones y los grados técnicos es un rol legítimo para el gobierno. Pero las compañías necesitarán hacer su parte también. Hoy en día sólo la cuarta parte de los graduados en tecnología e ingeniería en Gran Bretaña terminan trabajando en la industria manufacturera seis meses después de graduarse. Muchos ingresan a compañías financieras. De acuerdo con las leyes de la oferta y la demanda, las manufactureras van a tener que pagar más si quieren atraer el talento necesario para la nueva revolución industrial.

No sólo el mundo de la manufactura está siendo reconfigurado; en el campo de las ventas el cliente y el usuario están siendo cada vez más el centro del negocio. Seth Godin nos enseña que éstos se agrupan en tribus que se mueven por valores diferentes y todas tienen líderes, con una historia que los conecta entre sí. El *marketing* también se enfrenta a desafíos colosales. Las nuevas plataformas para innovar permiten alcanzar a más usuarios, por menor coste y en menos tiempo, ante la explosión de datos, la proliferación de canales y dispositivos, las plataformas sociales y las nuevas necesidades del cliente. Clientes empoderados están cambiando los modelos comerciales. Durante 2010 en Estados Unidos cada 11 minutos y medio quebró un negocio minorista. ¿Quién sobrevive y por qué? Hay un cambio de paradigma: el poder se está trasladando al cliente. De ahí que tengamos que "volvernos científicos en la experiencia del cliente", como afirma Nick Barton, vicepresidente de Ventas y Marketing para China, del Grupo de Hoteles. Las opiniones combinadas de los 1734 ejecutivos de *marketing* que han participado en el IBM Global Chief Marketing Officer Study, apuntan a tres imperativos estratégicos en los que se puede actuar para reforzar su probabilidad de éxito: ofrecer valor a clientes exigentes; fomentar relaciones duraderas, y capturar valor y medir resultados. IBM calcula que para 2016 se moverán 31 000 millones de dólares en el comercio móvil.

Desde luego que muchas empresas entienden lo que está pasando y se han aplicado en ello. Threadbare es una empresa fabricante de ropa en línea que solicita ideas de diseño para playeras y chamarras a sus millones de clientes en todo el mundo, y luego les pide su opinión sobre cuáles producir. "Tenemos una forma completamente diferente de hacer negocios", dijo Jeffrey Kalmikoff, jefe creativo de la empresa. "Se basa en la comunidad. Te deshaces completamente del departamento de ID y de buena parte del riesgo porque simplemente hacemos lo que la gente quiere." Otro ejemplo: la cadena británica de supermercados Tesco tuvo en 2011 una idea revolucionaria para aumentar su cuota de mercado en Corea del Sur, país en el que los smartphones están muy arraigados. Ante la imposibilidad de competir con las compañías nacionales, se le ocurrió llevar sus tiendas a los andenes del metro y paradas de autobús. Puso en las marquesinas fotografías en tamaño real de sus lineales de productos, cada uno de ellos con su correspondiente código QR (o BIDI). Los transeúntes podían así hacer la compra sobre la marcha con sólo pasar el móvil por encima. Fue un éxito sin precedentes.

Los clientes de hoy en día son un hueso duro de roer. Cortos de tiempo, adictos a la pantalla, conscientes de lo que genera o no valor y comprometidos desde un punto de vista social, sus expectativas son cada vez más difíciles de cumplir para las empresas. Son clientes que tienen más poder que nunca, y que esperan respeto de parte de los negocios. De hecho, aquellos negocios que no le dan importancia a esto quedan, por lo general, fuera del juego.

En una sociedad basada en la segunda revolución del conocimiento la universidad es clave. De ahí que intelectuales como el profesor Henry Etzkowitz, de la Universidad de Stanford, hable de "la segunda revolución académica". Las universidades, al igual que las empresas, tienen que ser repensadas en esta era de la innovación. Deberán cambiar su cultura y su organización. Ya no será suficiente con graduar estudiantes, como en la primera revolución académica, habrá que graduar empresas, tal como lo ha venido haciendo desde hace tiempo la Pontificia Universidad Católica de Río de Janeiro. Esto puede entenderse si consideramos que en la década de los noventa había más incubadoras en Brasil que en Nueva York. En 1997, la PUC-Rio ve nacer la sede del Vivero de Empresas (Instituto Génesis), que había sido creado cuatro años antes. El vivero de empresas ha sido una actividad de gran éxito, pues ha obtenido premios todos los años. En los próximos años estaremos viendo cada vez más laboratorios de incubadoras junto con las aulas. Y es que la incubación está siendo parte importante de la enseñanza en las universidades, con el propósito de fomentar una mentalidad de "emprendedurismo innovador" entre los estudiantes. Será necesaria la promoción de una cultura abierta al mundo donde por ejemplo un porcentaje importante de los profesores trabajen de tiempo parcial en las empresas y con ello fomentar proyectos con usos prácticos en mente, conocimientos con potencial comercial. Un enfoque importante de las universidades habrá de ser la educación en ciencia, tecnologías y arte, de cuyas combinaciones surgen las innovaciones.

Carl Wieman, Premio Nobel de Física, nos dice que las aulas hoy día deben ser laboratorios de experimentación, donde se estimule el pensamiento crítico, la solución colaborativa de problemas, la toma de decisiones, el trabajo en equipo y la innovación. Un buen modelo de lo anterior es la California Polytechnic State University (Cal Poly), cuyas instalaciones son estudios de aprendizaje, aulas sin pupitres que integran laboratorios con las herramientas que requieren los estudiantes para "aprender haciendo y pensando".

Las misiones de las universidades están siendo cuestionadas en todo el mundo, y en buena medida la proliferación de los cursos en línea al alcance de todos a través de internet (Massive Open Online

Courses, MOOC, por sus siglas en inglés) está contribuyendo a ello. ¿Cómo sacar ventaja de la tecnología?, ¿cómo entregar mejor educación?, ¿cómo contribuir con una educación para todos?, son algunas de las interrogantes que buscan responder. Los MOOC se han convertido en laboratorios de investigación, donde se indaga acerca de cómo los estudiantes se comunican, intercambian información, colaboran y aprenden. El modelo de negocio es una combinación de millones de estudiantes globales + MOOC + universidades de calidad. Las ventajas de las plataformas MOOC es que pueden acceder al hogar de millones de personas, son fáciles de registrar, cuentan con un abundante contenido de alta calidad, la evaluación y retroalimentación es sistemática y el estudiante decide qué y cuánto aprende y se involucra.

¿Qué nos falta por ver? ¿Qué es lo que sigue? Estrellas de rock educacionales. Los buenos profesores se están convirtiendo en "estrellas de rock de la educación", con plataformas MOOC enseñan a millones. Su misión será más que completada. Producciones "caseras" serán la mejor manera de producir un MOOC. Kits de producción digital de escritorio personales estarán disponibles para cada profesor. En las universidades, los cursos de niveles iniciales (matemáticas y ciencias) serán impartidas como MOOC, con acceso desde dispositivos móviles. Los cursos de primaria y secundaria serán apoyados por proyectos como la Academia Khan, la cual ofrece más de 2 000 videos gratuitos que tratan temas tan variados como biología molecular o historia de las ecuaciones cuadráticas. Ya hay dos millones de estudiantes al mes que están usando este recurso. Cada nivel educacional tendrá contenido enriquecido con MOOC. Tutores inteligentes, asistentes personales, comandos de voz, serán componentes básicos de los MOOC. La inteligencia artificial cubrirá todos los estilos de aprendizaje, ayudará a los MOOC a proveer caminos de aprendizaje no lineales. Las universidades estarán dispuestas a sacar ventaja de los beneficios de aprendizaje a gran escala. El número de universidades impartiendo (o aceptando) créditos por los MOOC se incrementará en poco tiempo. El contenido narrativo de MOOC se enriquecerá con transmedia, televisión, radio, Youtube, Twitter, Facebook, blogs, Second Life… eBooks dinámicos interactivos de última generación serán los recursos transmedia más importantes para los MOOC.

La nueva revolución del conocimiento a través de los MOOC influirá en el gobierno y la industria. Los caminos de aprendizaje para el entrenamiento de las compañías serán diseñados y apoyados por los MOOC. Éstos promoverán una cultura de aprendizaje, serán el génesis de una nueva sociedad de aprendizaje, y tendrán más presencia en países en desarrollo debido a la falta de oportunidades asequibles de educación de calidad.

Algunas de las iniciativas de MOOC más conocidas son: Coursera (www.coursera.com); edX (www.edx.org); iTunes U (http://open.edu/itunes/); Open Learning Initiative (http://oli.cmu.edu/); Open Courseware Consortium (http://ocwconsortium.org); Udacity (http://udacity.com); Venture Lab (http://venturelab.com); TED (www.ted.com) y TED talks en español (http://www.ted.com/translate/languages/es). Estrictamente TED no ofrece MOOC, sino que pone a nuestra disposición conferencias de muy buena calidad.

Si bien existen universidades que entendiendo los vientos de cambio se han aplicado con flexibilidad y disciplina y están teniendo un gran éxito, como la de San José State University, que promueve cursos de nivel inicial por 150 dólares para créditos universitarios transferibles dentro del sistema de la Universidad Estatal de California (CSU) y la mayoría de los colegios y universidades de Estados Unidos, existen muchas otras que no se han dado cuenta que el tiempo ya se les acabó; pensemos por ejemplo en las dedicadas al periodismo y la comunicación. Los cambios que requieren son radicales y vemos cómo la revolución digital destruye empleos en medios tradicionales, desde *El País*, de España, al *New York Times*. Harían bien en seguir de cerca los pasos del *Washington Post*. Jeff Bezos, fundador de Amazon, llegó a la redacción del *Washington Post* en medio de una expectativa no sólo local sino global. Venía como el nuevo dueño e hizo lo habitual: tranquilizó a todos, no hizo ningún anuncio espectacular, pero dejó un par de claves. Sigan sus pistas, pues el futuro del periodismo no anda lejos de aquí: *1)* El centro del negocio serán los lectores, no los anunciantes. Esto tiene grandes consecuencias, pues el periodismo industrial de los últimos 70 años se ha basado en los anunciantes, que regaban con su dinero florecientes cabeceras con sus mastodónticas redacciones y grandes edificios.

Tras la decisión estratégica de cambiar la preferencia viene una cascada de pautas gerenciales. Ello significa hacer un periodismo más contundente, inversión masiva en potencia editorial, no despidos y recortes sin final; menos guerra de Siria y más historias personales, relevantes para la sociedad. Está claro por dónde van los tiros; otras de las inversiones de Bezos, otro éxito en ascenso: la web de información de todo tipo, mezclando brillantes análisis con temas ligeros, virales, visuales, etc.: Business Insider. *2)* No le gustan los muros de pago. Se trata de un servicio digital que consiste en cobrar una cantidad económica a los internautas que deseen consultar ciertos contenidos, normalmente de más calidad que los que se ofrecen de forma abierta y gratuita. En Estados Unidos esta modalidad ya está implantada desde hace varios años en la mayoría de los diarios digitales más influyentes del país, como el *New York Times* o el *Wall Street Journal*. El *Post* es famoso por su periodismo de investigación, que necesita muchos recursos, tiempo y un gran esfuerzo. ¿De qué sirve —dice Bezos— poner tras un muro de pago el resultado de nuestro trabajo si cualquier agregador puede inmediatamente resumir el trabajo y ponerlo gratis en la red? Hay que innovar sin pausa, con prueba y error, sin prisas, sin ponernos nerviosos con la cuenta de los resultados. Fracasaremos varias veces, tardaremos bastante tiempo, la colaboración de todos es imprescindible, sentencia Bezos.

Un ambiente es mucho más propicio para la innovación cuando se favorece la vinculación de las empresas, los gobiernos, las universidades y las organizaciones sociales (ONG). ¿Cómo construir un clima de confianza basado en un esquema ganar-ganar? Tarea sumamente compleja y desafiante sin lugar a dudas. Este tema ha sido investigado por mi buen amigo el doctor Enrique Cabrero Mendoza (actual director del Conacyt) junto con Sergio Cárdenas y David Arellano. El estudio titulado *La difícil vinculación universidad-empresa en México* realiza un análisis amplio y actualizado del estado de la vinculación entre instituciones de educación superior, empresas y gobierno, a fin de comprender las estrategias implementadas y los dilemas de recursos y organización que se enfrentan actualmente. El libro destaca los avances en diferentes frentes y que existen mecanismos y formas organizacionales de vinculación, pero a la vez señala que los niveles de integración son aún insuficientes para alcanzar un verdadero sistema de innovación.

> Estas dos nuevas revoluciones, la industrial y la del conocimiento, están cambiando los paradigmas globales de un modo que ni siquiera imaginamos y están impactando nuestro mundo más personal y profundo.

Alain Peyrefitte, político y ensayista francés, sugirió que el gran éxito de la sociedad moderna se basaba justamente en la confianza. Pero el anclaje para esta confianza simplemente desapareció. Y con ello llegó el nerviosismo y la incertidumbre. En la misma línea, para Zygmunt Bauman vivimos en "una modernidad líquida" donde lo que experimentamos son "tiempos líquidos", transitamos de una modernidad "sólida", estable, repetitiva, a una modernidad "líquida", flexible, voluble, fluida, en la que las estructuras sociales ya no perduran el tiempo necesario para solidificarse y no sirven como marcos de referencia para la acción humana. En estos "tiempos líquidos" lo impredecible desempeñará un papel mucho mayor. El mundo líquido es incierto, inseguro y vulnerable. Las personas están siendo impactadas y ante la velocidad de los acontecimientos están respondiendo con estrés, ansiedad y depresión y estamos apreciando la erosión del carácter. La acumulacion de cambios incidirá sobre el equilibrio mental y emocional de la gente. "Miedo líquido": "miedo" es el término que empleamos para describir la incertidumbre, inseguridad y ausencia de protección, que caracteriza nuestra era moderna líquida. Con el advenimiento de la época líquida hemos ganado en libertad a costa de seguridad. Ya en 2003, la Organización Mundial de la Salud (OMS) alertó que, en 30 años, la depresión sería el principal problema de salud. Tras los efectos de la recesión económica, el desempleo, la precariedad y la falta de oportunidades en el futuro sumen en la incertidumbre a millones de personas en todo el mundo. Y de ahí a los problemas de ansiedad, insomnio y depresión sólo hay un paso. Y los exhortos del Papa Francisco, en la *Evangelii Gaudium*, son contundentes:

La humanidad vive en este momento un giro histórico, que podemos ver en los adelantos que se producen en diversos campos. Son de alabar los avances que contribuyen al bienestar de la gente, como, por ejemplo, en el ámbito de la salud, de la educación y de la comunicación. Sin embargo, no podemos olvidar que la mayoría de los hombres y mujeres de nuestro tiempo vive precariamente el día a día, con consecuencias funestas. Algunas patologías van en aumento. El miedo y la desesperación se apoderan del corazón de numerosas personas, incluso en los llamados países ricos. La alegría de vivir frecuentemente se apaga, la falta de respeto y la violencia crecen, la inequidad es cada vez más patente. Hay que luchar para vivir y, a menudo, para vivir con poca dignidad.

Los negocios conectados con estas tres variables: seguridad-entretenimiento-internet, verán sin duda un importante auge en las próximas décadas.

Tan sólo en México han crecido cinco veces en el último sexenio. Las empresas de seguridad parecen tener como lema "Su miedo, nuestro negocio". Tal es el caso de la exclusiva boutique del diseñador colombiano Miguel Caballero, ubicada en Polanco, que comercializa prendas blindadas, hechas a mano y de piel. Algunas de ellas resisten impactos de balas de armas cortas hasta Magnum. 357. Ante el "océano de la incertidumbre", tener acceso a un pequeño "islote de seguridad" se convierte en una necesidad. De ahí que los seguros de todo tipo: gastos médicos, educación, retiro, vejez, defunción, etc. vayan en aumento. De igual modo tener acceso a un pequeño "islote de diversión y de entretenimiento". Ello explica que el mundo del entretenimiento (deportivo, social, religioso, turístico) se esté incrementando cada vez más. En el campo de los videojuegos bastan para sorprendernos los casos de Angry Birds y el Grand Theft Auto V (GTA 5). Angry Birds es una multimillonaria serie de videojuegos creados en 2009 por la empresa finlandesa Rovio Entertainment. Con más de 1 000 millones de descargas en 2012, esta aplicación fue la más popular del año en la App Store de Apple y la Google Play. Además es también el juego más vendido de la historia en soportes móviles. Sin embargo,

Angry Birds no es sólo un fenómeno digital: los personajes son tan populares que la empresa empezó a comercializar juguetes físicos de los pájaros y disfraces, entre otros. Por su parte, el Grand Theft Auto V (GTA 5) ha roto toda clase de récords. No en vano ya es considerado el lanzamiento de la generación, pues más allá de las calificaciones que ha recibido sigue vendiéndose en grandes cantidades. Hasta el momento en que escribo esto se han vendido casi 29 millones de copias del juego en sus versiones de PS3 y Xbox 360, siguiendo la tendencia que llevaba al inicio (alcanzar los 800 millones de dólares en sus primeras 24 horas y más de 1 000 millones en tres días). En México alguien que no canta nada mal las rancheras es Ricardo Gómez Quiñones, fundador de Kaxan Media Group, una *startup* enfocada a la animación digital a través de videojuegos (Kaxangames) y películas (Kaxanstudios), tanto para consolas como para móviles. Esta compañía con su videojuego Taco Master (Maestro del taco) desbancó en 2011 a Angry Birds como la aplicación más descargada de la App Store a nivel mundial. Ahora han lanzado un videojuego familiar sobre el popular Chavo del 8 para Wii, rescatando muchas de las tradiciones mexicanas y latinoamericanas. De igual manera otra *startup* mexicana, originaria de San Luis Potosí, que viene acelerando el paso en el mundo de los videojuegos es Yogome, fundada por Manolo Díaz y Alberto Colín. Yogome produce juegos educativos para niños de entre seis y 10 años que pueden ser descargados en dispositivos móviles como tabletas y smartphones. Estos juegos son desarrollados en diferentes idiomas por expertos en pedagogía. Nada más para darnos una idea, Yogome se encuentra entre los 10 primeros lugares en la categoría de juegos educativos de la App Store. En marzo de 2011 lanzó el primer juego didáctico que rápidamente llegó a los 10 mejores juegos educativos en los Estados Unidos y China y se convirtió en número uno en Taiwán e Indonesia.

No cabe duda que frente a los estragos de la incertidumbre el entretenimiento es una válvula de escape muy solicitada. ¿Y el cine? No podíamos dejar de mencionar a Hollywood, motor económico y creativo de Estados Unidos, en la opinión del presidente Obama, en uno de sus más recientes discursos: "En la carrera global por puestos de trabajo e industrias, lo que hacemos mejor que nadie es la creatividad, eso no se puede copiar, es una de las razones que explican por qué, a pesar de los nuevos mercados y tecnologías, sigue sin haber un sitio mejor para hacer películas, televisión o música. El entretenimiento es un foco brillante de nuestra economía. El margen entre lo que podemos hacer aquí y lo que se puede hacer en otros países es enorme". Justo de esto trata la "economía naranja".

Ante el "océano de la incertidumbre" y sus estragos, entre ellos el estrés y la violencia, las personas también estamos buscando un "islote de paz". Y hay quienes, yo me encuentro entre éstos, lo han encontrado en la práctica de la meditación. En la Burton High School las clases comienzan a las ocho de la mañana de una manera poco convencional. Al sonido de una campana los alumnos cierran los ojos y por espacio de 15 minutos se concentran en un mantra, la repetición de un sonido sin significado alguno, para aquietar sus mentes. Durante esta semana han tenido unos acompañantes muy especiales: el director de cine neoyorkino David Lynch, el actor Russell Brand y el jugador de beisbol Berry Zito. Los tres han meditado con los alumnos para celebrar los seis años que las escuelas de San Francisco llevan comprometidas con el programa Quiet Time, que usa técnicas de meditación milenarias para ayudar a los estudiantes a concentrarse y mantenerse en calma pese al estrés de la escuela y de los propios hogares. El programa es promovido por la David Lynch Foundation, comprometida en promover la meditación en las escuelas de Estados Unidos para combatir la violencia, el acoso escolar y mejorar los resultados académicos. El propio Lynch lleva practicando meditación desde hace 40 años y ha visto con sus propios ojos cómo "la práctica regular ayuda a fomentar la creatividad, la inteligencia, el amor y la felicidad. Los problemas comienzan a evaporarse. Cierto que funciona", comenta el famoso director de cine.

Muy bien lo sabe James Dierke, director de Visitation Valley Middle School en San Francisco. Durante varios años la escuela arrastró la fama de centro problemático. Al fomentar la práctica de la meditación las cosas empezaron a mejorar y los resultados se vieron reflejados en términos de menos suspensiones y ausentismo escolar, más atención y una considerable mejoría en las calificaciones académicas. "Cuando llegué a esta escuela, hace 30 años, el centro tenía las más altas tasas de ausentismo escolar, de suspensiones y de pobres resultados académicos. Ocupábamos el segundo lugar entre las escuelas de San Francisco con mayor número de crímenes y con estudiantes de familias pobres. Hoy el centro es irreconocible gracias a la práctica de la meditación. La idea de calmar la mente y olvidarse de todo durante 15 minutos hace que luego los chicos asimilen los conocimientos mejor y estén más concentrados", señala Dierke. Como todas las innovaciones, la práctica despertó controversia al principio, ya que algunas voces críticas la consideraban teñida de connotaciones religiosas, pero con el tiempo ha ido ganando aceptación en las escuelas dados los buenos resultados.

Los beneficios de la meditación están probados desde el punto de vista científico. Norman Rosenthal, profesor de la Psychiatry Georgetown University Medical School, afirma que "hay una tremenda evidencia de los altos niveles de estrés en las escuelas" y que "70% de los chicos que lo padecen no reciben ningún tipo de ayuda psicológica". "Está demostrado que los estudiantes con estrés no pueden aprender. Experimentan tal nivel de ansiedad que les es imposible concentrarse en la escuela. La meditación reduce ese nivel de estrés, ya que induce un cambio de las ondas mentales, provocando más estados alfa —de calma—. El cerebro funciona mejor", asegura. La especialista en aprendizaje cognitivo, Sarina Grosswald, opina que "los chicos trabajan muy bien cuando se les enseña a meditar. Piensan con más claridad". Los datos que maneja la David Lynch Foundation hablan por sí mismos de los problemas que aquejan a las escuelas: "Diez millones de estudiantes toman antidepresivos; cuatro millones de niños sufren de desórdenes en el aprendizaje; el suicidio es la tercera causa de muerte entre los adolescentes y 70% de los estudiantes con problemas mentales no reciben la ayuda que necesitan". Esas cifras son más que suficientes para dar a la meditación una oportunidad en el aula. Y eso es lo que están haciendo muchas escuelas de San Francisco.

Con todo y que la incertidumbre llegó para convertirse en parte de nuestra vida, estoy convencido, al igual que muchos otros, de que "el futuro es mejor de lo que pensamos". Muy pocas personas creen que disfrutarán de abundancia en su vida. Hay varias razones: todos los días aparecen nuevas noticias sobre pandemias, terrorismo, conflictos regionales, etc. Esto da la impresión de que es imposible avanzar. Los medios prefieren las noticias negativas porque venden más que las noticias buenas. Les interesa hacer énfasis en lo malo. Esto nos hace creer que estamos en un callejón sin salida. Cualquier persona está expuesta hoy en día en una semana a más información de la que recibía una persona del siglo XVII en un año. Es difícil darle cauce a tanta información. En general, los pesimistas reciben más publicidad que los optimistas. Esto lo sabemos muy bien por experiencia propia. Nos pasa en nuestra familia, en nuestro barrio, en nuestra colonia, en nuestra escuela, en nuestro centro de trabajo. En todos lados.

En este sentido comparto la visión de un optimista informado como Steven Pinker. En su libro *Los mejores ángeles de nuestra naturaleza* busca probar que a pesar de nuestra creencia de que la violencia ha aumentado, ésta ha decrecido durante largos periodos de tiempo, y hoy podemos estar viviendo en la más pacífica era de la existencia de nuestra especie. Este decrecimiento no ha sido suave; no ha llevado a la violencia hasta el punto cero, y no hay garantía de que continúe. Pero es un desarrollo inconfundible, visible en la escala que va desde los milenios a los años, desde la forma de conducir las guerras hasta los azotes a los niños. El tema que Steve Pinker se ha propuesto comprender es la reducción de la violencia en muchos niveles —en la familia, en el barrio, entre tribus y grupos armados, y entre las grandes naciones y estados—. Podremos descubrir que un particular avance en la paz fue aportado por los creadores de causas morales y sus movimientos. Pero podemos también descubrir el declive de la violencia como una fuerza imparable del progreso que nos está llevando hacia un punto de paz perfecta. La violencia está disminuyendo a medida que el ingreso aumenta.

Al igual que Pinker, Bono, el músico irlandés líder y vocalista del grupo de rock U2 y activista político, es también un "optimista informado" al que le gusta basarse en evidencias. Así se expresa en una de sus conferencias en TED:

Lo que nos muestran los hechos es que ese trayecto largo y lento que la humanidad emprendió hacia la igualdad social, de hecho, se está acelerando. Miren lo que se ha logrado. Miren las gráficas que salen de este conjunto de datos. Desde el año 2000, desde el cambio de milenio, hay ocho millones más de pacientes con sida que consiguen medicamentos antirretrovirales que les salvarán la vida. Paludismo: en ocho países del África subsahariana se redujo la tasa de mortalidad en un 75%. En la tasa de mortalidad infantil en niños menores de cinco años hay 2.65 millones de muertes menos al año. Esto significa que todos los días se salva la vida de 7256 niños. Detengámonos por un segundo a reflexionar sobre esto. ¿Han leído en alguna parte, en la última semana, algo que sea tan importante como esta cifra? ¡Guau! Gran noticia. Y me molesta muchísimo ver que mucha gente aún no se ha enterado de esta noticia. Siete mil niños al día. He aquí a dos de ellos. Éstos son Michael y Benedicta, y hoy están vivos gracias, en gran parte, a la doctora Patricia Asamoah y al Fondo Mundial, que todos ustedes han apoyado financieramente, sea que lo sepan o no. El Fondo Mundial proporciona medicinas antirretrovirales que previenen que las madres transmitan el VIH a sus hijos. Pero esta fantástica noticia no llegó así porque sí. Se hizo una campaña, y se innovó. Y esta buena noticia trae consigo más buenas noticias, porque el verdadero hito histórico es éste: la cifra de personas que viven en las condiciones más agobiantes y deshumanizantes de la pobreza extrema se ha reducido de 43% de la población mundial en 1990 a 33% en 2000, y de allí, a 21% para 2010. Démosle un aplauso a eso. ¡Se redujo a la mitad… a la mitad! La tasa es aún muy alta, todavía hay demasiadas personas que mueren sin necesidad. Todavía queda trabajo por hacer. Pero esto es impresionante, realmente alucinante. Y si vives con menos de 1.25 dólares al día —si vives en este tipo de pobreza—, éstos no son sólo números. Esto lo es todo. Si ustedes son padres que quieren lo mejor para sus hijos —y yo soy uno de ellos—, esta rápida transición es la ruta para pasar de la desesperación a la esperanza. Y, ¿adivinen qué? Si la tendencia continúa, miren el número de personas que vivirán con 1.25 dólares al día en el 2030. ¿No puede ser verdad, o sí? Pues eso es lo que nos dicen los números. Si la tendencia continúa llegaremos a, ¡guau!, la zona del cero. Para los aficionados a los números, como nosotros, ésta es la zona erógena, y es justo decir que yo estoy, ahora, excitado con este grupo de datos: la virtual eliminación de la pobreza extrema, definida como vivir con menos de 1.25 dólares al día, ajustados, por supuesto, a la inflación, con base en 1990. Nos gusta una buena línea base. Es asombroso. Sé que algunos de ustedes piensan que este progreso sólo ocurrió en Asia o en Latinoamérica, o en países modelo como Brasil, pero miren el África subsahariana. Hay un grupo de 10 países, que algunos han llamado "los leones", que en la última década han tenido en conjunto una cancelación del 100% de la deuda, una triplicación de la ayuda, un aumento de 10 veces en inversión extranjera directa, que ha cuadruplicado los recursos domésticos —en moneda local—, que al usarse inteligentemente —como signo de buen gobierno— logró reducir la mortalidad infantil en un tercio, duplicar la tasa de finalización de la educación, y reducir la pobreza extrema a la mitad; a ese ritmo, estos 10 países también llegarán a la zona del cero. Así que el orgullo de los leones es la prueba de concepto.

La visión de un futuro optimista, que deje atrás la imagen de un futuro oscuro, al igual que Pinker y Bono, es compartida por el escritor Byron Reese en su libro *Progreso infinito*: "Estamos ganando velocidad, no desacelerándonos. Estamos floreciendo, no marchitándonos, a medida que utilizamos el mejor recurso natural del planeta: el ser humano". Para él, internet y la innovación tecnológica terminarán no sólo con la pobreza sino con el hambre, las enfermedades, la ignorancia y la guerra. Similar es la postura del científico Peter Diamandis y la del escritor y periodista Steven Kotler. En su ya famoso libro *Abundancia: El futuro es mejor de lo que piensas*, explican que la caída en el costo de la tecnología nos está llevando a un mundo de abundancia. "Tecnologías en crecimiento exponencial van a permitirnos lograr mayores beneficios en las próximas dos décadas que en los últimos 200 años." El mayor desafío es lograr que esta abundancia logre llegar a todos los rincones del mundo. Lo cierto es que hoy en día hay menos personas viviendo en condiciones abyectas que en ninguna otra época de la historia. El número de personas que viven con menos de un dólar al día se ha reducido a la mitad desde los años cincuenta. Hoy en día constituyen menos de 18% de la población mundial. Y ese porcentaje está disminuyendo rápidamente. La libertad política y los derechos civiles se han incrementado sustancialmente en las últimas décadas.

> En la era de la innovación lo que no podemos perder de vista es el ritmo de la innovación. Vivimos en un mundo de tiempos exponenciales.

Una leyenda oriental nos ofrece una descripción muy exacta de lo que es una función "exponencial". Cuenta que un rey quiso premiar las dotes adivinatorias del sumo sacerdote que había predicho una extraordinaria victoria en una batalla. El sacerdote pidió dos granos de trigo por la primera casilla de un tablero de ajedrez, cuatro por la segunda, ocho por la tercera, y el doble cada vez por cada nueva casilla. El rey pareció complacido por la modestia del sacerdote… hasta que comprobó la magnitud de su petición… el cálculo exponencial lo llevaba a una cantidad inimaginable, que no se almacenaba en todo el reino. En el mundo de las matemáticas lo "exponencial" significa cuando las cosas se tornan cada vez más rápidas o los periodos de tiempo se acortan cada vez más; lo contrario a eventos "lineales" en donde el ritmo del cambio es constante. Dicho esto con un ejemplo: lo que décadas atrás requería del equivalente a todo un rascacielos de circuitos electrónicos, hoy requiere de los circuitos electrónicos de un celular que cabe en nuestro bolsillo, y en un par de décadas lo que cabe en nuestro bolsillo cabrá en una célula sanguínea dentro de nuestro cuerpo.

Estamos destinados a tener una experiencia fascinante de aprendizaje durante los próximos 20 años, más o menos, conforme madura nuestra habilidad de modelar la inteligencia humana. La humanidad ha dado grandes pasos en los últimos 100 años, pero esto no es nada en comparación con los logros de los próximos 25 años. Y esto se debe a que el desarrollo de las tecnologías es exponencial. El ciclo vital del desarrollo tecnológico es definido por cuatro fases: nace, evoluciona, asciende y cae. Y al decir de los expertos apenas estamos en una evolución temprana. En 1990, el Departamento de Energía de Estados Unidos y el Instituto Nacional de Salud lanzaron el proyecto "Genoma humano". El proyecto de decodificar el genoma humano tomaría 15 años y costaría más de 10 000 millones de dólares. Diez años después, Craig Venter decidió entrar a la carrera y estableció una compañía llamada Celera. Aprovechando el trabajo que ya se había hecho, Venter logró presentar todo el genoma humano en menos de un año y a un costo de sólo 100 millones de dólares (el gobierno terminó gastando 1 500 millones de dólares). Esto ilustra el hecho de que, cuando hay cambios exponenciales (como el que tuvo lugar gracias a la informática), es difícil predecir lo rápido que se dará una transformación importante. Pero la informática no es el único campo en el que están ocurriendo cambios exponenciales. Veamos otros campos: en la bioingeniería hoy en día ya hay investigaciones relacionadas con el desarrollo de combustibles a base de algas. La bioingeniería ha logrado también cosechas que son 50 veces más rendidoras, vacunas que se pueden hacer en 24 horas. En cuanto a las redes y sensores, aunque internet se haya convertido en un almacén global de información, todavía está en pañales. En el futuro próximo, habrá billones de dispositivos interconectados.

> Nadie puede saber la oleada de cambios que veremos en el futuro próximo. Podría ser una combinación de inteligencia artificial, biotecnología, física cuántica, robótica, medicina, nanomateriales y nanotecnología.

Muchos científicos tienen una perspectiva lineal (paradigmática) y ven el futuro como una calca retocada del pasado. Esto para Steven Johnson, un escritor estadounidense de divulgación científica, es un error. Así lo explica en su libro *Las buenas ideas*: del descubrimiento de la agricultura a la Revolución Industrial pasaron 9 800 años. De la Revolución Industrial a la era del conocimiento pasaron 100 años. De la era del conocimiento a la era conceptual pasaron 25 años. *Este siglo será equivalente a 70 000 años de desarrollo lineal.* Hablamos de saltos cuánticos.

¿Será una era de lo espiritual el siguiente paso en la promesa de la tecnología? Para Ray Kurzweil, prolífico inventor (uno de sus inventos es el teclado del cantante Stevie Wonder), fundador de la Universidad de la Singularidad y desde 2012 director de ingeniería de Google, "nuestra neocorteza posee 300 millones de unidades de análisis para entender la realidad. Si pudiéramos aumentar eso a 1 000 millones a través de tecnología, el avance de la humanidad sería más vertiginoso que nunca [...] Hemos pasado de una evolución biológica a una evolución tecnológica y avanzamos hacia una evolución espiritual. Cada vez nos estamos pareciendo más a Dios. Nuestra idea de Dios se asocia con la verdad, la bondad, la belleza. Y cada vez nuestras innovaciones son mejores y más bellas".

En un estudio realizado por la firma de consultoría Ernst & Young, entre ejecutivos de compañías trasnacionales, los resultados fueron resumidos así: "Asumimos que 50% de los ingresos en un lapso de cinco años deberá provenir de fuentes que aún no existen. Es por eso que innovamos". Ni duda cabe que se están transformando los patrones mundiales de capacidad económica, política, social y militar. *Bienvenidos a la era de la innovación.*

CAPÍTULO 2

Las cinco cosas que importan hoy

¿**C**uáles son las cuestiones fundamentales que determinarán si un país, un municipio, una comunidad, una empresa, una universidad, una familia, una carrera o una persona, prosperan o se hunden en los próximos años? Para triunfar en esta nueva época, donde los creativos y los innovadores están siendo los protagonistas, hoy son cinco cosas las que importan: el liderazgo, los valores, la flexibilidad, la pasión y la innovación.

El liderazgo importa hoy. Sabemos bien que ninguna tendencia es inmutable, y que una intervención oportuna y bien informada puede reducir la probabilidad y severidad de los acontecimientos negativos y aumentar la probabilidad de los acontecimientos positivos. Existen muchas definiciones de liderazgo, la que yo propongo es *la capacidad de detonar la innovación revisualizando los paradigmas.* Yo le llamo "liderazgo neuroinnovador". La valía de los líderes se mide por su aportación a los paradigmas mentales de otros. Su poder yace en la capacidad para modelar la mente de sus seguidores. Su poder está en la mente.

Por definición, los líderes son personas que cambian mentalidades.

En capítulos posteriores explicaré acerca de los paradigmas y la revisualización. Para Steve Jobs, "la innovación es lo que distingue a un líder de los demás". Así que la idea central es muy clara. En esta nueva época no existe el liderazgo sin la innovación. Si no hay un enfoque hacia la innovación podremos hablar de jefes, ejecutivos, gerentes, mánagers, directores, ministros, presidentes... pero no de líderes. Para Richard Branson, creador del Grupo Virgin, la esencia de liderazgo se relaciona con "estar dispuestos a desafiar radicalmente las alternativas existentes".

Los líderes tienen la habilidad de ver el mundo de otra manera y por ello son considerados librepensadores, visionarios, vanguardistas, *outthinkers*, genios, innovadores, creativos, rebeldes, herejes (etimológicamente significa "posibilidad de elección"), pioneros, infieles, locos, iconoclastas, subversivos, agitadores, novedosos, reformadores, insurgentes, estadistas, contestatarios, imprudentes, revolucionarios, precursores, padres, inventores, progresistas, liberales, renovadores, descubridores, iniciadores, exploradores, avanzados, originales, idealistas, soñadores, diferentes, fundadores, irreverentes, inadaptados, improvisados, problemáticos, contraculturales, los que van contra la corriente, los que no respetan las reglas ni siguen lo establecido, boicoteadores, entre otros nombres más.

Al parecer en el ejercicio de liderazgo hay un patrón (paradigma): todos los grandes líderes que inspiran, trátese de Steve Jobs, Martin Luther King o los hermanos Wright, piensan, actúan y se comunican exactamente de la misma manera, de manera opuesta a todos los demás. Todos desafían lo establecido, se enfrentan a las normas, retan el *statu quo*, se inconforman con la realidad, promueven una cultura del desacuerdo, están dispuestos a asumir riesgos y siempre quieren superarse y buscar la manera de hacer del mundo "un lugar un poquito mejor" para vivir.

Cuando analizamos las diversas teorías sobre el liderazgo nos encontramos con que las múltiples definiciones de ese concepto abarcan en su mayoría dos aspectos. El primero hace referencia a una cierta "influencia en la conducta" y el segundo a una "orientación a una meta". En síntesis: el liderazgo significa "ejercer influencia en las personas, orientándolas a una meta". La influencia se vincula con los valores, la flexibilidad y la pasión. Las metas se vinculan con la innovación. Los líderes deben enfocarse a metas y alcanzarlas, producir resultados y hacer que las cosas sucedan, que las ideas se conviertan en innovaciones, a pesar de los obstáculos. De ahí que hablemos de líderes innovadores, líderes éticos, líderes flexibles y líderes inspiradores.

Compañías internacionales como UST Global, de origen hindú, que proporciona servicios en el campo de las tecnologías de la información y las comunicaciones a más de 1 000 empresas globales, y que participa en México en un proyecto de asociación con el Centro Fox, han integrado en filosofía las cinco cosas que importan hoy. Su sitio web es www.ust-global.com.

Los valores importan hoy. En una economía de libre mercado, donde hemos observado prácticas fraudulentas y sin escrúpulos, los valores importan más que nunca. En una democracia, donde seguimos observando prácticas de corrupción y de opacidad, los valores importan más que nunca. Michael J. Sandel, profesor de filosofía política en Harvard, se manifiesta en total desacuerdo con uno de los paradigmas reinantes de la vida pública moderna: que las nociones morales y religiosas son asuntos privados que deben mantenerse fuera del debate político público. En su obra *Lo que el dinero no puede comprar* (en nuestros días no muchas cosas) explica que en la actualidad la lógica de comprar y vender no se aplica sólo a los bienes materiales, sino que gobierna cada vez más otros aspectos de la vida. Es hora de preguntarnos si queremos vivir de esa manera. El problema de nuestra política —sigue diciendo Sandel— no es el exceso de argumentos morales, sino su defecto. Nuestra política está recalentada porque es en su mayor parte inerte y vacía de todo contenido moral y espiritual. El vacío moral de la política contemporánea tiene diversos orígenes. Uno es el intento de desterrar del discurso público toda noción de la vida buena. Con la esperanza de evitar las luchas sectarias, a menudo insistimos en que los ciudadanos dejen atrás sus convicciones morales y espirituales, cuando entren en el ámbito público. Pero a pesar de su buena intención, la resistencia a admitir en la política argumentos sobre la vida buena preparó el camino al triunfalismo del mercado y a la continuidad del razonamiento mercantil, y éste vacía también, en su particular manera, la vida pública de argumentos morales. Es así como entramos en un círculo vicioso. No cabe duda que nuestra resistencia a emplear argumentos morales y espirituales nos ha hecho pagar un precio muy alto; ha drenado el discurso público de toda energía moral y cívica.

Habremos de repensar cómo revalorar los bienes sociales que queremos recuperar y conservar. *Los valores tienen que innovarse para seguir siendo valores.*

La palabra *valor* viene del latín "valor, valere" (fuerza, salud, estar sano, ser fuerte). Cuando decimos que algo tiene valor afirmamos que es bueno, digno de aprecio y estimación. En el campo de la ética y la moral los valores son cualidades que podemos encontrar en el mundo que nos rodea. Así como las cosas son "modos del ser", los valores son "modos del valer". Los valores no son, representan cualidades valiosas. Los valores son creencias cargadas de emoción sobre cómo deberían ser las cosas o cómo no deberían ser. El valor se asocia con lo bueno. Los valores están relacionados con los fines hacia los que dirigimos nuestros pensamientos y acciones. Los valores (por ejemplo la familia) son creencias que motivan a la acción y exigen ser realizados y convertidos en hábitos. Las cosas son, los valores valen. Cuando un valor se encarna en una cosa, ésta se transforma en algo valioso, en un bien.

Algunos conceptos relacionados con los valores son: reglas morales, convicciones, códigos de ética, principios, idearios, filosofías, virtudes. La palabra ética viene del griego "ethos" y la palabra *moral* viene del latín "mores". Ambas hacen referencia a la "costumbre". De ahí que podamos hablar de "las buenas costumbres".

Avishai Margalit hace una importante distinción entre ellas: la moral maneja nuestro compromiso con las personas con las que tenemos una relación solamente por el hecho de que son nuestros semejantes (compartimos la misma condición humana). Aquí hablamos de relaciones "sueltas". En cambio la ética guía nuestras relaciones "estrechas", aquellas en las que sí tenemos interés (tenemos una historia personal en común). Su propuesta es que la moral sea considerada un antídoto contra la indiferencia, nada fácil dado que ésta no tiene rostro concreto. La parábola del buen samaritano es un buen ejemplo de todo esto. Si el sacerdote o el levita hubiesen ayudado a la víctima, eso habría sido un ejemplo de relación ética (todos eran judíos); en cambio la ayuda del samaritano caracteriza una relación moral.

Es una sencilla ley de la psicología humana que tus pensamientos tenderán a girar en torno a lo que más valores. De ahí que no podamos concebir un liderazgo "sin valores". La conducta de los líderes es la manifestación de sus "valores" en acción. Todo ser humano se construye una jerarquia de valores en funcion de la priorizacion de sus relaciones y de sus propias experiencias. Cada cual tiene sus valores predilectos que lo mueve a actuar y que hacen que su vida valga. Cuando hablamos de conceptos como *democracia, justicia, libertad, responsabilidad, altruismo, arte, feminismo, autoridad, prosperidad,* la gente siempre estará disputando sus significados, porque sus valores siempre serán diferentes. Conceptos como éstos no pueden ser fijados nunca en términos absolutos.

Podemos distinguir los valores reconociendo las características que les son comunes:

a) Apetecibles: los valores son atractivos para las personas, a diferencia, por ejemplo, de las necesidades que son obligatorias.
b) Polaridad: todo valor tiene un antivalor.
c) Jerarquía: no todos los valores presentan la misma validez.
d) Sistema: no están desconectados entre ellos, sino que forman parte de un conjunto de relaciones.
e) Referencia a un sujeto: el valor es siempre "valor" para alguien... supone una referencia a un ser inteligente y sensible que lo capta.
f) Carácter relacional sujeto-objeto: la valoración se funda en las propiedades del objeto. No hay valor sin un interés personal, ni hay interés sin unas necesidades subjetivas que lo generen. Para que haya valor ha de haber una preferencia humana.

Aunque son complejos y de varias clases, todos los valores coinciden en que tienen como fin último mejorar la calidad de nuestra vida. Y es que la vida (existencia) es el bien supremo, auténtico y absoluto.

La nueva revolución tecnológica ha contribuido con nuevos valores que todo líder requiere entender, asimilar y aplicar en su vida y en su ambiente: apertura, transparencia, flexibilidad, innovación, colaboración. Don Tapscott, en su libro *La economía digital*, menciona los ocho valores de la generación *net* que están transformando el mundo: libertad, personalización, rendición de cuentas, integridad, colaboración, diversión, velocidad e innovación.

La flexibilidad importa hoy. En un mundo líquido, donde los cambios son implacables, la única manera de preservar el éxito es reinventándolo. En un mundo donde los conocimientos y las cualificaciones envejecen cada vez más de prisa se hace necesario flexibilizar nuestras mentalidades al tener que actualizar nuestros conocimientos constantemente. En la nueva revolución del conocimiento el auténtico saber no endurece la mente, no la fanatiza ni la somete a rígidos convencionalismos. La flexibilidad se opone a la rigidez, a la inmovilidad, a la incapacidad de modificar comportamientos y reglas y genera nuevas respuestas frente al cambio y a situaciones novedosas.

Una excelente metáfora de la flexibilidad que los líderes requieren para innovar es el Parkour, se trata de una disciplina de origen francés que consiste en desplazarse en cualquier entorno (en ambientes urbanos o naturales), usando las habilidades del propio cuerpo, procurando ser lo más rápido y fluido posible y efectuando movimientos seguros y eficientes. Esto significa superar obstáculos que se presenten en el recorrido, tales como vallas, cercas, muros, etc. El objetivo del entrenamiento (que puede variar con cada practicante) es formar personas fuertes física y mentalmente capaces de responder ante una emergencia y ser útiles a la sociedad. Este método de entrenamiento fue desarrollado por David Belle y un grupo de amigos a principios de los años noventa inspirados en el Método Natural de Georges Hébert. Los practicantes de la variante del Parkour denominada erróneamente Free Running buscan principalmente la belleza en los desplazamientos, realizando acrobacias y movimientos estéticos derivados de la gimnasia.

Sinónimos de flexibilidad son la adaptabilidad y la plasticidad. La estabilidad es para seguir estando. La adaptabilidad es para seguir viviendo. La adaptabilidad crea estabilidad. Charles Darwin llegó a escribir que "no es la especie más fuerte la que sobrevive, ni la más inteligente, sino la que responde mejor al cambio". La tortuga lleva en el mundo unos 220 millones de años y no ha hecho todavía ninguna mejora innovadora en su estilo de vida. Las cucarachas fueron los únicos insectos que sobrevivieron a las bombas nucleares que cayeron sobre Hiroshima y Nagasaki, en Japón en 1945. No todos los animales tienen esta capacidad de adaptación, por ejemplo el buitre. Si pones un buitre en un cajón que mida 2×2 metros y que esté completamente abierto por la parte superior, esta ave, a pesar de su habilidad para volar, será un prisionero absoluto. La razon es que el buitre siempre comienza el vuelo desde el suelo, con una carrera de tres a cuatro metros. Sin espacio para correr, como es su hábito, ni siquiera intentará volar, sino que quedará prisionero de por vida en una pequeña cárcel sin techo.

Para Eric Trist, psicólogo social y profesor de Comportamiento Organizacional y Ecología en la Escuela Wharton de la Universidad de Pennsylvania, "este cambio de época está demandando personas flexibles, ingeniosas y resistentes, que puedan tolerar grandes sorpresas y ambigüedades emocionalmente, mientras continúan trabajando intelectualmente en asuntos complejos… capaces de reinventarse a sí mismas sobre la marcha". Casi como cambiar de avión a avión en pleno vuelo.

> La flexibilidad importa hoy. Con las normas, modelos de acción, hábitos y actitudes tradicionales ya no podemos hacerle frente a esta realidad totalmente nueva, a este cambio de época.

Los profundos y radicales cambios que se han dado en todos los órdenes de la actividad humana en la transición hacia el siglo XXI hacen que todas estas visiones sean inadecuadas para aprender y responder a lo que viene. Esto representa un enorme desafío, dado que, como señala Francisco Sagasti, "en América Latina buena parte de la generación actual de políticos, profesionales, gerentes, científicos, dirigentes laborales y líderes de organizaciones de la sociedad civil construyó su visión del mundo sobre la base de su experiencia con las ideas y acontecimientos de los últimos 30 o 40 años".

Pero, ¿es posible flexibilizar nuestro cerebro? Veamos lo que escribió James Watson, Premio Nobel de Fisiología y Medicina en

1962: "Estábamos acostumbrados a pensar que nuestro destino estaba escrito en las estrellas. Ahora sabemos que en gran medida nuestro destino está escrito en nuestros genes". "Los genes controlan la vida." Esa premisa científica tiene un error fundamental: los genes no se pueden activar o desactivar a su antojo. En términos más científicos, los genes no son "autoemergentes". Tiene que haber algo en el entorno que desencadene la actividad génica. La predisposicion genética es una tendencia, pero claramente no es una predestinación. Los genes no determinan nada por sí solos. Los genes son tan elásticos y moldeables como el cerebro. Podemos reescribir nuestro código genético. En resumen: la genética está en nuestro origen, pero no tiene por qué convertirse en nuestro destino. La biología del pensamiento afirma que somos más dependientes del medio ambiente que de los genes. A esto se le conoce como "control epigenético", control por encima de los genes. El medio ambiente y nuestra interpretación de lo que pasa en el medio ambiente pueden reescribir nuestro código genético, no cambian el ADN, cambian la manera en que éste se lee. El ADN es un patrón primario y se pueden crear más de 30 000 variaciones diferentes a partir de él.

Gracias a los avances de las neurociencias hoy sabemos que contamos con el don de la neuroplasticidad, es decir, con la capacidad del cerebro de crear nuevas conexiones neuronales. La ciencia de la neuroplasticidad sugiere que es posible rehacer las conexiones neuronales y crear asociaciones nuevas y más positivas en nuestras experiencias cotidianas. Las neurociencias y las ciencias cognitivas nos enseñan que lo que hace únicos a los seres humanos es la extraordinaria impermanencia de sus ideas, y esto se refleja en nuestra extraordinaria plasticidad neuronal. Las neuronas no tienen propiedades fijas, están cambiando todo el tiempo. Cada uno de nosotros se va a dormir todas las noches con un cerebro distinto con el que amaneció. La razón es la experiencia que cambia la estructura física del cerebro diariamente. Cada experiencia o pensamiento, por más pequeño que sea, implica un cambio en nuestras neuronas. Un principio fundamental que gobierna al cerebro es que las neuronas responden al cambio. Le decimos adiós a toda clase de determinismo neurológico. Le decimos adiós al viejo dogma: "las neuronas deciden desde temprano lo que van a hacer y se apegan a eso de por vida". Nuestro cerebro puede seguir aprendiendo y cambiando cada día de nuestra vida. Eso se conoce como neuroplasticidad, y la buena noticia es que es el único órgano que no se gasta con el uso.

Estudiosos del cerebro humano han demostrado que la red neuronal del cerebro nunca es la misma, ya que, dependiendo de nuestra actividad, fortalecemos unas conexiones a la vez que debilitamos otras. Cada experiencia enciende su propio patrón de neuronas, por lo que el mapa cerebral cambia sin cesar. Los neurocientíficos creen que el poder de la neuroplasticidad es el reconocimiento biológico de que el mundo no es constante.

¿Es posible cambiar de mentalidad? John Bertrand Gurdon, galardonado junto con el japonés Shinya Yamanaka con el Premio Nobel de Medicina 2012, desde muy pequeño mostró inclinación por la biología, si bien en la escuela no fue animado a proseguir estudios científicos porque no le veían aptitudes para ello. Según sus biógrafos, su maestra se expresó así de él: "Creo que Gurdon tiene la idea de convertirse en científico. Por lo que muestra en este momento, esto es bastante ridículo. Si no puede entender datos biológicos simples, no tendría ninguna oportunidad de hacer el trabajo de un especialista y sería una absoluta pérdida de tiempo tanto para él como para los que le enseñen", sentenció la maestra cuando Gurdon tenía 15 años y apenas había completado el primer semestre en Eton. Sus padres le propusieron una carrera en las fuerzas armadas o en el sector financiero, pero ni el Ejército lo admitió ni su trabajo en el mundo de las finanzas prosperó. El flamante Premio Nobel de Medicina optó entonces por estudiar clásicos —latín y griego— en el colegio Christ Church, de la Universidad de Oxford, pero después se pasó a la zoología. Su entrada en zoología fue casi por casualidad, después de recibir una carta del jefe del Departamento de Admisiones de Oxford, Hugh Trevor-Roper, en la que le proponía hacer el cambio si aceptaba inmediatamente dejar los clásicos por la ciencia. Recibió el Nobel de Medicina 2012 "por el descubrimiento de que las células maduras se pueden *reprogramar* para convertirse en pluripotentes". Antes de estos descubrimientos, biólogos y médicos pensaban que el desarrollo de un organismo es un viaje en sentido único. Desde la concepción hasta la muerte, las células se transforman para formar unos tejidos u otros. Una vez transformadas, se pensaba, no pueden volver atrás. Es decir, no pueden reprogramarse. El ser humano es capaz de regenerar entre 500 y 1 000 neuronas diarias a partir de células madre, que son pluripotentes y se encuentran en las cavidades cerebrales. De ahí que se diga que las personas nos podemos "reinventar" cada día.

¿Es posible cambiar de opinión? El cerebro es un órgano con una tendencia innata a crear nuevas conexiones neuronales. Esto significa que está preparado, aunque no le guste, para cambiar de opinión. La gloria de Nelson Mandela fue conseguir que todo un país cambiara de opinión. Pero primero cambió la propia. En palabras de Mario Vargas Llosa: Todo aquello se gestó, antes que en la historia, en la soledad de una conciencia, en la desolada prisión de Robben Island, donde Mandela llegó en 1964 a cumplir una pena de trabajos forzados a perpetuidad. Las condiciones en que el régimen del *apartheid* (separación) tenía a sus prisioneros políticos en aquella isla rodeada de remolinos y tiburones, frente a Ciudad del Cabo, eran atroces. Una celda tan minúscula que parecía un nicho o el cubil de una fiera, una estera de paja, un potaje de maíz tres veces al día, mudez obligatoria, media hora de visitas cada seis meses y el derecho de recibir y escribir sólo dos cartas por año, en las que no debía mencionarse nunca la política ni la actualidad. En ese aislamiento, ascetismo y soledad transcurrieron los primeros nueve años de los 27 que pasó Mandela en Robben Island. En lugar de suicidarse o enloquecer, como muchos compañeros de prisión, en esos nueve años Mandela meditó, revisó sus propias ideas e ideales, hizo una autocrítica radical de sus convicciones y alcanzó aquella serenidad y sabiduría que a partir de entonces guiarían todas sus iniciativas políticas. Aunque nunca había compartido la tesis de los resistentes que proponían una "África para los africanos" y querían echar al mar a todos los blancos de la Unión Sudafricana, Mandela, al igual que Sisulu y Tambo, los dirigentes más moderados de su partido, el African National Congress (Congreso Nacional Africano), estaba convencido de que el régimen racista y totalitario sólo sería derrotado mediante acciones armadas, sabotajes y otras formas de violencia, y para ello formó un grupo de comandos activistas llamado Umkhonto we Sizwe, que enviaba a adiestrarse a jóvenes militantes a Cuba, China Popular, Corea del Norte y Alemania Oriental.

Debió de tomarle mucho tiempo —meses, años— convencerse de que toda esa concepción de la lucha contra la opresión y el racismo en África del Sur era errónea e ineficaz y que había que renunciar a la violencia y optar por métodos pacíficos, es decir, buscar una negociación con los dirigentes de la minoría blanca —12% de la población que explotaba y discriminaba de manera inicua al 88% restante—, a la que había que persuadir de que permaneciera en el país porque la convivencia entre las dos comunidades era posible y necesaria, cuando Sudáfrica fuera una democracia gobernada por la mayoría negra. En aquella época, finales de los años sesenta y comienzos de los setenta, pensar semejante cosa era un juego mental desprovisto de toda realidad. La brutalidad irracional con que se reprimía a la mayoría negra y los esporádicos actos de terror con que los resistentes respondían a la violencia del Estado habían creado un clima de rencor y odio que presagiaba para el país, tarde o temprano, un desenlace cataclísmico. La libertad sólo podría significar la desaparición o el exilio para la minoría blanca, en especial los afrikáners, los verdaderos dueños del poder. Maravilla pensar que Mandela, perfectamente consciente de las vertiginosas dificultades que encontraría en el camino que se había trazado, lo emprendiera, y, más todavía, que perseverara en él sin sucumbir a la desmoralización un solo momento, y que 20 años más tarde consiguiera aquel sueño imposible: una transición pacífica del *apartheid* a la libertad, y que el grueso de la comunidad blanca permaneciera en un país junto a los millones de negros y mulatos sudafricanos que, persuadidos por su ejemplo y sus razones, habían olvidado los agravios y crímenes del pasado y perdonado. Habría que ir a la Biblia, a aquellas historias ejemplares del catecismo que nos contaban de niños, para tratar de entender el poder de convicción, la paciencia, la voluntad de acero y el heroísmo de que debió hacer gala Nelson Mandela todos aquellos años para ir convenciendo, primero a sus propios compañeros de Robben Island, luego a sus correligionarios del Congreso Nacional Africano y, por último, a los propios gobernantes y a la minoría blanca, de que no era imposible que la razón reemplazara al miedo y al prejuicio, que una transición sin violencia era algo realizable y que ella sentaría las bases de una convivencia humana que reemplazaría al sistema cruel y discriminatorio que por siglos había padecido Sudáfrica. Yo creo que Nelson Mandela es todavía más digno de reconocimiento por este trabajo lentísimo, hercúleo, interminable, que fue contagiando poco a poco sus ideas y convicciones al conjunto de sus compatriotas, que por los extraordinarios servicios que prestaría después, desde el gobierno, a sus conciudadanos y a la cultura democrática.

Hay que recordar que quien se echó sobre los hombros esta soberbia empresa era un prisionero político que, hasta 1973, en que se atenuaron las condiciones carcelarias en Robben Island, vivía poco menos que confinado en una minúscula celda y con apenas unos pocos minutos al día para intercambiar palabras con los otros presos, casi privado de toda comunicación con el mundo exterior. Y sin embargo su tenacidad y su paciencia hicieron posible lo imposible. Mientras, desde la prisión ya menos inflexible de los años setenta, estudiaba y se recibía de abogado; Sus ideas fueron rompiendo poco a poco las muy legítimas prevenciones que existían entre los negros y mulatos sudafricanos y siendo aceptada su tesis de que la lucha pacífica en pos de una negociación sería más eficaz y más pronta para alcanzar la liberación.

Pero fue todavía mucho más difícil convencer de todo aquello a la minoría que detentaba el poder y se creía con el derecho divino a ejercerlo con exclusividad y para siempre. Éstos eran los supuestos de la filosofía del *apartheid* que había sido proclamada por su progenitor intelectual, el sociólogo Hendrik Verwoerd, en la Universidad de Stellenbosch, en 1948 y adoptada de modo casi unánime por los blancos en las elecciones de ese mismo año. ¿Cómo convencerlos de que estaban equivocados, que debían renunciar no sólo a semejantes ideas sino también al poder y resignarse a vivir en una sociedad gobernada por la mayoría negra? El esfuerzo duró muchos años y al final, como la gota persistente que horada la piedra, Mandela fue abriendo puertas en esa ciudadela de desconfianza y temor, y el mundo entero descubrió un día, estupefacto, que el líder del Congreso Nacional Africano salía a ratos de su prisión para ir a tomar civilizadamente el té de las cinco con quienes serían los dos últimos mandatarios del apartheid: Botha y De Klerk. Mandela constituye un extraordinario ejemplo de un líder que supo hacer de los valores y de la flexibilidad su principal fortaleza para innovar en un sentido amplio: "dejar un mundo mejor de como lo encontramos".

En 2013, invitado por la Fundación Konrad Adenauer, tuve la oportunidad de visitar El Salvador, acompañado de mi hija Ana Claudia. Fui a impartir una conferencia sobre la innovación y el cambio generacional a cientos de jóvenes salvadoreños. Gracias a ello supe de la existencia de "una gran mujer para un país tan pequeño". Me refiero a María Isabel Rodríguez, ministra de Salud en El Salvador. Graduada como doctora en medicina de la Universidad de El Salvador (UES) en 1948. Realizó posgrados en cardiología y ciencias fisiológicas en el Instituto de Cardiología de México. En esos años se vinculó directamente con la intelectualidad mexicana. No era extraño verla asistir a reuniones donde figuras como Diego Rivera o Pablo O'Higgins eran invitados. Fue decana de la Facultad de Medicina de la UES de 1971 a 1977, cuando la facultad llegó a ser reconocida como una de las mejores de Latinoamérica. Luego de la intervención militar a la UES en 1972, se vio forzada a emigrar. Trabajó como consultora de la Organización Panamericana de la Salud y de la Organización Mundial de la Salud, apoyando el desarrollo de recursos humanos en México, República Dominicana, Venezuela, Cuba, Haití y otros países latinoamericanos. Entre 1985 y 1994 se desempeñó como consultora del Programa de Formación en Salud, con sede en Washington. En 1999 fue elegida rectora de la UES para el periodo 1999 a 2003, convirtiéndose así en la primera mujer en alcanzar dicho cargo en los 160 años de historia universitaria. En las siguientes elecciones universitarias fue reelegida para el periodo 2003 a 2007. El 1° de junio de 2009 asumió el cargo de ministra en el Ministerio de Salud (antes llamado Ministerio de Salud Pública y Asistencia Social) en El Salvador. Desde septiembre de 2010 impulsa una reforma de salud para El Salvador. En una entrevista le cuestionaron: ¿Qué significa ser ministra a los 91 años? "Yo les diría que viviendo en trabajo intenso, como me ha tocado vivir a mí, con trabajo de mucho compromiso y sobre todo con estímulos y deudas de lo que uno no puede hacer, no se da uno cuenta de que los años pasan. Hasta el momento no encuentro diferencia entre que hubiese sido ministra a los 50, 60 o 90 años".

En el campo del arte el filósofo Walter Benjamin sintetiza la importancia de la flexibilidad mental con estas palabras: "Antes de la fotografía, la representación precisa requería gran talento y habilidad para dibujar o pintar, ésos eran considerados indicadores de genio pictórico [...] En respuesta [a la aparición de la fotografía] los pintores inventaron nuevos géneros basados en una nueva estética no representativa: impresionismo, cubismo, expresionismo, surrealismo". En lo particular, me sorprende la enorme plasticidad de Gustav Klimt y el expresionismo austriaco. Basta ver la evolución del "auditorio del teatro viejo del castillo" a "Adele-Broch". Todos ellos dejaron de pintar el mundo como se veía para pintarlo como lo pensaban. De otro modo nunca hubiesen podido competir con la fotografía.

En el mundo empresarial es interesante el caso de Flickr. Una historia de flexibilidad y de adaptación inteligente. Flickr es uno de los sitios de almacenamiento y exposición de fotografías más utilizados, con más de 5 000 millones de fotos almacenadas en sus servidores. Caterina Fake y Stewart Butterfield, sus fundadores, ni siquiera se propusieron crear un sitio de intercambio de fotos. Su proyecto original, allá por 2002, era un videojuego multijugador en red llamado Game Neverending (Juego sin fin). Sus elementos sociales (etiquetar y compartir) surgieron con naturalidad del ADN social que definía el juego original. En 2005 Yahoo compró la empresa y la convirtió en representante de la nueva web 2.0.

¿Y qué decir de Victorinox? A la empresa creadora de la famosa "navaja suiza" le sobrevino la peor crisis tras los atentados del 11 de septiembre de 2001, cuando de pronto se prohibió la venta de los cortaplumas en todos los aeropuertos. La facturación cayó en un tercio. El producto estrella, el Swiss Army Knife, ha dejado de ser desde hace tiempo el principal de la empresa, que se ha hecho un nombre también con cubertería, relojes, indumentaria, maletas, electrónica e incluso perfumería.

Lo mismo Gurdon que Mandela y que María Isabel Rodríguez; lo mismo Klimt que Picasso y que Flickr y Victorinox, y muchísimos casos más, ponen de manifiesto que la flexibilidad importa, que estamos programados para no estar programados. Contamos con una libertad real, con todo y que estamos rodeados de programaciones, con todo y que nuestra libertad es relativa y con todo y que nuestra existencia nos parece por demás condicionada. Bien lo resume el escritor argentino José Narosky, en uno de sus aforismos: "Me encierran con mil candados pero olvidan que yo soy la llave".

Todos tenemos el potencial para flexibilizar nuestra mente y con ello ampliar nuestro margen de maniobra para la innovación. La buena noticia es que nuestro cerebro aprende rápido. Evidencia reciente ha demostrado que los cambios neuronales pueden tener lugar en literalmente cuestión de horas. Dice Akira Yoshi, un investigador del cerebro en el MIT: "Los cambios tienden a ocurrir de repente, apareciendo en intervalos breves luego de una fuerte estimulación. Es como si se diera un disparador importante y de inmediato un circuito funcional se activara rápidamente. Tan sólo 14 días de ejercicio físico y mental, reducción del estrés y de una dieta saludable bastan para mejorar la cognición y el funcionamiento del cerebro". No está nada mal para empezar. Sólo para empezar.

La flexibilidad aumenta nuestro margen de maniobra. La primera vez que viajé a Honduras, invitado por el gobierno del presidente Porfirio Lobo, se me grabó la experiencia al aterrizar en el estrecho aeropuerto y siempre la asocié a un tuit de uno de los pasajeros: "la pista es de 1 800 metros y sin mucho margen de maniobra… me tocó viajar por trabajo a Tegucigalpa y la verdad te regalo aterrizar ahí". Tener muy poco margen de maniobra significa estar en un aprieto, en un apuro, metido en líos, estar en un atolladero.

El "margen de maniobra" se relaciona con el espacio para el libre movimiento dentro de los límites, como en la acción o en los gastos.

El filósofo español José Antonio Marina, a quien tuve la oportunidad de escuchar en el Club de Industriales de Polanco, considera que la inteligencia humana (en su búsqueda de la felicidad) está movida por tres grandes deseos: el de bienestar (pasarla bien), el de vinculación social (afectiva) y el de expansión de las posibilidades; el deseo de "aumentar nuestras posibilidades de acción" es el que nos impulsa a superarnos, a trascendernos, a realizarnos. Aquí entra lo que los psicólogos llaman "motivación de logro" y "motivación de poder".

El arquitecto japonés Toyo Ito, ganador del premio Pritzker de

Arquitectura 2013, considerado el máximo galardón mundial de la disciplina, ante la cruda realidad de que la arquitectura está limitada por diversas cuestiones sociales, expresa: "He diseñado mis proyectos arquitectónicos con el objetivo mentalmente asumido de que podría crear espacios más confortables si pudiera liberarme de esas restricciones de vez en cuando. Sin embargo, cuando acabo un edificio, inmediatamente me asalta la dolorosa impresión de mi propia insuficiencia, algo que irremisiblemente se transforma en energía para afrontar mi siguiente proyecto. Probablemente sea siempre así, y la misma sensación se repita en un futuro. Así que es probable que nunca fije mi propio estilo porque nunca estaré satisfecho con mis obras".

Ha dado siempre importancia al hecho de que diferentes circunstancias conducen a respuestas diferentes. Sin ataduras estilísticas.

A lo largo de su carrera, Toyo Ito ha sido capaz de producir una obra que combina la innovación conceptual con edificios magníficamente ejecutados. Sus primeros proyectos, como la Casa de Aluminio, eran estructuras de madera recubiertas de ese metal. La casa que hizo para su hermana, la White U, fue el edificio que le hizo célebre. Sus construcciones trataban de destruir la predictibilidad. Siempre buscando con la flexibilidad ampliar el "margen de maniobra". La pasión por el margen de maniobra se relaciona con el deseo de mayor control, de mayor influencia, de ampliar las posibilidades, de multiplicar las perspectivas, de inconformarse ante los límites.

El "margen de maniobra" se traduce en libertad para pensar, decidir, actuar… se traduce en desarrollo al permitir a los individuos aumentar sus capacidades y sus oportunidades. En pocas palabras: de lo que se trata es de que dispongamos de más espacio, tiempo, energía, recursos neuronales y dinero para lo nuevo, es decir, más libertad para innovar, para superar nuestro desempeño, para ser exitosos, para ser mejores personas… para ser un poco más felices.

Entender que sólo podemos actuar en el margen es de una importancia capital. Sin importar el área del quehacer humano de que se trate. Por ejemplo en el campo de los gobiernos. Los gobiernos deben tener dos roles interrelacionados: dar protección y empoderamiento a los ciudadanos. La protección es más que sólo el ejército y la policía. Significa salud pública, alimentos seguros, protección al medio ambiente. El empoderamiento del gobierno está en todas partes: carreteras para que puedas ir a donde quieras y puedas enviar tus productos; internet y dispositivos satelitales para mantenerte en contacto con el mundo. El papel de un gobierno progresista es maximizar nuestra libertad, y la protección y el empoderamiento hacen eso. La protección está ahí para garantizar que estemos libres de daños, de ciertas necesidades y de temor. El empoderamiento está ahí para maximizar la libertad de alcanzar tus objetivos. A partir de estos dos roles, ¿cuál es el margen de maniobra que tiene un gobierno para satisfacer las necesidades y expectativas de los ciudadanos? La respuesta dependerá de cómo se actúe en los aspectos claves que permiten su ampliación con el propósito de innovar. En este caso considero que son cuatro variables esenciales: las leyes, el tiempo (la agenda), el presupuesto (las finanzas públicas) y el capital político (imagen y confianza). Tuve la oportunidad de compartir estos conceptos en el centro mismo del poder en los gobiernos de México, Perú y Honduras.

> Sin flexibilidad no se pueden aprovechar las nuevas oportunidades. La flexibilidad es una condición *sine qua non* para "pensar diferente".

"Si se piensa como se ha pensado siempre, se conservará siempre lo que siempre se ha conservado, las mismas viejas ideas" (Michael Michalko).

La flexibilidad aplica también y de un modo especial, ante las experiencias que llamamos "fracasos". Un país con una cultura de gran "tolerancia al fracaso" es Israel. Su flexibilidad se demuestra en sus leyes relativas a la bancarrota y a la creación de nuevas empresas que hacen de ese país el lugar con más facilidades para abrir una nueva empresa, aunque hayamos quebrado en la anterior. Saben que lo que importa es ir a la caza de la siguiente oportunidad. Para ellos está bien intentar algo y fracasar. Es obvio que conseguirlo es siempre mejor, pero el fracaso —como sucede en muchos países— no es un estigma: es una experiencia que añadir a tu currículum. Cuestión de seguir de cerca lo que ocurra con el empresario israelí Shai Agassi, quien en 2007 echó a andar Better Place Ltd —en alianza con Renault y Nissan—, desarrollando un sistema en el que los propietarios de automóviles eléctricos podrían conducir sus vehículos en una red de estaciones de todo Israel y reemplazar la batería del auto por una nueva en la misma cantidad de tiempo que se necesita para llenar un tanque de gasolina de un coche normal. Hace un par de años la innovadora empresa fue valorada en alrededor de 2 000 millones de dólares. Pero en mayo de 2013 la compañía se declaró en quiebra, ya que las ventas de sus autos eléctricos no se materializaron. Un empresario israelí la adquirió por sólo 450 000 dólares. Al parecer la idea sigue siendo tecnológicamente buena, pero falló en la ejecución de la estrategia. El sueño de un vehículo eléctrico no está muerto. En la actualidad varios israelíes siguen alimentado el sueño, como el profesor Doron Aurbach, quien busca mejorar la batería con el uso de nanotecnología. Hay un clamor muy fuerte: Better Place debe ser revivido, pero con otro enfoque. Esto es flexibilidad.

La pasión importa hoy. Hablar de pasión es hablar de motivación. Esta palabra viene del latín "motivus", que significa movimiento y motivo; así como también de entusiasmo (en griego significa "lleno de Dios") y de inspiración (conectados en el espíritu). Influir significa apasionar, motivar, entusiasmar, inspirar. Un par de preguntas que siempre han buscado ser respondidas desde diversas teorías son: ¿qué puedo hacer para lograr que los otros hagan lo que yo quiero? Y la más interesante: ¿qué puedo hacer para lograr que yo mismo haga lo que yo quiero? (cuestión de recordar aquí la profunda máxima de Saulo de Tarso: "video meliora, proboque, deteriora sequor": veo lo mejor, lo apruebo, sigo lo peor). Al parecer San Pablo la tomó prestada del poeta Ovidio.

En un mundo donde los clientes se despiertan cada mañana preguntándose qué hay de nuevo, qué es diferente y sorprendente, el éxito depende de la capacidad de un país, una empresa, una familia, para liberar la iniciativa, la imaginación y la pasión de todos sus miembros. ¿Cómo podrá ser esto posible cuando durante decenas de años hemos estado atrapados en el paradigma de la obediencia y el control? Conocí a Gary Hamel, fundador de Strategos y líder mundial influyente en el campo de los negocios, en 2003. Ambos fuimos conferencistas en el prestigiado foro de Expo Management. Gary ha sido un crítico despiadado de las organizaciones tradicionales que son excesiva y equivocadamente controladas, lo que conduce a lugares de trabajo con bajos niveles de motivación y confianza y donde los individuos no gozan de autonomía para hacer intercambios inteligentes y en tiempo real entre prioridades opuestas. De ahí que abogue por organizaciones horizontales donde se facilite la "libertad responsable", lo que posibilitará que la pasión se detone.

La innovación y la voluntad de cambio son resultado de la pasión, del entusiasmo. Son fruto de un justificado hartazgo con el *estatu quo*.

El gran filósofo alemán Georg W. F. Hegel escribió que "nada importante se realiza en la historia sin pasion". Y la historia le ha dado la razón. Resulta por demás interesante el caso de Gillian Lynne. Su madre, preocupada por su conducta, la llevó al psicólogo y el diagnóstico fue: "Su hija no está enferma. Es bailarina. Llévela a una escuela de danza". Se convirtió en coreógrafa. Para darnos una idea, en las tres últimas décadas, entre los 10 musicales más exitosos en Broadway se encuentran *Cats* y *El fantasma de la ópera*. Ambas fueron creadas por Gillian Lynne y juntas han logrado ingresos por 7 200 millones de dólares por concepto de ventas totales de boletería y mercadería en Nueva York y Londres. Nada mal para obras de teatro. Un buen ejemplo de la "economía naranja" y la lección de que "descubrir nuestra pasión puede cambiarlo todo".

Jay Ellit, quien fuera durante largo tiempo el segundo de Steve Jobs, escribe en el libro *El camino de Steve Jobs*: "Los grandes productos solamente vienen de gente apasionada. Los grandes productos solamente vienen de equipos apasionados".

Permanecer consistentemente motivado te mantiene en un camino seguro hacia el logro de tus metas. El combustible son las emociones. Mientras que los cerebros promedio con frecuencia tienden a quedarse sin combustible en algún punto a lo largo del camino, los ganadores son muy buenos para pasar por el ciclo motivacional una y otra vez para alcanzar sus metas de forma consistente. Mientras mayor sea el grado en el que puedas encontrar una forma de sentirte inspirado por las tareas cotidianas esenciales para alcanzar tu meta, más probabilidades tendrás de completar esa meta. Esto es gracias al área segmental ventral del cerebro medio, rica en dopamina, que es responsable de regular la motivación y el procesamiento de recompensas.

De acuerdo con la psicología positiva, sin importar a lo que te dediques, "lo que te hace feliz te hace mejor en ello". Lo mismo si trabajas en un circo como Octavio Alegría ("Cuando te dedicas al circo todos los días se convierten en un sueño. Al final eso te mantiene vivo. Es una vida apasionante. ¡Un placer!"), juegas futbol como Romario ("Mi reto en el futbol es hacerme feliz. El nombre del rival no interesa"), practicas la natación como Michael Phelps (¿Se va el mejor de la historia? "No nadaba para serlo y sí para sentirme feliz, y eso lo he logrado"), o si fundas una empresa como Bimbo, de don Lorenzo Servitje ("Vemos nuestro trabajo como una misión, una pasión, una aventura. El compartir esto en un ambiente de participación y confianza es lo que constituye el alma de la empresa"). En todos los casos el común denominador es la pasión. Y es que, como bien lo dice el magnate Donald Trump: "Si tú no tienes pasión, entonces no tienes energía, y si no tienes energía, entonces no tienes nada".

La pasión también se asocia con la diversión. Uno de los grandes jugadores en la historia del futbol ha sido sin duda el salvadoreño Jorge *el Mágico* González, quien lo expresa en sus propias palabras: "Reconozco que no soy un santo, que me gusta la noche y que las ganas de juerga no me las quita ni mi madre. Sé que soy un irresponsable y un mal profesional. Y puede que esté desaprovechando la oportunidad de mi vida. Lo sé, pero tengo una tontería en el coco, no me gusta tomarme el futbol como un trabajo. Si lo hiciera no sería yo. Sólo juego por divertirme". En el negocio, cada vez más lucrativo, de los videojuegos, el factor más importante para el éxito es la diversión. ¿Qué estrategias usan los videojuegos para ser divertidos? Primero: deben existir "desafíos retadores, pero alcanzables". Segundo: debe existir una "princesa". El jugador es la versión moderna del caballero que va a rescatar a la princesa. Tiene un objetivo claro y está dispuesto a sortear los retos y a vencer a los enemigos que se interpongan en el camino con tal de conquistar la meta. Tercero: se debe jugar en equipo, ya que es mejor que jugar uno solo. "Un videojuego es aún más divertido si lo jugamos con amigos."

El gran desafío para los líderes de hoy es verdaderamente monumental. Durante más de 100 años todo en nuestra vida, el hogar, la escuela, la empresa, el gobierno, ha girado en torno a la obediencia, la diligencia y la pericia, es decir, en torno al paradigma del "control". En la era de la innovación estas cualidades, siendo necesarias, ya no serán suficientes. Requeriremos de valores, flexibilidad y pasión. Conseguirlos implicará revisualizar los antiguos paradigmas que han modelado nuestros pensamientos y acciones, así como enfrentar intereses y resistencias. La oposición a la que se enfrentan los líderes o las descalificaciones de las que son objeto no siempre provienen de las personas ignorantes. Las más críticas provienen muchas veces de otros "expertos". Lutero calificó a Copérnico de "un loco que quiere poner a la astronomía de cabeza", por poner a girar la Tierra alrededor del Sol. Cuando Kepler dijo que había una relación entre el movimiento de las mareas y el de la Luna, aun Galileo se puso a reír: ¿se imaginan a la Luna siendo capaz de aspirar los oceános?

La innovación importa hoy. Los beneficios de la innovación son difundidos por todos lados: mejora la competitividad y el crecimiento económicos, reduce la desigualdad y la pobreza, satisface necesidades sociales, produce niveles de vida más elevados, crea mercados nacionales y globales, genera empleos y crea riqueza. Es definitivamente el motor de la nueva prosperidad.

¿Cómo podemos definir la innovación? Existen muchas definiciones acerca de lo que es y no es la innovación. Desde la irreverente de Steve Jobs, quien solía decir que "la mejor manera de definir la innovación es no haciéndolo", pasando por la oficialista definición acordada por todos los países miembros de la OCDE y recogida en el denominado Manual de Oslo (OCDE y CM, 2007), que se ha convertido en el estándar aceptado. En la última edición de dicho manual se define la innovación como "la introducción de un producto (bien o servicio) o de un proceso, nuevo o significativamente mejorado, o la introducción de un método de comercialización o de organización nuevo, aplicado a las prácticas de negocio, a la organización del trabajo o a las relaciones externas" (OCDE y CM, 2007, 49), hasta las conceptualizaciones que son más comprensibles y prácticas. En mi opinión, sabemos que estamos innovando cuando estamos "creando resultados haciendo cosas nuevas".

Conviene distinguir entre imaginación, creatividad e innovación. La imaginación es la capacidad de concebir en la mente cosas que no se nos presentan a los sentidos. La creatividad es el proceso de desarrollar ideas originales y novedosas que posean un valor. Es la imaginación aplicada. La innovación es el proceso de poner en práctica ideas nuevas. Es la creatividad aplicada. Puede haber imaginación sin creatividad y sin innovación. Puede haber creatividad sin innovación. Lo que no puede darse es innovación sin imaginación y sin creatividad. Una de las pioneras de los estudios sobre la creatividad, Ruth Noller, que era matemática y profesora emérita para los estudios de la creatividad en el Buffallo State College, propuso la siguiente fórmula, en donde nos dice que la creatividad es la función de la actitud hacia el conocimiento (K), la imaginación (i) y la evaluación (E), es decir, $C = f$ a (K,i,E). De nuevo, no obtendrás innovación si no tienes imaginación. Las personas prefieren recordar (el poder de los paradigmas como recuerdos) antes que imaginar. Nuestra memoria, el depósito de los paradigmas, funciona con cosas que nos resultan familiares; la imaginación funciona con lo desconocido. Por ello muchas veces nos asusta porque nos exige que seamos capaces de abandonar lo que nos resulta conocido.

Jorge Wagensberg, un maestro de la palabra, lo sintetiza así: la estabilidad es para seguir estando; la adaptabilidad es para seguir viviendo; la creatividad es para seguir conociendo, y la innovación es para seguir progresando. Así que la innovación importa hoy porque queremos seguir, como humanidad, progresando.

Ante una competencia feroz, la innovación seguirá siendo la única estrategia sostenible para crear valor a largo plazo. Esto requerirá de un reajuste en nuestro modo de pensar, es decir, revisualizar nuestros paradigmas.

El término *innovar* proviene del latín "innovare", que quiere decir cambiar o alterar las cosas introduciendo novedades. La esencia de la innovación consiste en introducir "novedades". Sólo que estas "novedades" habrán de ser "únicas" y "valiosas". La innovación es el lugar donde se unen el valor y la singularidad. Hay productos que son únicos pero no valiosos, y viceversa. ¿Pero cómo logramos ambas cosas? Según Guy Kawasaki, hay un punto clave donde obtenemos el mayor provecho de un producto: significado, margen, dinero e historia.

"Al final, o eres diferente… o eres barato."

En el mundo de los negocios estas "novedades" tienen que encontrar aplicaciones comerciales, es decir, tienen que convertirse en "valor", deben ser introducidas con éxito en el mercado. Podemos definir la investigación como "la transformación de dinero en conocimiento" y la innovación como "la transformación de conocimiento en dinero". Es muy representativo el caso Xerox y el Centro de Investigación de Palo Alto (PARC, por sus siglas en inglés) en 1970. Todos reconocen la capacidad de inventiva de quienes lo fundaron, pero también la incapacidad de Xerox de cristalizar estos grandes inventos en productos comercialmente rentables es evidente. Xerox falló en su estrategia de crear la arquitectura para la oficina del futuro, porque pudo haber creado una ventaja competitiva, sin embargo no materializó ni capitalizó el conocimiento, investigación y desarrollo, y enormes capacidades tecnológicas invertidas en el PARC, por lo que no se apropió de estos elementos. La innovación, la "rentabilización" con éxito de las nuevas ideas, la realizaron otros. Es decir, Microsoft y Apple. No importa cuán visionaria o cuán brillante sea, una gran idea o un gran producto no vale mucho si nadie lo compra. Y la compra debe ser superior a la inversión realizada. Es decir la innovación está vinculada a la rentabilidad-productividad-competitividad. Al final de cuentas todo se reduce a lo que señala Didac Lee Hsing, fundador y CEO de Inspirit y directivo del club de futbol Barcelona: "Por muy innovador que seas, la clave de todo está en que el producto se venda".

El ritmo de la innovación importa aún más. La mayoría de las empresas de la lista Fortune 500 y muchas agencias gubernamentales han contratado un consultor creativo durante el último año. La creatividad se ha convertido en un factor importante para la supervivencia de los negocios. El número de escuelas de negocios que ofrecen cursos de creatividad se ha duplicado en los últimos cinco años. Con todo, la velocidad de la innovación importa más. Tom Kelley, el creador de IDEO, la prestigiada firma internacional de consultoría en diseño e innovación, lo explica valiéndose de lo que se conoce como "El efecto de la Reina Roja". También conocida como la Hipótesis de la Reina Roja, o La carrera de la Reina Roja, es una hipótesis evolutiva, desarrollada por el biólogo Van Valen, que describe la necesaria mejora continua de las especies, sólo para mantener el *statu quo* (estado del momento actual) con su entorno. Se trata de "correr el doble de rápido que el resto". No es novedad que todo el mundo está innovando. La innovación en sí misma deja de ser importante, cobrando relevancia el ritmo de la innovación. El efecto de la Reina Roja está basado en un pasaje de *Alicia a través del espejo*, en el cual la reina le dice a Alicia: "en nuestro país necesitas correr todo lo que puedas para mantenerte en el mismo sitio, para ir a algún sitio tendrás que correr por lo menos el doble de rápido…"

A una velocidad tan vertiginosa de cambio necesitaremos reinventarnos constantemente como individuos, como familia, como trabajadores, como empresas, como gobiernos, como ciudades, como sociedad. No podemos responder a los desafíos del siglo XXI con las herramientas del siglo XVIII.

Para cerrar este capítulo voy a hablar del "liderazgo antifrágil". Los líderes que consigan combinar valores, flexibilidad, pasión e innovación, serán considerados "líderes antifrágiles". El concepto de *antifrágil* se lo debo a Nicholas Nassim Taleb. Lo "frágil" es todo aquello que es dañado por el desorden (cualquier cambio en el entorno); lo "robusto" es todo aquello que es resilente al desorden; lo "antifrágil" es todo aquello que se ve beneficiado por el desorden. La mejor manera de explicar estos conceptos es mediante tres metáforas.

En una versión romana que reciclaba un mito griego, el tirano siciliano Dionisio II concede a Damocles, un cortesano muy adulador, el lujo de un opíparo banquete, pero bajo una espada que cuelga directamente sobre su cabeza sujeta por un solo pelo de la cola de un caballo. Damocles es frágil: sólo es cuestión de tiempo para que la espada le atraviese el cráneo. En la versión griega de un antiguo mito semítico y egipcio, encontramos al fénix, el ave de espléndidos colores. Cada vez que muere renace de sus propias cenizas y siempre vuelve a su estado inicial. El ave fénix es símbolo de robustez y resilencia. La tercera referencia mitológica es la hidra de Lerna. En la mitología griega la hidra era un ser con forma de serpiente y con muchas cabezas que vivía en el lago de Lerna, cerca de Argos. Por cada cabeza que se le cercenaba, le nacían dos más. Dicho de otro modo, el daño le iba bien. *La hidra representa la antifragilidad.*

La fragilidad no puede separarse de la innovación, de la flexibilidad, de la pasión, pero particularmente, la fragilidad no puede separarse de la ética. Fijar reglas te hace frágil. Basarte en principios te convierte en robusto. Actuar basado en virtudes te hace antifrágil. Un líder puede tener éxito sin valores, pero no pasará mucho tiempo para que todo se le venga abajo. La historia reciente está repleta de ejemplos de personas que una vez fueron absolutamente respetables, pero frágiles. El éxito de Enron estaba hecho de sueños, codicia, mentiras y artificios contables. De 1996 a 2001 la revista *Fortune* la nombró la "compañía más innovadora de Estados Unidos". Sus directivos Ken Lay y Jeffrey Skilling son ahora simplemente denostados. Lo mismo tenemos medallistas olímpicos que consumen drogas y hacen trampa, como Lance Armstrong. Por desgracia tenemos muchos ejemplos en todos los campos del quehacer humano, ejemplos que nos enseñan que el camino de los antivalores nos vuelve "frágiles", nos deshumaniza y nos degrada. Con fragilidad el aprovechamiento de las oportunidades será efímero, pasajero, y no se traducirá en una ventaja competitiva.

La combinación de liderazgo, valores, flexibilidad, pasión e innovación da como resultado un engranaje exitoso (gráfica 3).

Un factor que distingue a las empresas que se volvieron grandiosas es la construcción de un lento pero seguro impulso o momentum. Imagina tratar de hacer girar un gigantesco engranaje de unos 2300 kilogramos. Al principio, con un gran esfuerzo, puedes hacer que se mueva apenas unos cuantos centímetros. Luego de un rato de esfuerzo constante, la rueda ha dado la vuelta completa. Mientras sigues empujando y empujando, se mueve más y más rápido. Llega un momento en el cual el impulso o momentum comienza a funcionar, y la rueda comienza a girar con su propio peso. Ya no necesitas

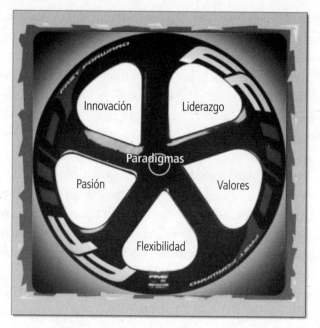

Innovación

Liderazgo

Paradigmas

Pasión

Valores

Flexibilidad

Gráfica 3

empujar con más fuerza, la rueda sigue girando rápidamente. En las compañías de buenas a grandiosas, lo mismo que en los individuos, una transformación jamás sucede como resultado de un solo esfuerzo. No existe un programa grandioso, una innovación asombrosa o una revolución radical.

En la era de la innovación el "liderazgo antifrágil" importa. Y si alguien lo sabe y lo encarna es el Grupo Bimbo. Una empresa fundada en México en 1945 por don Lorenzo y don Roberto Servitje. Dos señorones ante los que me pongo de pie y me quito el sombrero. Los conocí desde que ingresé en diciembre de 1985 a la Organización Bimbo como jefe de Calidad Total en la planta de Irapuato. Los seguí frecuentando durante mi paso por Los Pinos y por el Senado. Mi admiración y respeto hacia ellos siempre fue en aumento, por un lado por el liderazgo "antifrágil" que se construyeron a lo largo del tiempo al basar su vida en los valores, la pasión, la flexibilidad y la innovación, y por otro, por el contraste que yo percibía en mi trato con muchos otros dirigentes del mundo empresarial y político. Mientras la levadura seguía haciendo crecer la masa el Grupo Bimbo se fue expandiendo —ya bajo la dirección de Daniel Servitje— hasta convertirse en la empresa de panificación más importante del mundo por posicionamiento de marca, por volumen de producción y ventas, así como en el líder indiscutible, en su ramo, en México, Latinoamérica y Estados Unidos. Hoy tiene presencia en 19 países de América, Asia y Europa; cuenta con más de 10 000 productos y con más de 100 marcas de reconocido prestigio, entre las que se encuentran Marinela, Nutrella, Sara Lee, Barcel, Ricolino, pastelería El Globo y muchas otras más. Bimbo es una marca que se asocia con los mejores valores que los mexicanos reconocemos: ¿transparencia? Bimbo es una empresa pública que cotiza en la Bolsa de Valores; ¿cercanía? Bimbo llega a más de 990 000 puntos de venta; ¿globalización? Sus últimas adquisiciones han sido Pan Rico Beijing en China, Pan Europa en Guatemala, Plus Vita Alimentos Ltda. en Brasil, George Weston en Estados Unidos y, mientras concluyo este libro, Bimbo cierra la compra de la canadiense Canada Bread Company; ¿compromiso con la ecología? Bimbo está construyendo el parque ecológico más grande del mundo para la industria alimentaria, lo que representa un esfuerzo sin precedentes en el uso de energía renovable, limpia y virtualmente inagotable de energía "verde"; ¿responsabilidad social? Bimbo es acreditada año tras año como una empresa socialmente responsable por el Centro Mexicano para la Filantropía; ¿trato para los trabajadores? Bimbo es considerada una de las 10 grandes empresas con más de 5 000 trabajadores como mejor lugar para trabajar; ¿estándares de calidad? A la fecha sus plantas se encuentran certificadas con la Norma Mundial de Seguridad en Alimentos, avalada por el Global Food Safety Initiative. Si hay una marca que invariablemente, año con año, aparece entre las 10 más valiosas y admiradas en México, ésa es Bimbo, y por si fuera poco, en 2013 se incorporó al *top ten* de las 500 empresas más importantes de México.

> "En un mundo multipolar una marca tiene que innovarse para seguir siendo una marca", y para ser de las más respetadas y valiosas ha de integrar en su núcleo central las cinco cosas que importan hoy.

Estoy convencido de que el "liderazgo antifrágil" está en los cimientos mismos, no sólo de las familias, las empresas, las instituciones, sino de los países que son prósperos. Los reconocidos profesores Daron Acemoglu y James A. Robinson, en su obra *¿Por qué fracasan los países?* —uno de los libros más inteligentes y provocadores que he leído—, buscan explicar, a través de su teoría sobre la "innovación institucional" y después de una exhaustiva investigación de 15 años, por qué algunos países son prósperos mientras que otros fracasan y son pobres. Y su principal conclusión es que existe una relación crucial entre prosperidad e instituciones políticas y económicas inclusivas. Las instituciones económicas inclusivas que hacen respetar los derechos de propiedad crean igualdad de oportunidades, y fomentan la inversión en educación (competencias y habilidades) y nuevas tecnologías. En la gráfica 4 podemos visualizar las conexiones entre estos conceptos.

Las instituciones económicas inclusivas conducen más al crecimiento económico que las instituciones económicas extractivas, estructuradas para extraer recursos de la mayoría para un grupo reducido y que no protegen los derechos de propiedad ni proporcionan incentivos para la actividad económica. Las instituciones económicas inclusivas, a su vez, respaldan y reciben el apoyo —en un círculo virtuoso— de las instituciones políticas inclusivas, es decir, las que reparten el poder político ampliamente de manera pluralista y son capaces de lograr cierto grado de centralización política para establecer la ley y el orden, la base de unos derechos de propiedad seguros y una economía de mercado inclusiva. Asimismo las instituciones económicas extractivas están relacionadas sinérgicamente —en un círculo vicioso— con las instituciones políticas extractivas, que concentran el poder en manos de unos pocos, que entonces tendrán incentivos para mantener y desarrollar instituciones económicas extractivas en beneficio propio y utilizar los recursos que obtengan para consolidar su control del poder político. Sin duda el hallazgo de Acemoglu y Robinson es "revolucionario".

Encuentro una relación crucial entre el "liderazgo antifrágil" y las instituciones políticas y económicas inclusivas. Y es ahí donde radica la diferencia entre Nogales (Arizona) y Nogales (Sonora); entre

INNOVACIÓN

CIENCIA + TECNOLOGÍA + ARTE

EDUCACIÓN

INSTITUCIONES POLÍTICAS Y ECONÓMICAS INCLUSIVAS

LIDERAZGO ANTIFRÁGIL

Gráfica 4

Corea de Norte y Corea del Sur; entre Honduras y Brasil; entre Siria e Israel; entre el Congo y Botswana. En resumen, la diferencia entre la pobreza y la riqueza. En México, con todo y su problemática, aprecio una tendencia, cada vez mayor, del mundo de la "extracción", al mundo de la "inclusión". Si le apostamos a los fundamentales mencionados con anterioridad, México seguirá a la alza.

CAPÍTULO 3

El poder de los paradigmas

Hemos leído acerca de la era de la innovación y también sobre las cinco cosas que importan hoy. ¿Cuál es la relación que existe entre los "paradigmas" y la "innovación"? ¿Por qué es importante comprender sobre su naturaleza y su poder? Lo intentaré explicar con mayor detenimiento tanto en este como en el capítulo siguiente. Por lo pronto debo anticipar que todos los grandes innovadores de la historia de la humanidad, en cualquiera de los campos del quehacer humano, han sido profundos conocedores de los "paradigmas" en alguna o en varias de sus múltiples manifestaciones. Todos ellos lograron transitar del "poder de los paradigmas" al "poder de la innovación". De ahí que lo primero en lo que voy a enfocarme es en explicar lo que entiendo por "paradigmas" y a tratar de responder algunas interrogantes relacionadas con ellos.

El término *paradigma* se origina en la palabra griega "parádeigma": "para" es el prefijo que significa "junto", y "deigma", patrón, modelo o ejemplo. El término *paradigma* fue acuñado en 1962 por Thomas Kuhn en su libro *La estructura de las revoluciones científicas*: "Un paradigma es lo que los miembros de una comunidad científica comparten, y, recíprocamente, una comunidad científica consiste en hombres que comparten un paradigma". ¿Qué nos dice dicha definición? Que un paradigma es un conjunto de valores y saberes compartidos colectivamente, es decir, usados, implícita o explícitamente, por una comunidad. Desde entonces el concepto *paradigma* se ha venido ampliando y generalizando cada vez más. Joel Arthur Barker, quien fuera director del Departamento de Estudios del Futuro del Museo de Ciencia de Minnesota y a quien invité como orador en el Primer Foro de Innovación y Calidad que organicé en el Auditorio Nacional en la ciudad de México, en noviembre de 2001, contribuyó en mucho a expandir el espectro de los paradigmas, en particular en el mundo de los negocios y con un enfoque prospectivo.

¿Qué son los paradigmas? Desde la óptica de las neurociencias, los paradigmas son conexiones neuronales en nuestro cerebro. Son redes de neuronas conectadas entre sí. Estas conexiones neuronales existen del mismo modo que la gravedad existe y las especies existen, y desde un punto de vista "metafórico" son como "autopistas mentales". Desde el punto de vista de la psicología cognitiva hablamos de patrones habituales de pensamientos y acciones. Combinando los dos puntos de vista podemos decir que los paradigmas son conexiones neuronales que se expresan en patrones recurrentes de pensamientos y acciones.

¿Por qué son tan poderosos? De entrada, porque son reales. El neurofisiólogo Robert Sperry sostenía que "las ideas son tan reales como las neuronas que habitan. Las ideas tienen poder". Y, añado, son poderosos porque además de reales, son inconscientes, rápidos, automáticos, invisibles, involuntarios, instintivos, intuitivos, limitativos y replicativos. La inmensa mayoría de nuestra actividad cerebral es inconsciente. De acuerdo con el neurocientífico Michael Gazzaniga, 98% de lo que hace el cerebro está fuera del umbral de la conciencia, está en las sombras de la mente. Cifras como 98%, estrictamente hablando, tienen poco sentido porque no se pueden contar los pensamientos, pero el porcentaje parece ser correcto. Así que detengámonos un poco a pensar en esto: "El 98% de lo que pensamos y hacemos tiene su orígen en el mundo de nuestros paradigmas". Sólo una minúscula porción de nuestra vida mental constituye parte de nuestra conciencia. ¿Es razonable dudar de su poder? ¿Valdrá la pena comprender cómo se forman, dónde se almacenan, cómo se gestionan y cómo los podemos usar a nuestro favor? ¿Valdrá la pena conocer nuestra propia mente?

Los paradigmas son conexiones neuronales en nuestro cerebro. La distinción más reconocida con respecto al funcionamiento cerebral es nuestra experiencia de las dos mentes: la mente consciente y la mente inconsciente. Más para efectos explicativos que limitativos, y en un esfuerzo por utilizar etiquetas que nada tengan que ver con las cajas negras ni con la neuroanatomía, podemos hablar de dos sistemas que son familiares para todo el mundo: el sistema racional y el emocional. La mente consciente es nuestra mente lógica, racional, serial y autoconsciente. El afamado neurocientífico Antonio Damasio la define así: "la mente consciente es aquello que perdemos al caer en un sueño profundo sin sueños o bajo anestesia [...] y es aquello que recobramos al despertar o tras los efectos de la anestesia". Sin esta mente no tendríamos ninguna posibilidad de conocimiento alguno acerca del mundo, no tendríamos dolores pero tampoco alegrías. La mente inconsciente es nuestra mente instintiva, impulsiva y emocional. *Es en la mente inconsciente donde habitan y desde donde gobiernan nuestra vida los paradigmas.* Como bien lo decía Carl Jung: "hemos olvidado ingenuamente que bajo el mundo de la razón descansa otro mundo". En términos metafóricos diríamos que la mente consciente es "el piloto" y la mente inconsciente es "el piloto automático".

Dada la complejidad para explicar las diferencias entre las dos mentes del ser humano, he querido hacerlo a través de dos cuadros comparativos, que pueden resultar muy ilustrativos para comprender el poder que ejerce la mente inconsciente y, por lo tanto, el poder de los paradigmas en nuestra vida.

Como podemos apreciar, el poder de los paradigmas se funda, de manera resumida, en la tríada rapidez-automaticidad-invisibilidad. La velocidad de procesamiento de nuestra mente inconsciente es de 20 millones de bits por segundo contra unos 40 bits por segundo de la mente consciente. Cuando el cerebro desarrolla rutinas muy fuertes, ya no necesita pensar, se vuelve automático. Y se vuelve también invisible e inconsciente. Los paradigmas eluden la percepción fácil. La mayoría los aprendimos sin darnos cuenta y se enraizaron en lo profundo de la mente inconsciente. Sólo vemos sus manifestaciones y sus efectos. Siempre operan como un trasfondo inadvertido. Los paradigmas crean la evidencia ocultándose a sí mismos. El que yace bajo su imperio cree que se rige por los hechos, por la verdad, y no por los paradigmas.

Cuadro comparativo 1

MENTE CONSCIENTE	MENTE INCONSCIENTE
Es nuestra mente lógica, racional, serial y auto-consciente.	Es nuestra mente instintiva, impulsiva, emocional e inconsciente.
Es "el piloto".	Es el "piloto automático".
Es el "sistema voluntario": las operaciones son controladas y requieren esfuerzo.	Es el "sistema involuntario"; opera sin ningún esfuerzo y sin ninguna sensación de control voluntario.
Se relaciona con el "yo que experimenta".	Se basa en la experiencia y se relaciona con el "yo que recuerda".
Sus funciones más importantes son: la atención, la percepción, la decisión y la acción deliberada, aunque no son del todo de su exclusividad.	Mantiene actualizado un modelo de su mundo personal; almacenando recuerdos en la memoria, fabricando paradigmas, interpretando realidad y generando sentimientos.
El control de la atención es compartido por las dos mentes. Pierde el enfoque de cada seis a diez segundos.	No pierde el enfoque jamás. En cuanto "el piloto" se distrae, "el piloto automático" toma el control.
Aproximadamente, sólo el 2% de la actividad cerebral es de naturaleza "consciente".	Aproximadamente, el 98% de nuestra actividad cerebral es de naturaleza "inconsciente".
Se trata de una especie de pensamiento reflexivo, deliberativo y estadístico.	Se trata de una especie de pensamiento reflectivo, intuitivo y metafórico.
Se ocupa de aquellas situaciones que requieren una respuesta nueva. Se activa cuando las expectativas se ven frustradas.	Se ocupa de aquellas situaciones que se relacionan con la "normalidad". Tiene la habilidad de establecer expectativas y de ser sorprendido cuando esas expectativas son violadas.
Está a cargo del "autocontrol". Controlar los pensamientos y comportamientos es una de sus tareas.	Aquí se origina la mayoría de lo que atendemos, pensamos, decidimos y hacemos.
Tiene la capacidad de reconocer, explotar y dirigir la mente inconsciente.	Puede ser programada por la mente consciente para movilizar la atención cuando se detecta un patrón particular (búsqueda).
Cuando tiene el control, primero es la evidencia, luego la creencia.	Cuando está al mando, primero es la creencia, luego la evidencia.
Puede aceptar o rechazar las sugerencias de la mente inconsciente. De aceptarlas las convierte en deseos que pueden traducirse en decisiones, acciones y a veces en hábitos.	Genera sugerencias para la mente consciente; en forma de impresiones, intuiciones, inclinaciones, sentimientos y sueños.

Cuadro comparativo 2

MENTE CONSCIENTE	MENTE INCONSCIENTE
Es capaz de distinguir el pasado del presente y el futuro del pasado y de viajar (retroduceder y adelantar) en el tiempo.	Siempre está ocupada abordando el tiempo presente. No distingue entre "realidad" y "fantasía".
Se trata de un "pensamiento lento"; opera a una velocidad de procesamiento de unos 40 bits por segundo.	Se trata de un "pensamiento rápido"; procesa 20 millones de bits por segundo (es 500 000 veces más rápida). Es una máquina para saltar a conclusiones (juicios intuitivos rápidos).
La podemos "resetear" cuando así lo decidamos.	Siempre está funcionando. Procesa en paralelo. Nunca puede ser "apagada" a voluntad, no admite desconexión.
Es capaz de dudar porque puede mantener varias posibilidades incompatibles al mismo tiempo. La incertidumbre y la autocrítica son su dominio. Activa las preguntas.	Está predispuesta a creer y confirmar, ignora la ambigüedad y suprime la duda. Dispara las respuestas.
El desafío es conseguir que sea menos "floja" y más escética de las intuiciones e impresiones: "No te creas todo lo que piensas".	Puede llevarnos a un pensamiento superficial al basarse en un conjunto limitado de suposiciones básicas y enfocarse en la evidencia existente e ignorando la evidencia ausente (LQVELQH).
Pensamiento estadístico: prefiere los números, las evidencias, los resultados los hechos, los datos, las encuestas, la información.	Pensamiento casual; inventa espontáneamente patrones-historias coherentes que le den sentido a nuestro mundo.
Se relaciona con las estructuras neuronales menos antiguas (15 millones de años de evolución). Cerebro superior o neo-córtex.	Se relaciona con las estructuras neuronales más antiguas (630 millones de años de evolución). Cerebros reptílico y límbico.
Es capaz de buscar y verificar deliberadamente en la memoria.	El funcionamiento de la memoria es un atributo suyo.
Se centra en el poder del individuo.	Es social. Busca las conexiones (esenciales en la innovación).
Es responsable de nuestro sentido de "alerta".	Conecta una sensación de tranquilidad cognitiva con las ilusiones de verdad, sentimientos placenteros y una reducida vigilancia.
Comete menos errores y sabe cómo corregirlos.	Se presta a un mayor número de errores e ignora cómo corregirlos.
Algunas personas son más parecidas a su "mente consciente".	Otras son más cercanas a su "mente inconsciente".

Los paradigmas son poderosos, entre otras cosas, porque actúan como una especie de "lentes inconscientes" a través de los cuales vemos el mundo. Estos lentes dan forma a todo lo que percibimos, pensamos, sentimos, decimos, deseamos, decidimos y hacemos.

Desde el punto de vista evolutivo los paradigmas también afirman su poderío. Al parecer somos la herencia de 20 000 millones de años de evolución cósmica. El astrofísico del MIT Walter Lewin piensa que nuestro universo surgió tras el *Big Bang* ocurrido hace 13 700 millones de años. El Sol tiene aproximadamente 5 000 millones de años. La Tierra tiene, más o menos, 4 500 millones de años. El cerebro reptiliano tiene alrededor de 450 millones de años. El cerebro mamífero tiene aproximadamente 180 millones de años. Y el neocórtex oscila entre tres y 15 millones de años. Pues bien, los paradigmas tienen su asiento y su sede en los cerebros reptiliano y mamífero (tambien llamado límbico). Ambos suman 630 millones de años de antigüedad y de experiencia. Ahora entendemos por qué el cerebro reptiliano siempre gana.

Si pensamos en el cerebro en términos metafóricos, como si fuese una "cebolla", veríamos que tiene varias capas, una encima de la otra. En el centro hay una estructura llamada rombencéfalo, una porción del encéfalo, el cerebro posterior, responsable de mantenernos vivos. Se encarga de todas las funciones fisiológicas necesarias para la supervivencia: el ritmo cardiaco, el sueño, el despertar, los reflejos, los movimientos musculares y los impulsos biológicos. Está localizado en la base del cerebro y se llama también cerebro reptiliano porque esta estructura neurológica básica estaba presente en todos nuestros precursores biológicos, incluyendo reptiles y anfibios. Sobre el rombencéfalo está el mesencéfalo, cerebro medio, encargado de procesar los datos sensoriales, las emociones, la memoria y el reconocimiento de patrones. El mesencéfalo predice constantemente (y automáticamente) lo que sucederá a continuación, y luego envía la información al rombencéfalo, que prepara nuestro cuerpo para una acción inmediata. Justo encima del mesencéfalo hay una fina capa de tejido plegado; el prosencéfalo, cerebro anterior. Este pequeño velo de materia neural es responsable de las capacidades cognitivas que nos distinguen como humanos; conciencia de uno mismo, capacidad lógica, deliberativa, de inhibición y de decisión.

La mayoría de las veces el mesencéfalo y el rombencéfalo dirigen la función; actuamos basándonos en el instinto y gracias al piloto automático.

¿Te has puesto a pensar cómo se forman los paradigmas? A golpe de genes y a golpe de experiencias. Y básicamente por repetición y gradualidad. Los paradigmas son conexiones neuronales fuertes, formadas por un estímulo que se realizó repetidamente. De otro modo la conexión se debilita y se rompe. En cuanto a la función del cerebro, ese fortalecimiento de la sinapsis depende de la frecuencia de la estimulación (efecto de dosis) en el cerebro. Los paradigmas son unidades complejas y memorables, con *poder de permanencia*. El escritor estadounidense Orson Swett Marden lo explicaba así: "El inicio de un hábito (paradigma) es como un hilo invisible, pero cada vez que repetimos el pensamiento o el acto fortalecemos ese hilo, le agregamos un nuevo filamento, hasta que se convierte en un poderoso cable que nos ata irrevocablemente a nuestro pensamiento y nuestros actos". En la misma dirección escribe Henry David Thoreau, un hombre que ejerció una profunda y duradera influencia en el pensamiento y las letras de América: "Así como un solo paso no crea un sendero en la tierra, tampoco un solo pensamiento creará un camino en la mente. Para hacer un sendero físico marcado, andamos por él una y otra vez. Para hacer un sendero mental profundo, debemos tener una y otra vez el tipo de pensamientos que queremos que dominen nuestra vida".

La repetición es un elemento clave en la formación de los paradigmas, aunque no siempre es así. El otro elemento clave es la gradualidad. Nuestro detector de amenazas (sistema inmunológico) nos advierte sobre los cambios repentinos, no de los graduales. Qué mejor manera de explicar esto que con la alegoría que, al parecer, fue propuesta por primera vez en el libro de Marty Rubin *The Boiled Frog Syndrome*, publicado en 1987:

> Imaginen una cazuela llena de agua, en cuyo interior nada tranquilamente una rana. Se está calentando la cazuela a fuego lento. Al cabo de un rato el agua está tibia. A la rana esto le parece agradable, y sigue nadando. La temperatura empieza a subir. Ahora el agua está caliente.

Un poco más de lo que suele gustarle a la rana. Pero ella no se inquieta y además el calor siempre le produce algo de fatiga y somnolencia. Ahora el agua está caliente de verdad. A la rana empieza a parecerle desagradable. Lo malo es que se encuentra sin fuerzas, así que se limita a aguantar y no hace nada más. Así, la temperatura del agua sigue subiendo poco a poco, nunca de una manera acelerada, hasta el momento en que la rana acaba hervida y muere sin haber realizado el menor esfuerzo para salir de la cazuela. Si la hubiéramos sumergido de golpe en un recipiente con el agua a 50 grados, ella se habría puesto a salvo de un enérgico salto.

Aquí cabe reflexionar sobre aquéllo de "¿qué tanto es tantito?", y sobre aquéllo de "por mientras". Solemos ignorar que "lo provisional es lo más permanente que hay en la vida".

Nuestro cerebro es básicamente una máquina de fabricación de paradigmas. Nos la pasamos construyendo útiles simulaciones de realidad virtual del mundo que luego buscamos poder utilizar. Nuestro cerebro descubre lo que hay en el mundo mediante la construcción de modelos y representaciones de ese mismo mundo. Cualquier cerebro debe construir algún tipo de representación del mundo que le rodea. Inundado por un torrente de datos continuamente cambiantes, este órgano constituye un asombroso mecanismo diseñado para poner orden y extraer patrones estables (paradigmas) a partir de ellos. Fabricar paradigmas es similar a crear definiciones, construir prototipos, diseñar teorías, contar historias, proyectar tendencias, producir expectativas, fijar reglas. El cerebro detecta patrones, los almacena como paradigmas y, de acuerdo con eso, formula predicciones, a menudo erróneamente. El ser humano, desde que nace, va formando millones de conexiones cada día. Con ello el cerebro es "cableado" por la experiencia, con las imágenes, sonidos, pensamientos, sentimientos y sensaciones, dejando una especie de huella nueronal en los circuitos de la corteza. "Aún antes de que el cerebro sea expuesto al mundo, ya está trabajando en cablearse a sí mismo", afirma la neurocientífica Carla Shatz. Este cableado biológico y neuronal es fundamental en la formación de los paradigmas.

La tendencia del cerebro es a tomar los pensamientos y las acciones repetitivas y automatizarlas. Así, el cerebro crea un "programa de respuestas" conductuales que muchas veces se asocia a predisposiciones genéticas. Son las llamadas "huellas, mapas o redes neuronales" que por aprendizaje, ejercicio, repetición o costumbre van conformando los patrones de respuestas motores y cognitivas al medio ambiente que determinarán los repertorios de conducta. Estas respuestas no son otra cosa que los hábitos y éstos influyen poderosamente sobre la atención y la percepción. De hecho Ann Graybiel, neurocientífica en el MIT, ha demostrado que el estriado puede jugar un papel fundamental en el desarrollo de hábitos. Nuestra mejor hipótesis es que las neuronas tónicamente activas controlan la distribución de la información a través del estriado y por lo tanto su papel en la formación de hábitos. Los hábitos son una de las múltiples manifestaciones de los paradigmas.

El poder de los paradigmas es tal que nos mantienen "anclados" a nuestro pasado y a nuestra historia. Exigen que no nos movamos, que permanezcamos en el *statu quo*. Los paradigmas forman nuestro "caudal de inercias", ese pasado que hemos acumulado y que nos predispone a actuar de una determinada manera y nos arrastra hacia una direccion determinada. Es lo que explica ¿por qué me va como me va? Aquí hay acciones reiteradas, aprendizajes realizados y rutinas de la vida diaria, lo mismo que formas de pensar y de sentir repetidas durante años. El impulso de los estados mentales pasados influye extraordinariamente en el presente y configura el abanico de los estados mentales posibles y probables. Einstein decía que "la distinción entre pasado, presente y futuro no es más que una ilusión, por muy obstinada que resulte". Agustín de Hipona escribió algo similar 1 500 años antes. Los paradigmas hacen que ese pasado se imponga y le dé forma a nuestro presente y lo domine al mantener activado "el piloto automático" en todo el tablero de control de nuestra mente inconsciente. Mientras la mente consciente pierde enfoque (atención) cada seis a diez segundos, la mente inconsciente no pierde el enfoque nunca. La mente consciente percibe el pasado y el futuro. Para la mente inconsciente todo es presente. Un eterno presente. Cuando la mente consciente está soñando despierta, creando planes de futuro o reviviendo experiencias pasadas, la mente inconsciente se encuentra al mando. Hay culturas antiguas como la aymara, en los Andes, que afirman que el pasado está enfrente y el futuro está atrás, porque al pasado lo podemos ver y al futuro no lo vemos.

Por obra de los paradigmas miramos el futuro con los ojos y las imágenes del pasado. Y es que la memoria no se puede separar de la imaginación. Los paradigmas proyectan el pasado hacia el futuro en forma de expectativas y esperanzas y exigen que los pronósticos, las predicciones y las prospectivas se cumplan, ignorando el principio de la "impermanencia de la realidad", de la existencia de la "variación" en la naturaleza, de la presencia de lo "aleatorio" en nuestra vida. No podemos predecir el futuro porque únicamente sabemos imaginar el futuro recomponiendo el pasado. Esto se relaciona con nuestra predisposición a pensar el futuro sólo en términos del pasado. Las expectativas se basan en pensamientos y experiencias del pasado.

El filósofo británico Deerek Parfit escribió que "ignoramos nuestra personalidad futura por fallos de nuestras creencias o de la imaginación". No creemos que llegaremos a viejos o no somos capaces de imaginarnos que algún día envejeceremos. Planificamos y "construimos" el futuro a partir de lo que antes pensamos e hicimos, y en la medida que suponemos que surgirán situaciones similares a las anteriores, es desde esa hipotética situación que elaboramos nuevos escenarios. Es por ello que muchos ejercicios de "planeación estratégica" resultan estériles o infructuosos.

En síntesis: los paradigmas afectan absolutamente todo. Afectan lo que una persona entiende por la vida y la muerte, lo que cree que una cosa es y no es, lo que considera que es normal o anormal, lo que piensa que es posible o imposible, verdadero o falso, justo o injusto, lo que cree que puede o no puede hacer… los paradigmas condicionan todo lo que una persona puede llegar a atender, percibir, pensar, sentir, decir, visualizar, intentar, decidir y hacer a lo largo de su vida. Nuestros paradigmas están vinculados a cosas tan diversas como el éxito o la felicidad, los fracasos y sufrimientos, las enfermedades o los desórdenes del sistema inmunitario, e incluso la esperanza de vida.

¿Cuál es la principal función de los paradigmas? Interpretar el mundo. Interpretar es sinónimo de "percepción psicológica". La interpretación de la realidad es una construcción de la mente. Es el cerebro el que construye la realidad. Ya desde la Antigüedad, Epicteto sostenía que "los hombres no se perturban por causa de las cosas, sino por las *interpretaciones* que de ellas hacen". De igual modo los psicólogos hoy en día saben que 2% se relaciona con lo que nos pasa y 98% con lo que *interpretamos* sobre lo que nos pasa. Es decir, la vida es 2% lo que nos sucede y 98% cómo reaccionamos ante ello. Nuestra interpretación determina nuestro horizonte de posibilidades.

Como bien dice el refrán popular mexicano "cada quien habla de la feria según le va en ella". En general, la opinión que tenemos de las cosas se ve fuertemente influenciada por la manera en que nos afectan a nosotros.

"La alegría de vivir y cómo nos sentimos depende en último término y directamente de cómo la mente filtra e interpreta las experiencias cotidianas" (Mihály Csíkszentmíhalyi). Ver, desde el paradigma, es opinar; el acuerdo en los significados es a la vez un acuerdo en los juicios, al decir de Wittgenstein, o, lo que es lo mismo, no existe el dato desnudo de interpretación. Nuestra percepción del mundo no es directa. Tanto la atención como la percepcion consciente están mediadas por interpretaciones inconscientes. Toda percepción es una traducción reconstructora que lleva a cabo el cerebro a partir de las terminales sensoriales. Ningún conocimiento puede lograrse sin la interpretación.

Todos tendemos a pensar que vemos la realidad tal cual es, pero no es así. Esto lo podemos leer tanto en el Talmud: "no vemos el mundo como es, vemos el mundo como somos", como en las afirmaciones de Kia Nobre, profesora de neurociencia cognitiva de la Universidad de Oxford: "no cabe duda de que la realidad es distinta de como la vemos". Todos nacemos en un mundo y somos constructores de otro propio, que luego amueblamos y decoramos. Partimos de dos hipótesis previas: existe la realidad (uno) y existe una mente capaz de representarla (dos). Vivimos en dos mundos distintos: un mundo que existe con independencia de que existamos nosotros y otro mundo que existe sólo porque nosotros existimos. A decir de

Jorge Wagensberg: "admitámoslo de una vez: para cada uno de nosotros, mentes pensantes, el universo se divide en dos partes: yo y el resto del universo. Siempre es así y así es en todo lugar". Todo se reduce a lo que está dentro y lo que está fuera de nuestra cabeza. Cuando interpretamos lo que obtenemos es una representación mental de un pedazo de la realidad. A ese trozo de la realidad le llamamos conocimiento. La realidad y su conocimiento sufren una reconstrucción continua a medida que nuestras ideas evolucionan.

El filósofo social Karl Popper sostiene que "nunca va a haber una correspondencia del cien por ciento entre el mundo y nuestra idea del mundo" y califica como inevitable la existencia de una brecha entre la interpretación y la realidad, lo que provoca una diferencia entre los resultados y las expectativas. Lo que importa es su magnitud. A esta brecha o distorsión se le llama sesgo, esto es, la diferencia entre lo que se ve y lo que está ahí. El cerebro humano no está hecho, no está programado para ver el mundo "tal como es". Lo que el cerebro hace es construir nuestra experiencia de esta realidad, y ésta puede ser más o menos cercana a la realidad objetiva y física del mundo exterior, pero nunca va a haber una correspondencia del cien por ciento. En esto consiste la interpretación. Entre el mundo y nuestra idea del mundo existirá siempre un fascinante desacuerdo. Algunos ejemplos de esto: de acuerdo con el IBM Global Chief Marketing Oficcer Study (2011), 80% de los CEO creen entregar una gran experiencia a sus clientes; sólo 8% de sus clientes están de acuerdo con ellos. Según una encuesta en quirófanos de cinco países, del profesor Bryan Sexton (de la Universidad Johns Hopkins), 64% de los cirujanos piensan que en sus intervenciones el nivel de trabajo en equipo es alto; sólo 39% de los anestesiólogos, 28% de los enfermeros y 10% de los anestesiólogos residentes pensaban lo mismo. Los infartos causan casi el doble de muertes que todos los accidentes combinados, pero 80% de los participantes juzgaron que la muerte accidental es más probable. Los paradigmas no son la realidad, así como el mapa no es el territorio. Lo que no quiere decir que no sean "reales".

Decía Einstein que "todos somos ignorantes, pero no todos ignoramos lo mismo". Interpretamos el mundo con y desde nuestros paradigmas. Si somos capaces de reconocer la magnitud de nuestra ignorancia, la mayoría de las veces nos daremos cuenta de que nuestras certezas son posiciones absurdas y que estamos condenados a tener conocimientos incompletos, que nos siguen faltando piezas para explicarnos la realidad total. De ahí que en la "era de la innovación" el conocimiento colaborativo sea tan importante.

Tanto el cristianismo como el budismo coinciden en que la raíz de los problemas humanos es que la conciencia humana está confundida y no aprehende la realidad tal como es, plena y realmente. Por un lado, el monje cristiano Thomas Merton nos dice que "tan pronto como el ser humano mira algo, comienza a *interpretarlo* con prejuicios y de una forma predeterminada (paradigmas) que encaja con cierta visión errónea del mundo, en la que él existe como un ego individual en el centro de las cosas". Por otro lado, el monje budista Miao Tsan afirma que son los paradigmas los que provocan que los seres humanos se hipnoticen a sí mismos inconscientemente. Así lo explica: "de manera inconsciente los seres humanos se construyen su propia prisión, la estructura de su definición de la realidad. Al hacerlo moldean su mente, originalmente ilimitada, sin forma y libre, y la convierten en una colección de fragmentos independientes que tienen formas extrañas".

En una conferencia impartida en el Instituto Panamericano de Alta Dirección de Empresas, mi amigo Agustín Irurita, al exponer el caso de los transportes ADO, comentó que "cuando tú construyes algo, quedas preso de lo que construyes". Ése es justamente el poder de los paradigmas. Sin importar lo que construyas, para bien o para mal, quedas preso de lo que construyes. ¿Valores? Benjamín Franklin escribió que "en un inicio nosotros elegimos qué valores serán importantes para nuestra vida y más adelante serán estos mismos valores los que orientarán y presidirán nuestras grandes decisiones". ¿Edificios? Winston Churchill solía decir que "damos forma a nuestros edificios, y después nuestros edificios nos dan forma a nosotros". Esto lo saben bien en el edificio 20 del MIT o en el edificio de Google en Zurich. Estos edificios permiten la experimentación, hacen a sus habitantes activos en lugar de pasivos, los empoderan… La mayor parte de la innovación se hace en estos edificios. ¿Programas computacionales? "nosotros programamos nuestras computadoras y, posteriormente, ellas nos programan a nosotros" (Culkin). ¿Herramientas? McLuhan: "le damos forma a nuestras herramientas para que después nuestras herramientas nos den forma". ¿Definiciones? Nosotros creamos nuestra propia definición y con ella definimos a los demás. Gabriel Lippmann, Premio Nobel de Física, afirmaba que "no vemos primero y definimos después, sino que primero definimos y luego vemos". ¿Hace falta explicar más?

He tratado de demostrar, desde diversos puntos de vista, con argumentaciones variadas, el poder de los paradigmas. Espero haberlo conseguido.

¿Cómo podemos descubrir los paradigmas? Quienes los han estudiado a profundidad y con seriedad, en alguna de sus múltiples manifestaciones, lo han hecho aprendiendo sobre las fuentes de los mismos, que básicamente se reducen a tres: la condición humana que todos compartimos (paradigmas universales), la cultura (paradigmas sociales) y la historia personal (paradigmas propios). Así, podríamos enunciar a Sigmund Freud y "el inconsciente", a Jung y sus "arquetipos", a Bartlett y sus "esquemas mentales", a Johnson-Laird y sus "modelos", a Schank y sus "guiones", a Damasio y sus "mapas", a Konrad Lorenz y sus "improntas", a Claude Lévi-Strauss y sus "mitos", a Steven Covey y sus "hábitos", a Clotaire Rapaille y sus "códigos culturales", a Umberto Eco y sus "signos", a Richard Dawkins y sus "memes", a Richard Bandler y su "lingüística", a George Lakoff y sus "marcos mentales", a Gerald Zaltman y sus "metáforas"… y muchos otros más.

Mi propósito es compartir con ustedes un modelo que les ayude a identificar los paradigmas en su vida personal, familiar, laboral, social. Si bien los paradigmas adoptan la figura de un "poliedro" (del griego "poli", muchas, y "edro", caras), los podemos visualizar en una especie de dodecaedro, es decir, los podemos "categorizar" en 12 conceptos (véase la gráfica 5).

Los paradigmas son los recuerdos, moldes, creencias, valores, hábitos, metáforas, imágenes, símbolos, etiquetas, acuerdos, expectativas y certezas, que llevamos en la mente acerca de nosotros, los demás y todos los aspectos del mundo.

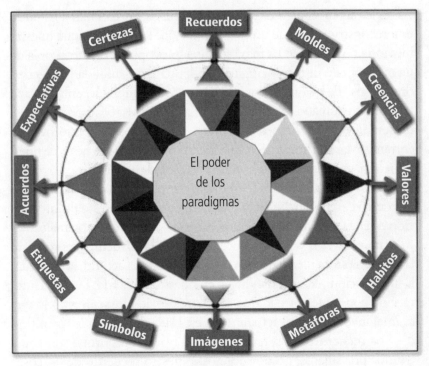

Gráfica 5

1) Los paradigmas como recuerdos. Para el Premio Nobel Eric Kandel en el cerebro todo se reduce a recuerdos y aprendizajes. Traducido a mis términos, sería: todo se reduce a paradigmas y a innovaciones. Los paradigmas son almacenados en la memoria en forma de recuerdos, originados en conexiones neuronales denominadas sinapsis. Todas las cosas que hemos aprendido del mundo, ya sea consciente o inconscientemente, se almacenan como recuerdos a largo plazo, que pueden permanecer en nuestro cerebro días, años, toda la vida. Lo que la memoria almacena son patrones con ocurrencias regulares. Estos patrones son nuestros recuerdos. A partir de las imágenes de rostros y casas, o de los sonidos de música y habla, estos patrones son ordenados por especialistas ubicados en lo profundo de nuestro cerebro. Los recuerdos son huellas tanto sinápticas como psíquicas.

No son una réplica exacta de la realidad, sino una recreación de ella. La mayoría de las personas tiene la "creencia" de que la memoria humana funciona como una cámara de video que registra con precisión los acontecimientos que vemos y oímos, pero es más a menudo una reconstrucción que una reproducción. Lo cierto es que nuestra memoria no es de fiar. Es más bien una fotocopia de una fotocopia de un mimeógrafo de la foto original. Todos tenemos infinidad de recuerdos "falsos" de los que ni siquiera somos conscientes. La configuracion del cerebro humano es casi una garantía de que los recuerdos del pasado serán erróneos. Somos intérpretes interesados de la informacion entrante. Marcel Proust decía que forzamos los hechos a favor de nuestro relato, pues nuestra inteligencia reelabora la experiencia. Todos los recuerdos tienen etiquetas temporales y espaciales y con el tiempo se pierden o deterioran. Nuestra memoria no es un depósito de informacion estática o de recuerdos congelados. Los recuerdos son maleables y dinámicos. Cada vez que recordamos algo, la estructura neuronal de la memoria sufre una delicada transformación. La actitud, la emoción, la imaginación y lo vivido influyen en nuestro recuerdo. Hay una interacción constante entre lo que es recordado, lo que se prevé y lo que es imaginado y lo que actualmente está sucediendo en los sentidos.

Los recuerdos no son objetivos. Y no lo son porque son construidos por sujetos, no por objetos. Nuestro recuerdo de las cosas pasadas es imperfecto. El recuerdo de las cosas pasadas no es necesariamente el recuerdo de las cosas tal y como fueron, esto es porque "las memorias maduran con el tiempo como los órganos", como lo afirma el neurocientífico Yadin Dudai. Construimos un recuerdo rellenando de manera inconsciente sus agujeros para hacerlo convincente. Recientemente el escritor chileno Jorge Edwards participó en la Feria Internacional del Libro de Guadalajara, Jalisco, y comentó esto en una entrevista: "La memoria no se puede separar de la imaginación. Cuando escribo sobre cosas que ocurrieron hace más de 60 años, la memoria falla, es frágil, pero uno la complementa y la reemplaza con la imaginación, con la ficción, con la invención. Yo describo cómo acompaño a mi madre a un convento de monjas, donde hay una monja reclusa que es pariente de ella y hace preguntas desde detrás de un lugar. No sé si alguna vez visité a esa monja en esa forma, estoy inventando, pero basado en hechos reales".

Tendemos a vernos y recordarnos de manera autocomplaciente.

Al recordar nuestras propias acciones todos tendemos a usar gafas de color rosa. Recordamos sólo lo sobresaliente y normalmente lo exageramos. Lo cierto es que *a posteriori* no se puede tener una visión real de las cosas. Somos más superficiales de lo que creemos. Un recuerdo puede ser ligeramente distinto cada vez que lo recuerdas. Los gustos y las decisiones son moldeados por los recuerdos, y los recuerdos pueden estar equivocados. Es por ello que debemos evitar quedar presos de los recuerdos que hemos construido. Podemos preguntarnos: ¿Realmente sucedió esto? ¿Y ocurrió del modo como lo recuerdo? ¿Tengo modo de contrastarlo con otros testimonios o evidencias?

La mayoría de las veces los recuerdos en forma de imágenes del pasado nos gobiernan. Estas imágenes están impresas en nuestra sensibilidad de la misma manera que la informacion genética. Debemos sacudirnos del poder de las imágenes internas, así como de las emociones y las sensaciones asociadas a ellas. Una historia que me parece muy interesante es la que se narra en la Biblia de la mujer de Lot: El ángel dijo a Lot y a su familia: "Escapa, por tu vida. No mires atrás, ni te detengas en toda la llanura…" Pero su mujer "miró atrás y se convirtió en estatua de sal". Una posible interpretación es que cuando recordamos los placeres de los sentidos y anhelamos volver a ellos, preservamos o "salamos" el deseo sensorial. La sal es un preservativo que corresponde simbólicamente a la memoria. Este deseo se manifestará en algún sitio, en alguna ocasión, a menos que liberemos a la memoria de toda emoción del pasado. El peligro de ir mirando siempre atrás, es querer regresar. Y es que lo que se siente puede ser recordado, y lo que es recordado puede ser sentido.

Asociamos los recuerdos de la memoria con el pasado pero es más presente de lo que pensamos. Cualquier acontecimiento que nos haya ocurrido, basta con sólo recordarlo con emoción para que prácticamente nos ocurra de nuevo. De este modo, algo que nos pasó (positivo o negativo) nos podría ocurrir no una, sino muchas veces.

Algunos de los términos y conceptos vinculados con los paradigmas como recuerdos son:

Aniversarios	Estados del *self*	Memorias
Añoranzas	Huellas	Primeras impresiones
Celebraciones	Improntas	Registros
Conmemoraciones	Marcadores somáticos	Remordimientos
Culpas	Memes	Traumas

Comentaré suscintamente sobre las improntas y las primeras impresiones. Las improntas son recuerdos con anclas emocionales de vinculacion neuronal. Se trata de impresiones de naturaleza profunda y duradera que marcan nuestra vida. La memoria no garantiza el recuerdo si no es emocional. La mayoría de nuestras improntas, con sus consiguientes "autopistas mentales" ocurren en nuestra niñez. Gracias a la neuroplasticidad y a la tríada pensamientos-emociones-sensaciones, podemos seguir construyendo nuevas improntas a lo largo de nuestra vida. ¿Recuerdas dónde estabas el 11 de septiembre de 2001? ¿Qué hiciste luego?

Sabemos de la poderosa influencia de nuestras "primeras impresiones", correctas o erróneas, en muchos campos de la vida.

La gente tiene la falsa creencia de que uno debería aferrarse a su primer impulso, impresión o respuesta y la verdad es que no hay demasiadas evidencias que apoyen esto. Desde luego hay quienes saben aprovechar el poder que éstas tienen en el campo de las decisiones. IDEO, la empresa de consultoría en diseño, recomienda que para diseñar un gran producto debemos conseguir una excelente primera impresión: el producto debe gustar de inmediato a los clientes. Al verlo, deben sentirse cómodos y bienvenidos.

Una empresa mexicana que entiende el poder de los paradigmas como recuerdos es Grupo Sagui, ubicada en Monterrey, Nuevo León. Esta empresa produce anualmente 250000 piñatas, tanto para México como para Estados Unidos y Europa. ¿Tener una piñata es como tener un pedacito de México? Para muchos mexicanos que viven en el extranjero es una forma de no perder sus tradiciones, enseñarlas a sus hijos y recordar su país. Con coloridos sin igual y figuras diversas, llevan alegría a chicos y grandes. El mercado de nostalgia, como se le conoce a este sector que gusta de comprar artículos tradicionales, eleva su consumo con estas artesanías que hasta la fecha se siguen produciendo a mano combinando papel periódico —un material multifacético— con engrudo o barro y luego decorado con papel de china de colores llamativos.

2) *Los paradigmas como moldes.* Goethe llegó a escribir: "Estamos moldeados por lo que amamos". Quienes diseñaron tanto las tar-

jetas de plástico como las fichas de los casinos sabían muy bien del poder de los moldes. No es lo mismo pagar con tarjetas de crédito o apostar con fichas de colores que hacerlo con dinero en efectivo.

Un molde muy famoso es sin lugar a dudas la corcholata. Las botellas de refresco y cerveza se utilizaron desde algunos años antes de la invención de la corcholata. Hubo muchos intentos que fracasaron para evitar que los líquidos escurrieran de las botellas o que perdieran el gas, y los que lograban el sello hermético terminaban en desastre cuando el líquido hacía contacto con la tapa de metal. En 1892, el estadounidense William Painter patentó la tapa de metal con el borde ondulado a prueba de fugas y forrado de una hoja delgada de corcho para evitar el contacto con el metal. El diseño desarrollado por Painter ha prevalecido por más de 100 años.

Earl Silas Tupper fue uno de "los primeros moldeadores del polietileno", un químico de la Du Pont, que desde los años treinta había alimentado el sueño de dar forma a los plásticos para fabricar con ellos cualquier objeto, desde recipientes de medio litro hasta cubos de basura con una capacidad de 80 litros. Tupper creó uno de los moldes más exitosos de la historia, los productos de plástico Tupperware que se utilizan para almacenar, transportar y entre otros congelar alimentos.

Mi ejemplo favorito de moldes exitosos son los productos Lego. Su filosofía está basada en el construccionismo: "Cuando construyes en el mundo construyes en tu mente". La teoría de Seymour Papert, del MIT, tuvo una influencia decisiva. Papert fue colaborador de Piaget. Primero fue el famoso "ladrillo". Luego Lego dio un gran salto cuando incorporó el concepto de "sistema" en sus juguetes. "Ladrillos o bloques intercambiables y recombinables."

Algunos de los términos y conceptos vinculados con los paradigmas como moldes son:

Abecedarios	Burocracias	Claves
Algoritmos	Calendarios	Condicionamientos
Anclas	Caminos	Condiciones
Ataduras	Características	Constricciones innatas
Bases	Cartabones	Constructos

Contenedores	Hormas	Programas
Contextos	Idiomas	Procedimientos
Controles	Inscripciones	Procesos
Compensaciones	Instructivos	Prototipos
Cuestionarios	Inteligencias	Precocinados
Currriculum Vitae	Interpretaciones	Prefabricados
Chips	Lentes	Preguntas
Escalafones	Libros de texto	Promedios
Escrituras	Limitaciones	Rasgos
Esquemas	Logísticas	Razones de Estado
Estratagemas	Matrices	Recetas
Estructuras	Metodologías	Reportes
Estudios	Mecánicas	Retratos
Evaluaciones	Mecanismos	Saberes
Exámenes	Métodos	Secuencias
Fenotipos	Modelos	Sellos
Filtros	Modos	Series
Fisonomías	Nichos	Simetrías
Formatos	Partituras	Sistemas
Genéticas	Patrones	Técnicas
Gramáticas	Perfiles	Tecnologías
Grabados	Perspectivas temporales	Topologías
Guiones	Planos	Vocabularios
Herramientas	Plantillas cognitivas	

Los paradigmas como moldes en las tecnologías. Incorporada en cada tecnología hay una idea poderosa, a veces dos o tres. Estas ideas están a menudo ocultas a nuestra vista, porque son de una naturaleza algo abstracta. Pero esto no significa que no tengan consecuencias prácticas. Cada tecnología tiene una filosofía que es expresada en la forma en la cual hace que las personas usen su mente, en lo que hace a nuestros cuerpos, en cómo codifica el mundo, en cuáles de nuestros sentidos amplifica, en cuáles de nuestras tendencias emocionales e intelectuales ignora. Los cambios tecnológicos afectan todos los aspectos de la existencia humana, y cualquier artefacto, sin importar su condición, puede revelar aspectos de esos nuevos patrones de vida. Harold Adams Innis argumentó que las innovaciones tecnológicas son la causa de los cambios en las instituciones culturales y sociales. La tecnología cambia hábitos de lectura, de pensamiento y la manera en que las personas se relacionan, compran, se divierten, viajan. Un 90% de los jóvenes de entre 18 y 29 años duermen con sus teléfonos o al lado de ellos.

Según indican algunos científicos estadounidenses, debido a las nuevas tecnologías podríamos estar cambiando el modo de leer, aprender e interactuar. No es una verdad absoluta pero tiene bases científicas. Veamos, Gary Small, psiquiatra de la Universidad de California, sostiene que "la exposición diaria a las tecnologías digitales (internet y smartphones) podría alterar el modo de funcionamiento del cerebro". "Cuando se introduce una tecnología cambian los hábitos. La innovación y las necesidades de la gente cambiarán al mismo tiempo", J. K. Shi, máximo responsable de Samsung Mobile. En cierta medida la fusión entre el hombre y la máquina ya comenzó. "Efectivamente mi iPhone no es algo que yo pueda tomar o dejar. Ya forma parte de mí, definitivamente. Yo no podría funcionar mucho tiempo sin él. No es algo que yo use para divertirme; es parte de lo que soy", afirma el científico Ray Kurzweil. Hablando de tecnologías hay quienes aseguran que "las impresoras en 3D serán el molde del futuro".

Los paradigmas como moldes en el tiempo. Cómo moldea nuestras decisiones el tiempo: *a)* en las "perspectivas temporales": refleja nuestras actitudes, creencias y valores en relación con el tiempo. Zimbardo y Boyd estudiaron seis perspectivas temporales: pasada negativo, pasada positivo, presente fatalista, presente hedonista, futura, futura trascendental. Estas perspectivas tienen un impacto profundo en nuestra vida y en nuestro mundo. Así como nuestro pasado puede influir en nuestro presente, nuestra visión de futuro también puede afectarlo.

¿En cuál tiempo crees que vives? *b)* el tiempo como molde en las agendas y los relojes: ¿ya es hora?: de levantarse, de tomarse la cerveza, de la meditación; ¿a esta hora?: hacer ejercicio, visitar a alguien, estudiar. Resulta interesante la "agenda con reloj incorporado", Watch Diary, del diseñador coreano Wonjune Song. Este dispositivo electrónico sirve para realizar recordatorios y marcar cada cita y compromiso. Combina la tecnología con la nostalgia de quienes siguen enamorados de sus agendas de papel. Innovación y tradición.

Los paradigmas como moldes en las fórmulas. La Coca-Cola se vende en más de 135 países y su venta diaria es de 190 millones de botellas. Sin embargo, sólo dos personas conocen la fórmula de su elaboración.

Los paradigmas como moldes en los estándares. Uno de los estándares que más han moldeado el comportamiento de las instituciones en el mundo es tal vez el relacionado con el ISO 9000, fundado en 1987, con la finalidad de desarrollar y armonizar los estándares de manufactura, comercio y comunicaciones para agrupar a los países en un bloque común y favorecer el intercambio comercial.

No sorprende en lo absoluto que las grandes empresas mexicanas, como el Grupo Bimbo, entiendan el poder de los paradigmas en los estándares. Éstos son algunos de los estándares del grupo Bimbo: BRC (British Retail Corsortium), TIP (Tipo Inspección Federal), Industria limpia, Certificación Kosher, BASC (Business Alliance for Secure Commerce). Lo que sí me llama la atención es que negocios de tacos como El Farolito —la única taquería en México que tiene un control estandarizado en la producción de su materia prima— también lo entiendan. De ahí que cuenten tanto con carnicería propia y con un comisariato, al que denominan "fábrica de alimentos", en donde reciben diariamente toneladas de productos (chiles, cebollas, jitomates) que son seleccionados con estrictos controles de calidad. Esta empresa fue fundada en 1962, cuando yo tenía un par de años de edad, por don Alfonso I. Coindreau. Hoy mi hijo Juan Pablo comparte con su nieto Eduardo Coindreau el colegio, los deportes, la amistad y, desde luego, el gusto por los "tacos al carbón", que en su momento fueron la novedad que luego El Farolito convertiría en su principal especialidad.

Los paradigmas como moldes en las marcas. Las 10 empresas con las marcas más valiosas del planeta son: Apple, Google, Coca-Cola, IBM, Microsoft, GE, McDonald's, Samsung, Intel y Toyota. Casi todas relacionadas con el sector de las tecnologías y un par con la comida y la bebida.

Los paradigmas como moldes en los métodos. "Método" proviene del griego "methodos", "meta" (más allá) y "hodos" (camino), literalmente camino o vía para llegar más lejos. El Centro Fox promociona el seminario "Método Fox para ganar elecciones". Me queda claro que se trata de convertir en molde (método) una marca exitosa (Fox). Y los moldes pretenden reproducir un producto o una experiencia. La cuestión es que los moldes son para resolver problemas simples y una elección es un problema complicado y complejo.

Los paradigmas como moldes en los algoritmos. Un algoritmo es un "conjunto ordenado y finito de operaciones que permite hallar la solución de un problema" (Diccionario de la Real Academia Española). Un algoritmo no es más que una receta, una serie ordenada de comandos. Los modelos de minería de datos pueden predecir valores, generar resúmenes de datos y buscar correlaciones ocultas. Los algoritmos del sitio de alquiler de películas Netflix ya son responsables de 60% de las películas que son pedidas por sus clientes. Los productores de películas no pueden darse el lujo de menospreciar el poder moldeador de los algoritmos. Hollywood los consulta como en el antiguo mundo griego consultaban al Oráculo de Delfos.

Los paradigmas como moldes en los retratos hablados. Poco después de que fui anunciado como jefe de la Oficina de la Presidencia de la República para la Innovación Gubernamental en el Museo de San Carlos, el criminólogo y fisonomista Sergio Jaubert (a quien no tengo el gusto de conocer) realizó un estudio sobre mi persona (hizo lo mismo con algunos otros funcionarios) y lo hizo público: "Ramón Muñoz Gutiérrez es un individuo extraordinario, creativo, imaginativo, con una gran capacidad mental y espíritu de investigación fuera de lo común. De carácter fuerte y afable al mismo tiempo. Observador, analítico, bastante carismático, afectivo y generoso. De él se pueden esperar ideas renovadoras y un trabajo fuera de lo común". Yo siempre fui muy escéptico de este tipo de retratos pero después de leer el referido a mi persona, mi interpretación cambió favorablemente.

3) *Los paradigmas como creencias.* Una creencia es un modelo creado por la mente para satisfacer un deseo, generalmente sobre un hecho real o imaginario, del cual se desconoce o no se acepta una alternativa o respuesta racional. Algunos definen la "creencia" como la certeza derivada de aceptar lo que pensamos que es verdad en nuestra men-

te y sentimos que es cierto en nuestro corazón. Las creencias presentan una "afirmación cognoscitiva", es decir, una afirmación de algún tipo de conocimiento. Por lo general se acompañan de un compromiso, algo que no sólo estamos dispuestos a respaldar con argumentos, sino tambien a defender o promover con la inversión de dinero o soportando las dificultades asociadas con ella.

Charles Sanders Pierce, padre del "pragmatismo", sostenía que nuestras creencias guían nuestros deseos y conforman nuestras acciones, y según él una creencia tiene tres características: *1)* es algo de lo que tenemos conocimiento; *2)* desplaza el sentimiento de duda, y *3)* implica el establecimiento de un hábito (ésta es la esencia de la creencia).

Así funciona la mente inconsciente cuando está al mando: primero es la creencia y luego la evidencia. La evidencia, es decir los hechos innegables, que realmente cuenta es la que está a favor de una creencia, sea ésta verdadera o falsa. Nuestro cerebro tiene una notable capacidad para encontrar su camino hacia las verdades convenientes, aun si no son del todo verdaderas. Una creencia no necesita ser verdad para ser una creencia. Nuestras creencias pueden generar su propia realidad, al contrario del pensamiento científico, donde la realidad tiene prioridad. Leamos con detenimiento el siguiente texto: "la mente del ser humano, una vez que ha adoptado una opinión acerca de algo, recoge cualquier caso que la confirme, y rechaza o ignora la demostracion de casos contrarios, ya sean numerosos y de más peso, para que con esta perniciosa predeterminación la autoridad de sus primeras conclusiones permanezca inviolada". En la actualidad cualquier neurocientífico lo suscribiría, pero fue escrito por el filósofo inglés Francis Bacon, en su obra *Novum organum*, en 1620. En el mismo sentido, Thomas Khun escribió en 1962: "Quienes han trabajado fructíferamente desde la óptica antigua, están habitual y emocionalmente vinculados a ella. Por lo general, su fe inconmovible les acompaña hasta la tumba. Incluso, confrontados con una evidencia apabullante, permanecen apegados cerrilmente a la opinión errónea, sólo por conocida".

Primero la creencia y luego la evidencia. A esta predisposición se le conoce como *disonancia cognoscitiva*, la teoría más famosa de la psicología social, publicada por Leon Festinger en 1957. Disonancia cognoscitiva es todo aquello que no coincide exactamente con la idea que tenemos de las cosas, en función de nuestros propios intereses. Es un estado de ansiedad mental que se produce cuando aparecen evidencias de que una creencia, decisión o comportamientos propios son erróneos o incorrectos. Tenemos una predisposición a buscar datos y evidencias que sean compatibles y "confirmen" nuestras creencias. Una vez que en la mente habita una determinada visión del mundo (paradigma) se tiende a considerar sólo los casos y datos que demuestren que se está en lo cierto, toda evidencia contraria queda deformada para darle cabida. Esta confirmación, por muy arraigada que esté en nuestros hábitos y nuestra sabiduría convencional, puede ser un error peligroso. Buscamos que nuestras opiniones o creencias coincidan con los hechos. Nuestra mente está hecha para la "congruencia". Los seres humanos estamos dispuestos a reparar en la información que confirme lo que creemos y a ignorar o minimizar la información contraria. Si la evidencia está a favor de mi creencia es bienvenida; si la evidencia contradice mi creencia simplemente la rechazo.

Para C. S. Pierce, tanto la duda como la creencia son estados mentales. La duda es un estado de inquietud e insatisfacción del que luchamos por liberarnos para pasar a un estado de creencia, mientras que este útimo es un estado de tranquilidad y satisfacción que no deseamos eludir o cambiar por una creencia en otra cosa. El malestar que nos causa el estado de duda provoca la necesidad de alcanzar un estado de creencia. Lo que la mente inconsciente busca es la sensación de "tranquilidad cognitiva", conocida también como "homeostasis psicológica". ¿Cómo reaccionamos ante los datos discordantes? Consideremos el caso del tabaquismo. Ante las evidencias de los daños intentamos eliminar las interferencias y nos autojustificamos hasta el absurdo: "Ahí tienes el récord absoluto de la longevidad humana, una francesa de Arles llamada Jeanne Calment que llegó a conocer de niña a Vincent van Gogh, murió en 1997 a los 122 años. Y había fumado hasta los 110". La obsesión humana por la coherencia nos conduce a la incoherencia. Nos sentimos obligados a tener siempre la razón. Lo incómodo de la disonancia quizá viene de cómo el cerebro preserva nuestras creencias: comúnmente lo hacemos mediante la autojustificación, que es la disonancia actuando inconscientemente para mentirnos a nosotros mismos.

Esto podemos hacerlo mediante las trivializaciones, las excepciones, reforzamiento, distanciamiento. Esta predisposición nos lleva a utilizar las evidencias para alimentar nuestras creencias y para justificar nuestros errores. Con el paso del tiempo estas predisposiciones se graban en nuestro cerebro como "imágenes autojustificadoras" y es a través de ellas que vemos todo y a todos. Estas imágenes me harán exagerar mis fortalezas y los defectos de los demás, así como atenuar los propios.

Según el libro *The Half-Life of Facts* (*La vida media de los hechos*), de Samuel Arbesman, cuyo apetitoso subtítulo es "por qué todo lo que sabemos tiene fecha de caducidad", la mayoría de nosotros no actualizamos nuestro conocimiento científico y basamos nuestra toma de decisiones en los datos que aprendimos en la escuela. La gente tiende a seleccionar hechos que de algún modo justifican sus creencias sobre el modo en que funciona el mundo.

"Si la realidad está en contra de lo que creo… peor para la realidad." Leamos la narración de Frank Koch en la revista *Proceeding*, del Instituto Naval:

Dos acorazados asignados a la escuadra de entrenamiento habían estado de maniobras en mar con tempestad durante varios días. Yo servía en el buque insignia y estaba de guardia en el puente cuando caía la noche. La visibilidad era pobre; había niebla, de modo que el capitán permanecía sobre el puente supervisando todas las actividades. Poco después de que oscureciera, el vigía que estaba en el extremo del puente informó: "Luz a estribor". "¿Rumbo directo o se desvía hacia popa?", gritó el capitán. El vigía respondió: "Directo, capitán", lo que significaba que nuestro propio curso nos estaba conduciendo a una colisión con aquel buque. El capitán llamó al encargado de emitir señales. "Envíe este mensaje: Estamos a punto de chocar; aconsejamos cambiar 20 grados su rumbo." Llegó otra señal de respuesta: "Aconsejamos que ustedes cambien 20 grados su rumbo". El capitán dijo: "Contéstele: Soy capitán, cambie su rumbo 20 grados". "Soy marinero de segunda clase —nos respondieron—. Mejor cambie su rumbo 20 grados." El capitán estaba hecho una furia. Espetó: "Conteste: Soy un acorazado,

cambie su rumbo 20 grados". La linterna del interlocutor envió su último mensaje: "Yo soy un faro". Fue la última señal recibida.

¿Qué ocurre en nuestro cerebro cuando se presenta la información disonante, es decir, información que atenta contra nuestras
creencias o convicciones? En opinión de la psicóloga social Carol
Tavris, al parecer existen zonas activas de la neocorteza cerebral que,
literalmente, se bloquean, tanto sobre asuntos importantes como
secundarios. Sencillamente, se inhiben los circuitos cerebrales impli-
cados para que la disonancia no pueda siquiera ponderarse. La corteza prefrontal se convierte en un filtro de información para impedir
la entrada de puntos de vista inconvenientes.

Algunos de los términos y conceptos vinculados con los paradigmas como creencias son:

ADN culturales	Epistemes	Preconcepciones
Apreciaciones	Evangelios	Prejuicios
Apriorismos	Falacias	Premisas
Asunciones	Fanatismos	Presunciones
Autos de fe	Favoritismos	Profecías
Axiomas	Fetiches	Puntos de vista
Cábalas	Filosofías	Religiones
Catecismos	Fundamentalismos	Rezos
Concepciones	Fundamentos	Sabiduría convencional
Conceptos	Hipótesis	Supersticiones
Conjeturas	Ideas	Supuestos
Corrientes	Ideologías	Tabúes
Cosmovisiones	Idiosincrasias	Teorías
Credos	*Lapsus línguae*	Tesis
Criterios	Lógicas	Textos sagrados
Deducciones abstractas	Mentalidades	Utopías
Devociones	Microcosmos	Valoraciones sociales
Destinos	Místicas	Verdades absolutas
Doctrinas	Nociones preconcebidas	Verdades ("mis")
Dogmas	Oraciones	Versiones
Enfoques	Pontificaciones	Visiones

Los paradigmas como creencias en los prejuicios. Del latín "prae-judicium": "juzgado de antemano". Prejuzgar consiste en establecer conclusiones antes de poseer un conocimiento cabal o fundado del asunto que se juzga. Prejuzgar es juzgar antes. Cabe recordar aquí la famosa frase de Einstein: "Triste época la nuestra, es más fácil desintegrar un átomo que un prejuicio". ¿Conoces a alguien libre de prejuicios? En opinión del filósofo Karl Popper: "todos los hombres son falibles, y proclives al prejuicio". El súper prejuicio de creer que se puede vivir sin prejuicios. Por muy difundida que esté, esa creencia es incorrecta. El prejuicio es un comportamiento universal del ser humano, pertenece a la condición humana, en igual medida que la posibilidad de oponerse a él. Un prejuicio es estar absolutamente seguro de una cosa que no se sabe. El prejuicio consiste en un juicio precipitado y parcial, a la vez que pertinaz, comúnmente de signo desfavorable a lo juzgado. El prejuicio puede ser a favor de lo que se juzga, y, de hecho, lo es muchas veces; sólo que en castellano a eso se le llama favoritismo, por ejemplo, y no prejuicio. De alguna manera, el prejuicio es un mecanismo cognitivo impermeable a la razón, sumamente rígido y al borde de la irracionalidad misma. Los prejuicios van contra lo prejuzgado, y sirven al que prejuzga; de ahí la pasión en mantenerlos y la resistencia a cambiarlos.

Los datos obtenidos con medios de neuroimagen sugieren que las aguas del prejuicio son profundas. Han influido en el desarrollo de todas las disciplinas del conocimiento y el quehacer humano. Robert Broom escribió en 1925 en la revista *Nature*: "El prejuicio ha jugado un papel considerable en la antropología. Desde que se aceptó la creencia en la evolución todos los cráneos humanos antiguos deben tener apariencia de monos, si no es así, ni son tan viejos ni son interesantes"… tal vez hasta ni sean humanos. Sin ir muy lejos, ahí tenemos el caso del racismo en nuestro país. Dejemos que lo aborde Agustín Basave:

> El racismo es una de las más deleznables manifestaciones de rechazo a la otredad. Un reflejo de los peores razgos del ser humano: el egoísmo, la estulticia, la intolerancia, el miedo a lo desconocido, la estrechez mental. En México tenemos antecedentes en la era prehispánica

y en el virreinato. El tema es tabú. A los mexicanos nos gusta engañarnos pensando que no somos racistas, pero lo cierto es que discriminamos no sólo al indio sino también al mestizo urbano. Es un hecho que la pigmentación cutánea y la fisonomía inciden en el ascenso social. Para el mexicano la palabra "indio" sigue siendo un insulto, sinónimo de hombre incivilizado y tonto. La palabra se asocia con pobreza, "tipo corriente", mala eduación, servidumbre. El mexicano dice estar orgulloso de su raíz prehispánica pero se avergüenza de ella.

La Encuesta Nacional de Discriminación 2010 destaca que más de 40% de la población en México considera que no se respetan los derechos de los indígenas.

En los últimos años, la neurociencia social (que es el estudio simultáneo de dos cerebros en interrelación mutua) ha demostrado que en el cerebro humano normalmente se activa una red neuronal concreta cuando vemos imágenes de otras personas o reflexionamos acerca de lo que están pensando otros individuos. En una investigación de Lasana Harris, del Duke Institute for Brain Sciences, realizada en colaboración con Susan Fiske, profesora de psicología de la Universidad de Princeton especializada en la formación de impresiones sobre los demás y en cómo afectan los prejuicios culturales a las relaciones humanas, participaron 119 estudiantes de la Universidad de Princeton, de una media de edad de 20 años. Todos ellos completaron una encuesta sobre juicios y toma de decisiones, a medida que iban viendo imágenes de personas (IRM). Los resultados obtenidos demostraron lo siguiente: la red neuronal clave para la interacción social de los estudiantes (empatía) no se activó ante las imágenes de drogadictos, personas sin hogar, inmigrantes y otras personas pobres.

Los paradigmas en las creencias como teorías. "Nuestras teorías determinan lo que medimos" (Einstein). ¿Qué es una teoría? En principio: una corazonada con credenciales académicas. Luego: una posesión para toda la vida. Finalmente: algo asesinado por los hechos. Tenemos teorías para todo: la globalización, la personalidad, la inteligencia, el comercio, el arte, el universo, la política, el aprendizaje, la motivación, la depresión, la criminalidad, la pobreza... Una teoría es como un medicamento, a menudo inútil, a veces necesario, siempre interesado y, de vez en cuando, letal. Toda teoría errónea se sostiene por la parte de verdad que contiene (a veces uno o dos gramos) o por la "ceguera inducida por la teoría": una vez que has aceptado una teoría y la has utilizado como herramienta en tu pensamiento, es extraordinariamente difícil notar sus fallas. Si te topas con una observación que no parece adecuarse al modelo, asumes que debe haber una explicación perfectamente válida que de algún modo estás pasando por alto. Le das a la teoría el beneficio de la duda, confiando en la comunidad de expertos que la aceptan.

Muchas teorías se basan en combinaciones de creencias y establecen nuevas reglas. Por ejemplo la teoría del comportamiento planeado de Icek Ajzen. El valor de la combinación de creencias de consecuencias + el valor de las expectativas de otros + la percepción de los supuestos de control conducen hacia un grado de comportamiento intencional. Regla: si las creencias de consecuencias más las expectativas de otros son favorables, el supuesto de control percibido será mayor y la intención de la persona a realizar un nuevo comportamiento será más fuerte.

Los paradigmas en las creencias como mitos. Los mitos son ideas que no se poseen ni se rigen a través de la lógica sino de la psicología, son ideas que hemos mitificado porque así no plantean problemas, facilitan el juicio y nos dan seguridad. Juventud e inteligencia, felicidad y amor, moda y técnica, seguridad y poder, y también mercado, crecimiento económico, nuevas tecnologías. Éstos son los mitos de nuestro tiempo, las ideas que más nos influyen y nos definen como individuos y como sociedad: lo que la publicidad y los medios de comunicación de masas nos proponen como valores y nos imponen como prácticas sociales. El filósofo y psicoanalista Umberto Galimberti nos explica que para recuperar nuestra presencia en el mundo debemos revisitar nuestros mitos, ya sean los individuales o los colectivos, y someterlos a una revisión crítica para liberarnos de falsas ideas y encontrar un buen lugar en el mundo.

"La ciencia tiene que empezar con los mitos y con la crítica de los mitos" (Karl Popper). Vamos a revisar "el mito del marco común": el pensamiento posmoderno sostiene a ultranza que "es imposible la discusión racional y fructífera a menos que los participantes compartan un marco común de supuestos básicos o que, como mínimo, se hayan puesto de acuerdo sobre dicho marco en vistas a la discusión". Popper piensa, por el contrario, "que no es probable que sea fructífera una discusión entre personas que comparten muchos puntos de vista, aun cuando pueda ser muy agradable; mientras que una discusión entre marcos muy diferentes puede ser extremadamente fructífera, aun cuando a veces puede ser extremadamente difícil y, tal vez, en absoluto tan agradable (si bien podemos aprender a disfrutar con ella)".

"A veces construimos y vivimos prisioneros de la mitología, pues no se ha demostrado la existencia de un mecanismo que transforme la voluntad de la sociedad"… "El PREP es confiable y ya basta de mitos", dijo José Narro, rector de la UNAM, al entregar la auditoría que la casa de estudios hizo al Programa de Resultados Electorales Preliminares (PREP): no es factible crear un algoritmo que "posibilite al mecanismo cibernético modificar la voluntad reflejada en las actas"; para descifrarlo deben pasar entre 700 y 7 000 años.

Los mitos abundan por todos lados. El libro de José Durand, *Ocaso de sirenas* (FCE), publicado por primera vez en 1950, es un estudio minucioso y detallado que documenta con gracia e ironía el lento, a veces excesivo, proceso de decantación de las ciencias. Así, demuestra cómo fue necesario que pasaran siglos para que el mito-leyenda de las sirenas pudiera ser puesto en su lugar.

El mito del 10%: el 72% de las personas coincidió en que la mayor parte de la gente usa sólo 10% de su capacidad cerebral. Esta extraña creencia es un elemento básico de los anuncios publicitarios, los libros de autoayuda y las comedias. No existe una forma para medir la "capacidad cerebral" de una persona o para determinar qué cantidad de ella usa. Además, el tejido cerebral que no realiza ninguna actividad durante un tiempo prolongado, significa que está muerto. La selección natural y la evolución ya se habrían encargado de reducir el tamaño de nuestro cerebro en virtud de que no lo usamos. De la "ilusión de potencial" se aprovechan el efecto Mozart, el programa Brain Age de Nintendo. Usamos el 100% de nuestro cerebro. La cuestión no es el porcentaje en sí, sino la distribución consciente-inconsciente, productiva-improductiva, paradigmática-innovadora.

Eric Kandel, ganador del Premio Nobel de Medicina y Fisiología en el año 2000 por su trabajo de "neurociencia cognoscitiva y el estudio de la memoria", propone un nuevo modelo del cerebro, el de la "memoria inteligente". Desde la aparición de este último la mayoría de los neurocientíficos han dejado de aceptar la teoría del doctor Roger Sperry sobre los hemisferios derecho e izquierdo del cerebro. En la teoría de Kandel, el análisis y la intuición trabajan de manera simultánea en todos los modelos de pensamiento. No hay tal cerebro izquierdo ni cerebro derecho. Sólo existe el aprendizaje y el recuerdo, los cuales trabajan en diferentes combinaciones en todo el cerebro.

Los paradigmas como creencias en las supersticiones. Rechazar brindis con agua; pasar el salero; pasar por debajo de las escaleras; levantarse con el pie izquierdo; cruzar los dedos; martes 13; ver un gato negro; mal de ojo. Si deseas sentarte en la fila 13 en un vuelo de Air France, KLM, o Iberia, tendrás mala suerte porque, sencillamente, no existe. Muchos consideran a las supersticiones como "creencias inocuas" y se autojustifican con argumentos como éste: "Yo sé que no tiene sentido, que es irracional, pero por las malditas dudas, yo mejor toco madera". No nos cuestan nada, son gratis.

Las supersticiones existen en todas las culturas. En la cultura judía, para que la casa se acostumbre al dinero y no le falte nunca, en el día del pago del sueldo no se tiene que gastar ni un peso, toda la suma tiene que pasar una noche en casa. Algunas personas sabias aconsejan que se conserve un billete durante todo el año, el billete se estará cargando con su energía y como consecuencia empezará a atraer más dinero.

Los paradigmas en las creencias como fundamentalismos. Jimmy Carter, ex presidente de Estados Unidos y Premio Nobel de la Paz, resume las características centrales del fundamentalismo con tres palabras: rigidez, dominio y exclusión. El problema no es la religión. Sin importar que sean mulsulmanes, cristianos, judíos, o de cualesquiera otra fe, el problema es el autoritarismo, aunado al deseo de imponer por la mala las creencias idealistas de uno sobre los demás. El enemigo es la ira, el separatismo, la hostilidad, la intolerancia, el miedo prejuicioso. Los fundamentalismos se relacionan con los fanatismos, aunque en una escala inferior. Un fanático, escribió W.

Churchill, es aquel que no puede cambiar de opinión y no quiere cambiar de tema.

El Imperio otomano nos ofrece una gran lección a aprender. Tras haber conquistado la mayor parte del mundo conocido, hasta entonces, los otomanos se encerraron en sí mismos, en un fundamentalismo religioso, y vivieron siglos de estancamiento. Mahathir bin Mohamed, que fue primer ministro de Malasia, ha dicho: "La gran civilización islámica entró en decadencia cuando los eruditos musulmanes interpretaron que la adquisición de conocimientos, tal como ordenaba el Corán, se limitaba al conocimiento de la religión, y que cualquier otro conocimiento iba en contra del Islam. En consecuencia, los musulmanes renunciaron al estudio de la ciencia, las matemáticas, la medicina y otras disciplinas llamadas mundanas".

Los paradigmas en las creencias como cosmovisiones. Una cosmovisión es una manera de ver e interpretar el mundo y puede entenderse como el marco global de las creencias básicas que tenemos respecto a las cosas. Aquí "cosas" es un término deliberadamente impreciso que se refiere a cualquier cosa de la cual es posibe tener una creencia. Nos referimos al sentido más general imaginable, de modo que abarca el mundo, la vida humana en general, el significado del sufrimiento, el valor de la educación, la moralidad social y la importancia de la familia. Las cosmovisiones tienden a formar un armazón, esquema o patrón. Tienen que ver con las cuestiones últimas con las que nos vemos confrontados, por ejemplo lo relativo a la naturaleza humana o ¿sobrevivimos a la muerte? Una cosmovisión tal vez funciona como una guía para nuestra vida. Aunque cuando sea medio inconsciente y poco articulada, funciona como un mapa de carreteras. El tener una cosmovisión es simplemente parte de un ser humano adulto. Todos los hombres tendemos a hacernos una idea global del mundo, analógicamente, partiendo de nuestra experiencia particular. En los espíritus más atrevidos y poderosos es casi una necesidad la que los conduce a formular las grandes cosmovisiones teóricas, tal como lo hiciera Karl Marx con el comunismo en su época. Simplificando un poco, podemos afirmar que cada cosmovisión está construida desde una perspectiva, desde una experiencia básica. Desde ella se intenta contemplar y explicar toda la realidad.

4) Los paradigmas como valores. El tema de los valores lo he abordado en el capítulo 2, "Las cinco cosas que importan hoy". Por ello, y por razones de espacio, no considero necesario profundizarlo más.

Algunos de los términos y conceptos vinculados con los paradigmas como valores son:

Adagios	Estímulos	Niveles de vida
Amores	Fábulas	Parábolas
Apólogos	Fidelidades	Patrimonios
Apotegmas	Idearios	Premios
Códigos de ética	Incentivos	Principios
Convicciones	Lealtades	Prioridades
Deberes	Legados	Salmos
Escala de valores	Mandamientos	
Escándalos	Moralejas	

5) Los paradigmas como hábitos. Somos criaturas de hábitos. Los hábitos de conducta, acción o comportamiento, son fruto de nuestros pensamientos inconscientes habituales. Así como existen los hábitos de la inteligencia (paradigmas), existen también los hábitos de la voluntad (conductuales). Los hábitos que las personas han creado y la imagen que éstas tienen de sí mismas guardan estrecha relación entre sí. Al cambiar la imagen seguramente cambiarán los hábitos. Los hábitos son como ropas que usamos para revestir nuestras personalidades, no son ni accidentales ni circunstanciales. Los tenemos porque se acomodan a nuestra personalidad y participan en nuestra autoimagen.

Un hábito es un comportamiento automatizado como resultado de la repetición. Los podemos imaginar usando la metáfora de una caída de agua por los senderos de la montaña. Los senderos son los hábitos y el agua que corre son nuestros sentimientos (formados por la tríada pensamientos-emociones-sensaciones). Fray Thomas Keating los describe así: "cuando llega el momento de la verdad, o cuando la tentación es fuerte, cuando necesitamos compensacion por nuestras heridas, ya sean emocionales, físicas o espirituales, entonces volvemos a los *patrones habituales* y caemos nuevamente de bruces con nuestras miserias humanas". Cuestión de imaginarse la cascada de Basaseachi, del parque nacional de Chihuahua, la más alta de nuestro país, con 246 metros de caída libre.

Un hábito es una opción que hacemos deliberadamente en algún momento y luego dejamos de pensar en él, pero seguimos haciéndolo, con frecuencia, todos los días. Es como una fórmula que nuestro cerebro sigue automáticamente: cuando vea una señal, seguirá la rutina, a fin de obtener una recompensa. El deseo es lo que hace que funcionen las señales y las recompensas. A fuerza de repetición el deseo se convierte en un nuevo patrón: el ansia. El poder de los hábitos se explica porque crean deseos neurológicos. Cuando asociamos las señales a ciertas recompensas surge un fuerte deseo inconsciente en nuestro cerebro que activa el bucle del hábito. Veamos lo que sucede en el campo de las redes sociales y los medios digitales. Investigadores de la Universidad de Chicago encontraron que Facebook, Twitter y todo el abanico de redes sociales pueden ser tan adictivos como los cigarros o el sexo. Los investigadores han aprendido que las señales pueden ser de casi cualquier tipo, desde un detonante visual como un chocolate o un anuncio de televisión, hasta un lugar, una hora del día, una emoción, una secuencia de pensamientos o estar en compañía de ciertas personas. Las rutinas pueden ser increíblemente complejas o demasiado simples. Las recompensas pueden ser desde comida o drogas, que son las que causan las principales sensaciones, hasta recompensas de tipo emocional.

Algunos de los términos y conceptos vinculados con los paradigmas como hábitos son:

Actitudes	Atracciones	Continuos
Adicciones	Automatismos	Convencionalismos
Afanes	Aversiones	Costumbres
Afectos	Caprichos	Culturas
Aficiones	Caracteres	Debilidades
Anacronismos	Caudales de inercias	Defectos
Apegos	Colecciones	Deficiencias
Aptitudes	Compulsiones	Disfunciones
Atavismos	Conservadurismos	Escrúpulos

Estilos	Lamentaciones	Pulsiones
Fallas	Lastres	Quejas
Festivales	Maneras	Querencias
Fijaciones	Manías	Reacciones
Fobias	Mañas	Relaciones
Folclores	Modales	Ritmos
Fortalezas	Monotonías	Rutas
Gastos	Necesidades	Rutinas
Gustos	Obsesiones	*Statu quo*
Herencias	Ortodoxias	Tácticas
Hobbies	Pasiones	Taras
Imitaciones	Pecados	Tendencias
Impulsos	Personalidades	Tentaciones
Inclinaciones	Pistas	Tradiciones
Inercias	Prácticas	Trayectorias
Instintos	Predisposiciones intuitivas	Usos
Intereses	Preferencias	Vicios
Intolerancias	Propensiones	Virtudes

Los paradigmas como hábitos en las rutinas. "Rutina" significa "pequeña ruta". Un estudio de 2007 realizado por BBDO Worlwide ("la guía de las rutinas") demostró que la mayoría de los seres humanos realiza una serie común de rutinas previsibles y que la gente es más parecida de lo que se cree. Las cuatro rutinas más comunes en todo el mundo son: la "preparación para la batalla": cuando despertamos y nos preparamos para enfrentar el día (cepillarse los dientes, bañarse, desayunar); el "festejo": compartir las comidas con otros (restaurante o casa); "volver al campo" (ver televisión, leer periódicos, conectarse a internet), y "protegerse del futuro": todas las cosas que hacemos antes de dormir (dejar la mochila lista, preparar la ropa del siguiente día, asegurar la casa). A propósito de cepillarse los dientes, el doctor Frank Emanuel Weinert, que trabaja con niños superdotados, lo describe así: "Kant decía que no se puede llegar a viejo sin haber creado diferentes hábitos a modo de esqueleto. No puede ser que cada día haya que encontrar razones para lavarse los dientes. Eso no lo aguanta la naturaleza humana".

Los paradigmas como hábitos en las costumbres. La costumbre es un hábito adquirido por la práctica frecuente de un acto. También pueden considerarse como un conjunto de inclinaciones y de usos que forman el carácter distintivo de una nación o de una persona. Lo cierto es que somos "animales de costumbres". Como bien lo expresa una mujer en la película mexicana *Serpientes y escaleras*: "uno se acostumbra y luego no sabe cómo desacostumbrarse". De ahí que sea importante evitar el hábito de habituarse a las cosas. Tal como lo hizo el Premio Nobel de Literatura Pablo Neruda con su poema "Oda a la alcachofa". Una visión poética de la realidad es la que no se acostumbra. Cuestión también de apreciar *Los nenúfares* de Claude Monet, uno de los grandes genios del impresionismo.

Los paradigmas como hábitos en las virtudes. Las virtudes son los hábitos operativos para hacer el bien; son nuestra capacidad de actuar bien. El valor es el fin, mientras la virtud es el medio. La razón ilumina el valor, el corazón lo intuye afectivamente y la voluntad lo realiza y encarna en la virtud.

Los paradigmas como hábitos en los vicios. Se trata de hábitos negativos, perjudiciales, patológicos, destructivos. Así como hay hábitos perfectivos hay también hábitos corruptores. Somos criaturas de hábitos. No es de extrañar la facilidad con que podemos caer en patrones de pensamientos y comportamientos autodestructivos.

"Un hábito es un hábito, nadie puede tirarlo por la ventana; hay que empujarlo escalera abajo peldaño a peldaño" (Mark Twain). Todos sabemos lo difícil que es abandonar un vicio. Esto escribe san Agustín en sus *Confesiones*: "Me retenían unas bagatelas de bagatelas y vanidades de vanidades, antiguas amigas mías, y me tiraban del vestido de la carne y me decían por lo bajo: ¿nos dejas?, ¿de verdad piensas tú que podrás vivir sin estas cosas?"

¿Cuál es la diferencia entre un vicio y una adicción? La mejor respuesta que se me ocurre es recurrir a la frase de Charles Garfield: "La única diferencia entre un surco y una tumba es la profundidad". Una adicción es aquello que simplemente no podemos dejar. Un adicto, médicamente hablando, es aquel que vive su vida alrededor y en función de su adicción. En todas las adicciones uno se queda clavado en viejos patrones, atrapado por sus propios paradigmas. Tenemos los mismos pensamientos una y otra vez y no podemos pensar nada nuevo. Tendemos a pensar que las adicciones sólo tienen que ver con el alcohol, las drogas, el sexo o conductas muy perniciosas, pero lo cierto es que todos podemos caer en patrones de conducta compulsiva que, sin ser graves ni suponer un trastorno serio de la personalidad, nos perjudican y dominan nuestra vida cotidiana. Hablamos de las llamadas "adicciones suaves": la conquista, las malas relaciones, adicción al trabajo, a la cólera, al aspecto físico, a la limpieza y las compras.

Los paradigmas como hábitos en las preferencias. Tenemos preferencias por lo que nos gusta, lo que nos proporciona placer, lo que nos atrae. Tenemos preferencias por aquello a lo que nos apegamos, a lo que le tenemos afecto, a lo que nos habituamos. Jung decía que las diferencias en comportamiento, las cuales resultan tan evidentes a primera vista, son el resultado de preferencias relacionadas con las funciones básicas que nuestras personalidades realizan a lo largo de nuestra vida. Estas preferencias surgen tempranamente, formando la base de nuestra personalidad. Dichas preferencias, dijo Jung, se convierten en el centro de nuestra atracción y aversión por la gente, las tareas y otros eventos a lo largo de la vida.

¿Cuáles son tus gustos?, ¿qué te gusta?, ¿qué te disgusta? El estudio de Alexander Melamid y Vitaly Komar es por demás revelador. Ellos mostraron diapositivas de obras de arte a los habitantes de diversos países. Observaron un consenso intercultural considerable con respecto a las obras que eran bellas y las que no lo eran. Además el tema, por así decirlo, de estas preferencias resulta predecible. En países tan distintos como Estados Unidos, China o Kenia, los informantes en su conjunto prefieren las obras que representan escenas naturales (lagos, montañas) y conceden una valoración menor a las obras que consisten en formas geométricas coloreadas (véase http://awp.diaart.org/km/painting.html).

Los paradigmas como hábitos en los apegos. El apego es un hábito propio de la mente, es una forma de atraer hacía sí, es obstáculo, pero no es malo. Parece ser inherente al universo y a la condición humana. El apego se vuelve un problema si llega a controlarnos, sin que le podamos poner un límite. El monje budista Miao Tsan, a quien tuve la oportunidad de escuchar, explica que "vivimos en un mundo de impermanencia: todo está cambiando a cada instante, pensamientos, relaciones y nuestros patrones habituales de pensamientos o apegos van contra esta realidad y por ello son fuente de conflictos, problemas y sufrimientos".

Los paradigmas como hábitos en las aversiones. La aversión es parte de la naturaleza de la mente y es otra forma de apego. Es aquello que mentalmente tratamos de rechazar, pero ese rechazo es también una forma de conexión, del mismo modo que un apego es una forma de atraer hacia sí. La aversión puede ser más fácil de identificar que el apego respecto a los patrones de pensamiento individual, la aversión es uno de los dos coloridos que se aprecia con mayor facilidad (el otro es el apego). De hecho, es más fácil de ver que el apego porque a menudo se asocia a una respuesta emocional —como rabia, antipatía, repulsión, tirria, repugnancia, animadversión, irritabilidad o ansiedad— que puede ser leve o intensa. Lo que normalmente criticamos es lo que comúnmente se relaciona con nuestras aversiones o rechazos, lo que criticamos puede ser un reflejo de nosotros mismos, algo que tenemos en nuestro interior y que no aceptamos. Hay quien dice que "lo que te choca, te checa".

Los paradigmas como hábitos en los afectos. Los afectos son los hábitos de los sentimientos. Los sentimientos forman la tríada pensamientos-emociones-sensaciones. Nuestros patrones habituales de los sentimientos que hemos creado son nuestros amigos más íntimos. El psicólogo Paul Slovic propuso una heurística del afecto en donde la gente deja que sus gustos, preferencias y aversiones determinen sus creencias sobre el mundo. La dominancia de las conclusiones sobre los argumentos es más pronunciada donde están involucradas las emociones. En la heurística del afecto la gente hace juicios y toma decisiones consultando a sus emociones: ¿me gusta?, ¿no me gusta?, ¿qué tan fuertemente lo siento? En muchos dominios de la vida, en opinión de Slovic, la gente forma opiniones y toma decisiones que expresan directamente sus sentimientos y su tendencia básica a aproximarse o alejarse, con frecuencia sin siquiera saber que lo están haciendo. Tu actitud emocional hacia cosas como los alimentos irradiados, la carne roja, la energía nuclear, los tatuajes o las motocicletas sostiene tus creencias sobre sus beneficios y sus riesgos. Si no te

gusta cualquiera de estas cosas, probablemente piensas que sus riesgos son altos y sus beneficios cuestionables.

Los paradigmas como tendencias. Una tendencia es una inclinación o propensión hacia determinados fines. En un sentido amplio
se refieren a un patrón de comportamiento de los elementos de un
entorno particular durante un periodo de tiempo. De alguna manera
tratan de predecir o pronosticar un futuro. *Somos tendenciosos, pero
lo que ocurre es que no lo sabemos.* Algunas de estas tendencias son
tan fuertes que incluso cuando tenemos noticia de ellas nos cuesta
mucho corregirlas. Los que se dedican a investigar y descubrir tanto
las megatendencias como las minitendencias emergentes saben bien
que la oportunidad, la naturaleza y las implicaciones de éstas son
determinadas por las creencias, motivaciones y acciones de los seres
humanos, es decir, por obra y gracia de los paradigmas.

Cada tendencia tiene su contratendencia. Cada movimiento en
una dirección sugiere un movimiento contrario: modernización frente a regreso de viejos valores; información instantánea frente a for-
matos largos y precisos (la extensión de las novelas más vendidas ha
aumentado 100 páginas en los últimos 10 años); centros de broncea-
do frente a personas que evitan el sol.

Los paradigmas en los hábitos como tradiciones. Las tradiciones
son el conjunto de bienes culturales que se transmiten de generación
en generación dentro de una comunidad. Es algo que se hereda y que
forma parte de la identidad. La tradición es definida por Marion K.
Sanders como "una adhesión a ideas, opiniones, prácticas e instituciones del pasado, haciéndolas presentes en la actualidad". Las tradiciones "son medios de comunicación a través del tiempo que dotan
de estructura y significado a los grupos humanos".

Para el historiador marxista británico Eric Hobsbawm existen
las tradiciones "antiguas y genuinas" que surgen de manera espon-
tánea desde la base popular y las tradiciones "nuevas e inventadas"
que surgen de procesos deliberados, formales y llenos de rituales y
símbolos, caracterizados por la referencia al pasado y que imponen la
repetición. La tradición "inventada" implica un grupo de prácticas,
normalmente gobernadas por reglas aceptadas abierta o tácitamente
y de naturaleza simbólica o ritual, que buscan inculcar determinados

valores y normas de comportamiento por medio de su repetición, lo cual implica automáticamente continuidad con el pasado.

Se puede observar una diferencia importante entre las prácticas antiguas y las inventadas. Las primeras eran específicas y relacionaban fuertemente los lazos sociales, las segundas tendían a ser poco específicas y vagas, como la naturaleza de los valores, los derechos y las obligaciones de la pertenencia al grupo que inculcaban: "patriotismo", "lealtad", "deber", "jugar el juego", "el espíritu de la escuela" y demás. Su significado reside precisamente en su vaga universalidad. Muchas de las tradiciones que nosotros creíamos que procedían de la historia y de nuestro pasado son, de hecho, creaciones modernas o recientes dotadas de elementos que copian el pasado.

El propio Hobsbawm nos ayuda a distinguir entre costumbre y tradición. El objetivo y las características de las tradiciones, incluyendo las inventadas, es la invariabilidad. El pasado, real o inventado, impone prácticas fijas (normalmente formalizadas) como la repetición. La "costumbre" en las sociedades tradicionales tiene la función doble de motor y engranaje. No descarta la innovación y el cambio en un momento determinado, a pesar de que evidentemente el requisito de que parezca compatible con lo precedente o incluso idéntico a éste le impone limitaciones sustanciales. Lo que aporta es proporcionar a cualquier cambio deseado (o resistencia a la innovación) la sanción de lo precedente, de la continuidad social y la ley natural tal como se expresan en la historia. La "costumbre" no puede alcanzar la invariabilidad porque incluso en las "sociedades tradicionales" la vida no es así. El declive de la "costumbre" transforma invariablemente la "tradición" con la que habitualmente está relacionada. En síntesis: las tradiciones nos las imponen desde arriba (desfiles, procesiones). Las costumbres (carnavales, peregrinaciones, gastronomía, bailes) parten del pueblo llano.

6) Los paradigmas como metáforas. "Si una imagen dice más que mil palabras, una metáfora vale más que mil imágenes." En la palabra "metáfora" la preposición griega pasa al latín como "trans", y "fora" se convierte en "ferencia", de tal modo que la "metáfora" es una "transferencia" de un terreno de la realidad a otro. Y es que como lo señalaron tanto Nietzsche como Derrida, "bajo cada concepto, imagen o idea, late una metáfora que se ha olvidado que lo es". Las metáforas son expresiones del lenguaje que comparan dos cosas que no tienen nada que ver entre sí. Son no literales. Son parte del lenguaje figurativo.

Una metáfora es una buena metáfora, es decir, tiene valor para hacer avanzar una reflexión, si ésta no se agota en sí misma como una mera ilustración, si nos permite seguir argumentando. Todo el tiempo hablamos en metáforas: "el peso se recuperará cuando se asiente el polvo", "defenderé el peso como un perro", "el universo es una montaña rusa", "los paradigmas son como una semilla que genera pensamientos, emociones y sensaciones". Desde nuestra infancia pensamos metafóricamente y hablamos usando miles de estas metáforas conceptuales, la mayoría de las veces sin darnos cuenta. Las metáforas son utilizadas en todos los campos y están tan extendidas en nuestro lenguaje que es difícil hallar expresiones para ideas abstractas que no sean metafóricas. ¿Cómo es posible que un cuadrado tenga raíz? ¿Te has puesto a pensar que la "raíz cuadrada" es un concepto metafórico? De una raíz, puede enseñarse con propiedad que sea profunda, comestible o —en todo caso, y ya trasladándonos del ámbito botánico al geométrico— fractal, pero ¿cuadrada?

Existen metáforas que nos piensan. ¿Qué nos hacen hacer y decir —y qué nos impiden hacer y decir— las metáforas sin que nos demos cuenta de ello? Todos conocemos desde niños esta metáfora: "Obtener una buena educación es la llave para aspirar a un buen futuro". Con el paso del tiempo la redujimos a "la universidad es la llave del futuro". Y cuando tú construyes algo quedas preso de lo que construyes. El general de los jesuitas, el padre Adolfo Nicolás Pachón, se lamenta de que a nuestros jóvenes les hemos presentado un mundo sumamente reducido y un camino único que necesariamente pasa por la universidad, y si no logra entrar cae en depresión. El profesor Donald Alan Schön argumentó en 1971 que las metáforas pueden en realidad generar formas radicalmente nuevas de entendimiento de las cuestiones que estamos planteando. Para él la metáfora es mucho más que simplemente "lenguaje florido", puede desempeñar un papel activo, constructivo y creativo en la cognición humana.

Las metáforas son formas básicas de pensamiento automáticas, muy poderosas y compartidas en todas partes del mundo. En el mundo del *marketing* Gerald Zaltman busca llegar a la mente inconsciente del consumidor, a lo que no sabe que sabe, a través de su técnica de las metáforas profundas. Para él las metáforas profundas son relativamente pocas y son universales: la transformacion, el viaje, el equilibrio-balance, el recipiente-contenedor, la conexión, el recurso y el control. Las metáforas profundas son categorías de lentes para ver que estructuran el pensamiento y la conducta. Son profundas porque son inconscientes y son metáforas porque representan lo que escuchamos, decimos y hacemos.

La empresa consultora de diseño IDEO sugiere que para diseñar un gran producto debemos usar metáforas. Es decir, describir los productos nuevos usando metáforas, que nos guiarán en el diseño y en la determinación de los objetivos del producto.

Algunos conceptos y términos relacionados con los paradigmas como metáforas son:

Aforismos	Dichos populares	Mexicanismos
Albures	Discursos	Mitos
Alegorías	Ejemplos	Modismos
Anáforas	Enciclopedias	Narraciones
Anales	Enunciados	Narrativas
Analogías	Epigramas	Paradojas
Anécdotas	Epitafios	Parodias
Antologías	Ficciones	Proverbios
Antonomasias	Hazañas	Refranes
Antropomorfismos	Historias	Relatos
Biografías	Lecciones	Resúmenes
Cápsulas	Lenguajes	Rumores
Citas célebres	Léxicos	Sagas
Clichés	Leyendas	*Scripts*
Consejas	Leyendas urbanas	Sentencias
Consejos	Libretos	Sinónimos
Crónicas	Mapas	Sombras
Cuentos	Maquetas	Trilogías
Descripciones	Máximas	

Los paradigmas como metáforas en las historias. Nos gustan las historias, nos gusta resumirlas y simplificarlas, esto es, reducir la dimensión de los hechos. Nunca subestimes el poder de una buena historia. Amamos lo tangible, la confirmación, lo palpable, lo real, lo visible, lo concreto, lo conocido, lo visto, lo vívido, lo visual, lo social, lo enraizado, lo emocional, lo sobresaliente, el estereotipo, lo que se mueve, lo teatral, lo romántico, lo cosmético, lo oficial, lo que suena a académico. Pero sobre todo, privilegiamos lo narrado. Y es que "el mundo está hecho de relatos, no de personas", escribe el novelista inglés David Mitchell.

Somos nuestras historias. Comprimimos años de experiencia en unas cuantas narrativas compactas que transmitimos a los demás y nos contamos a nosotros mismos. Vemos a los demás y nos vemos a nosotros mismos en términos de estas narrativas. Sabemos que éstas se fijan en los circuitos neuronales de nuestro cerebro y pueden ser activadas y funcionar inconsciente y automáticamente, como en un acto reflejo. Por eso son físicas de principio a fin. "Las historias o narrativas definen nuestras posibilidades, nuestros desafíos y nuestra vida real. Toda narrativa es una visión del mundo, una manera de pensar." Todo esto desde la perspectiva del narrador George Lackoff.

Las historias y las narraciones son más fáciles de recordar que los datos, porque de muchas maneras son como recordarnos. La narración es una de las herramientas básicas inventadas por la mente humana con el propósito de comprender. Las narraciones encapsulan, en un paquete compacto, el conocimiento, el contexto y la emoción. El análisis abstracto es más fácil de comprender cuando lo vemos a través del lente de una historia bien elegida. Existe un proverbio hindú que resulta muy iluminador: "Cuéntame un hecho y lo aprenderé. Cuéntame una verdad y la creeré. Pero cuéntame una historia y vivirá por siempre en mi corazón".

Todos tenemos alguna historia que se quedó a vivir en nuestro corazón. En lo personal siempre me impresionó el siguiente cuento árabe:

> Había un mercader en Bagdad que envió a su criado al mercado a comprar provisiones, y al cabo de poco tiempo el criado volvió con la cara

blanca y temblando y dijo: "Maestro, justo ahora cuando estaba en la plaza del mercado fui empujado por una mujer que estaba entre el gentío, y cuando me volvía vi que era la muerte la que me había empujado. Me miró e hizo un gesto amenazante; ahora, préstame por favor tu caballo que me voy de la ciudad para evitar mi destino. Voy a ir a Samarra y allí la muerte no me encontrará". El mercader le dejó el caballo y el criado se montó en él, clavó las espuelas en sus costados y se marchó tan veloz como podía galopar el caballo. Entonces el mercader se fue al mercado y vio a la muerte entre la multitud, se acercó y le dijo: "¿Por qué hiciste un gesto amenazador a mi criado, al que viste esta mañana?" "Eso no fue un gesto amenazador —respondió la muerte—, sólo fue una expresión de sorpresa. Estaba asombrada de verlo en Bagdad, porque yo tenía una cita con él esta noche en Samarra'"

"Toda gran historia sale del corazón, y sólo aquellas personas que están listas para narrar lo mejor de la vida logran plasmar en palabras aquellas imágenes que valdrá la pena recordar." Así nos lo enseña el profesor de semiótica y guionista de cine Armando Fumagalli. Y si alguien nos ha enseñado que las historias son poderosas es Hollywood. Lo suficientemente poderosas como para usar nuestro dinero, ganado con tanto esfuerzo, y tenernos ahí sentados por espacio de 90 minutos mínimo. Uno podría pensar que Pixar es una compañía de tecnología. Después de todo revolucionó la forma en que se hacen las películas de animación hoy en día. Y sin embargo, dice Ed Catmull —el menos conocido de la tríada de fundadores—, la clave de su éxito no es construir una tecnología de animación sofisticada, sino contar una historia maravillosa que la tecnología pueda mejorar.

Little Miss Matched es una empresa de ropa en Nueva York que comercializa calcetines únicos no iguales. Cuenta con 133 estilos diferentes. Los calcetines son comunes pero la historia es extraordinaria. De ahí que anuncien por todos lados: "No fabricamos calcetines, contamos historias". Al final del día todos nos preocupamos intensamente por la narrativa de nuestra propia vida y queremos que sea una buena historia, con un héroe decente.

Los paradigmas como metáforas en las analogías. Una analogía es una relación de semejanza entre dos cosas distintas. Johann Gutenberg encontró una semejanza entre el estampado de las telas y la acuñación de monedas, trasladando esto a la creación de la imprenta. Uno de los instrumentos más importantes del conocimiento humano es la analogía. Amplía enormemente nuestras capacidades y da una increíble plasticidad a nuestra inteligencia. Se utiliza espontáneamente en todos los campos del conocimiento. Tendemos a trasladar nuestra experiencia de un campo a otros, y así podemos afrontar situaciones y problemas nuevos, aplicando analógicamente lo que sabemos. Lo que hacemos es buscar en otros mundos similitudes y diferencias a los problemas que buscamos solucionar. La aplicación de analogías es un formidable instrumento intelectual, aunque también es el origen de algunos espejismos.

Los paradigmas como metáforas en los dichos. ¿Alguna vez han escuchado el dicho: "Lo conozco como la palma de mi mano", o lo han repetido ustedes?, pues bien, esta afirmación en realidad pudiera ser cierta o una total mentira, ¿por qué? Un estudio realizado demostró lo contrario. A este respecto, Allan y Bárbara Pease en su obra *El lenguaje del cuerpo* comentaron lo siguiente: "Menos de 5% de la gente es capaz de identificar la palma de su mano en una fotografía". Con esto se demuestra que la mayoría de nosotros ni siquiera conoce la palma de su mano, tanto que si nos pusieran algunas fotografías sería difícil que la identificáramos.

Los paradigmas en las metáforas como chistes. Un chiste es un dicho u ocurrencia aguda y graciosa. Es una corta serie de palabras o una pequeña historia hablada o escrita con fines cómicos, irónicos o burlescos, contiene un juego verbal o conceptual capaz de hacernos reír. Por lo común todos los chistes contienen etiquetas y prejuicios disfrazados de novedades, ocurrencias y sorpresas. Habría que distinguir entre los que persiguen el humor y los que buscan la ironía. La ironía hiere, el humor cura. Para David Collinson, profesor de la Universidad de Lancaster, los chistes que cuenta la gente en el lugar de trabajo pueden revelar tanto o más que las mejores encuestas sobre una organización, su estilo gerencial, su cultura y sus conflictos.

7) Los paradigmas como imágenes. "Mi mente está llena de imágenes, no de palabras" (Michael Cunningham, ganador del Premio Pulitzer en 1999).

Existe una confusión frecuente debido a la ambigüedad semántica —o la polisemia, dirían los semiólogos— del término "imagen" y al uso abusivo que se hace de él. Esta palabra está muy marcada por la acepción inmediata y más corriente de su etimología (del griego "eikon", ícono, figura, representación icónica), pero fundamentalmente por nuestra experiencia empírica del contacto constante con el mundo (el entorno) que es predominantemente visual. Vivimos tan saturados de "imágenes sensoriales" que nos inundan por todos lados, anuncios comerciales, fotografías, revistas, periódicos, publicidad que cuando escuchamos la palabra "imagen" pensamos automáticamente en todos estos productos que son propios de nuestra civilización actual. El concepto de "imagen" al que me refiero aquí es en su sentido original, como representación de la realidad visible. Hablo de la imagen mental que está en nuestra memoria y en nuestra mente inconsciente, no en nuestro entorno físico. Esta acepción del término, aparejado con los paradigmas como representaciones mentales, lo separa del *eikon* (imagen visual) para afirmarse como *imago* (imagen imaginaria o imaginada, imagen mental).

Algunos de los términos y conceptos vinculados con los paradigmas como imágenes son:

Arquetipos	Identidades	Modelos mentales
Autosugestiones	Imágenes internas	Pictogramas
Dibujos	Impresiones	Preocupaciones
Candados mentales	*Insights*	Psicomas
Configuraciones	Internalizaciones	Representaciones
Complejos	Introyectos	Simulaciones mentales
Cuadros mentales	Marcos de referencia	
Iconos	Marcos mentales	

Los paradigmas como imágenes en los modelos mentales. Peter Senge consideraba a los modelos mentales como imágenes profundamente arraigadas sobre cómo funciona el mundo, pero no son imágenes pasivas, pues nuestra mente está lejos de ser un aparato estático de almacenamiento. No sólo es nuestra mente modelada a partir de nuestras experiencias, sino que también ella modela nuestras experiencias. Los modelos mentales son supuestos muy arraigados, generalizaciones e imágenes de los que tenemos poca conciencia. Trabajar con ellos supone "volver el espejo hacia adentro: aprender a exhumar nuestras imágenes internas del mundo, para llevarlas a la superficie y someterlas a un riguroso escrutinio". Tal vez la primera gran corporación multicultural que descubrió el poder potencial de los modelos mentales en el aprendizaje fue Royal Dutch/Shell. Al ayudar a los mánagers a clarificar supuestos, hallar contradicciones internas en esos supuestos y elaborar nuevas estrategias basadas en conceptos nuevos, obtenía una fuente significativa de ventaja competitiva. "Nuestro objetivo era el 'microcosmos' (los modelos mentales) de nuestros directivos." Otras compañías como Johnson & Johnson entienden también el potencial de trabajar con los modelos mentales. Cuando echaron a andar el proceso "Frameworks" así lo anunciaron: "Cambiando los modelos mentales de la compañía".

Los paradigmas como imágenes en los marcos mentales. Pensamos en términos de marcos mentales, palabras, imágenes y asociaciones. Siempre enmarcamos. Todo lo que pensamos y hacemos ocurre dentro del marco de un paradigma. Marvin Lee Minsky es quien acuña el término *frame* (marco) para referirse a estos esquemas visuales. Los marcos funcionan igual que los esquemas: generan expectativas (cuando abrimos la puerta de una habitación esperamos ver techo, paredes y suelo); permiten interpretar o comprender la experiencia visual. Las palabras le dan nombre a los elementos de esos marcos. Lo que enmarcamos no son sólo las palabras sino las ideas. Un excelente ejemplo es la revolución creativa de Suecia con la "industria de las vivencias" (diseño + gastronomía + industria del arte + música + moda + turismo + publicidad). La fortaleza de los marcos está en que inhiben la razón y la condicionan. A menos que exista una razón obvia para hacer lo contrario, la mayoría de nosotros acepta pasivamente los problemas de decisión como están enmarcados y por lo tanto rara vez tenemos la oportunidad de descubrir hasta qué grado nuestras preferencias están atadas a los marcos en vez de estar atadas a la realidad.

George Lakoff, científico cognitivo en Berkeley, nos lanza un desafío: "¡No pienses en un elefante!" Si te digo que "¡no pienses en un elefante!" no puedes hacerlo. No puedes controlar conscientemente tus propios circuitos neuronales. La razón es que las palabras se definen en términos de marcos, y cuando se usan, las palabras activan esos marcos. La palabra "elefante" activa la imagen de un elefante y el conocimiento que tenemos sobre esos animales. No es sólo la palabra "elefante", son todas las palabras. Y no es sólo un marco el que es activado inconsciente y automáticamente por las palabras —es todo un sistema de marcos mentales—. Mientras más se activa ese sistema, más fuertes serán sus sinapsis, y más firmemente se incrustará en tu cerebro. Todo esto sin la intervencion de tu mente consciente.

El efecto "encuadre" o "enmarcado" (*framing*): distintas formas de presentar la misma información con frecuencia evocan emociones diferentes. Los marcos cambian el significado de las cosas.

Las descripciones como "90% libre de grasa" son más atractivas que cuando se describen como, "10% contenido de grasa". La manera de contextualizar un asunto puede afectar en mucho nuestra respuesta. El poder del contexto: en un centro comercial cuando sonaba música francesa se vendieron 40 botellas de vino francés, pero cuando se escuchaba música alemana, las ventas de los vinos franceses descendieron. ¿Qué significados proyecta Singapur cuando el desafío de la educación aparece enmarcado en sus billetes? ¿Qué significados proyecta México cuando lo que enmarca es a sus héroes del pasado?

Los paradigmas como imágenes en los arquetipos. Un arquetipo (del griego "arjé", fuente, principio, origen, y "typos", impresión, modelo, marca) es el patrón ejemplar del cual otros objetos o conceptos se derivan. Es la "forma o modelo original" a partir del cual se hacen todas las otras cosas del mismo tipo. El psiquiatra suizo Carl Jung denominaría "arquetipos" a aquellas imágenes ancestrales autónomas, constituyentes básicos no sólo de la mente inconsciente, sino de un inconsciente colectivo. Es decir, hablamos de imágenes que son inherentes y compartidas por toda persona, sin importar la cultura. Por lo tanto los arquetipos son una especie de "imágenes universales".

En la opinión del psiquiatra Josef Rudin, la imagen de Dios es "el arquetipo más poderoso, el centro energético más oculto que, en definitiva, configura todos los ámbitos de la vida". El Arquetipo por antonomasia es Dios, del cual todos los otros arquetipos —los paradigmas humanos— derivan algún aspecto estimulante. Cristo-Jesús es la representación fiel del arquetipo de Dios.

Los seres humanos han desarrollado sus ideas para crear muchos "arquetipos humanos", como el héroe, el forajido, el mago, el inocente, el explorador, el creador, el cuidador, el bufón y el dictador. Los arquetipos son integrados tanto en las metáforas como en las narrativas. En 1949, Joseph Campbell publicó *El héroe de las mil caras*, el cual está basado en el trabajo del antropólogo alemán Adolf Bastian, uno de los pioneros del concepto de "la unidad psíquica de humanidad", la idea de que toda la humanidad comparte un marco básico mental, de que los mitos de toda la humanidad están construidos a partir de las mismas ideas elementales. La contribución de Campbell fue utilizar la idea de los arquetipos para definir la estructura subyacente común de la religión y el mito.

Para el escritor líder de cómics Grant Morrison, "los superhéroes de los cómics no son simples personajes, son arquetipos".

Quien ha sido un estudioso de los arquetipos en las constelaciones familiares ha sido Bert Hellinger. Las constelaciones familiares son una especie de conciencia familiar arquetípica innata que controla los órdenes básicos de las relaciones. En buena medida la cultura depende fundamentalmente de la imitación de los padres y de los maestros. Las constelaciones familiares nos muestran los lazos invisibles que por amor nos mantienen atados a las dinámicas familiares de infelicidad y sufrimiento que viajan de generación en generación. Suicidios, tragedias, abandonos, soledades, muertes tempranas, enfermedades, depresiones, bloqueos a la vida, al trabajo, al amor, al dinero podrían estar vinculados a algún familiar conocido o no, vivo o fallecido, en tu generación o en una anterior.

Marshall Mcluhan profundizó sobre los arquetipos en los medios de comunicación. Para él cualquier figura, tecnología o artefacto (cliché) surge del campo o estructura y estilo de conciencia (arquetipo) que aporta el modo de ver o los términos en los cuales se percibe una figura.

¿Cuáles son las imágenes dominantes de este folclor industrial?: sexo, muerte y adelantos tecnológicos, ingeniosamente entremezclados con patrones de grupo para vender mercancías. Mecanización, sexo y muerte son los temas predominantes en la "conciencia pública" de la sociedad industrial; a su vez, el sexo y la muerte, inevitablemente unidos, son el corolario de una existencia material, como lo muestran la mitología, el psicoanálisis y la metafísica.

Los arquetipos influyen en nuestros ejercicios de prospectiva. Éste fue el principal hallazgo de Neil MacDonald y que publica en *Futures and Culture* (*Futuros y cultura*) ¿Existen, en los análisis de escenarios, narrativas recurrentes sobre el futuro que tienden a converger en un pequeño número de arquetipos? En caso afirmativo, ¿cuáles son éstos y cuáles son sus características? Esta pregunta fue examinada en una muestra de 20 conjuntos de escenarios construidos entre 1990 y 2008, que contienen 64 historias y representan a cinco países y seis temas diferentes. La investigación confirma que hay "arquetipos" regulares que subyacen a la diversidad de narrativas analizadas. Se identificaron ocho arquetipos que se repiten, que fueron denominados como progreso, catástrofe, reversión y transformación. Cada uno de estos principales tipos existe en dos variantes: la variante causal está impulsada por fuerzas de "leyes naturales", mientras que la variante intencional está impulsada por intenciones sociales.

Los paradigmas como autoimágenes. Imágenes mentales que nos hacemos de nosotros mismos. Tal vez sean la potencia más decisiva que poseemos dentro de nuestro ser. La "autoimagen" establece los límites de los logros individuales. Define lo que uno puede y no puede hacer. "Amplía la autoimagen y ampliarás el universo de lo que es posible", escribió Maxwell Maltz en su libro de psicocibernética en 1960. Antes que Maltz, el prestigiado filósofo y psicólogo estadounidense William James difundía la importancia de la autoimagen personal: "Tú te comportas como la persona que crees que eres". La gente tiende a convertirse en lo que piensa de sí misma. Tu imagen mental de ti mismo tiene un efecto poderoso en tu comportamiento. Visualízate a ti mismo como la persona que quieres ser en el futuro.

Tu autoimagen, la forma como te ves a ti mismo, determina en gran medida tu desempeño. Cualquier mejoría en tu vida exterior comienza con mejoras en tus imágenes mentales, en tu interior.

Tu autoestima es "tu reputación ante ti mismo", afirma el psicoterapeuta Nathaniel Brandon. Se cree ampliamente que la mayoría de nosotros sufre el problema de autoestima, aunque en realidad la mayoría tenemos una buena reputación ante nosotros mismos: todos pensamos que estamos por encima de la media. A esto se le conoce como "predisposición optimista", es decir, la tendencia a autopercibirse de manera favorable. Atribuimos los éxitos a nuestra capacidad y esfuerzo. El fracaso lo atribuimos a factores externos. ¿Por qué pagamos por no ir al gimnasio? Sobreestimamos el propio autocontrol. Se confunde lo que debería hacerse con lo que se hará. Esto se relaciona con el sentimiento de inferioridad, y los individuos que lo contraen adquieren una psicología muy especial, de rasgos inconfundibles. Todas sus actitudes tienden a darle la ilusión de una superioridad que para los demás no existe.

Para el psiquiatra Josef Rudin "la imagen de Dios y la autoimagen están íntimamente unidas. Según el modo en que vemos a Dios, así nos vemos también a nosotros mismos".

Los paradigmas como imágenes en las introyecciones. La introyección o acción de introyectar es meter, es "tragar sin masticar". En sentido figurado es como introducir sin asimilar, y por lo tanto sin eliminar incluso. Significa también apropiarnos de "algo" que no es nuestro (una creencia, un valor, una idea). Los introyectos generalmente provienen de nuestros padres o de otras personas y los vivimos como si todo eso fuese nuestro, sin cuestionarlos y sin analizarlos. Muchas veces nos persiguen durante toda la vida. Hablamos de frases y expresiones que, silenciosamente, van limitando nuestro crecimiento, pues están cargadas de piedras pesadas como culpa, miedo y resentimiento, que luego van conformando buena parte de nuestra personalidad. Un mal introyecto puede contener una creencia obstaculizante ("siempre hay que resignarse ante las circunstancias adversas de la vida"), una prohibición a expresar sentimientos ("los hombres nunca lloran"), una dificultad para entablar relaciones ("no se debe confiar en los de fuera de la familia"), incluso cristalizar en un autoconcepto excluyente ("los Pérez Rincón somos superiores a los demás"). Las introyecciones son producto de habernos tragado aquellos mensajes negativos que aprendimos y recibimos en la infancia, mientras, por el contrario, las internalizaciones son mensajes positivos que favorecen la autoestima y la autoconfianza.

Los paradigmas como imágenes en las sugestiones. El término *auto* significa "en sí" y la palabra *sugestión* expresa "impresión"; de modo que *autosugestión* significa "impresión en sí mismo", es decir la impresión que se hace uno mismo de algo, o más claramente, la impresión que nace en nuestro propio espíritu, lo que nosotros mismos nos imaginamos. Evagrio Póntico (399 d.C.) escribió un libro en el cual recoge más de 600 sugestiones negativas que pueden enfermar a una persona. Las autosugestiones negativas de muchas personas son la causa de sus dificultades en la vida cotidiana, de los problemas con su prójimo, con el trabajo, así como con sus sentimientos y su estado de ánimo. Nos paralizan, nos roban energía. A menudo nos ponen enfermos. Nos atrapan. Para Anselm Grün las autosugestiones se reducen al trato con nuestros pensamientos. ¿Cuáles son las frases que más nos decimos a nosotros mismos? Si queremos innovar habremos de revisar las autosugestiones que se oponen a ella: "¡No puedo!" "¡Ya soy viejo para eso!" "¡Así como están las cosas en México no hay forma!"

8) *Los paradigmas como símbolos.* Un símbolo es una "representación sensorialmente perceptible de una realidad, en virtud de rasgos que se asocian con ésta por una convención socialmente aceptada". En el viejo México, uno de sus políticos más refinados, Jesús Reyes Heroles, con sólo colocarse ante o delante de su escritorio, recibir sentado sobre su mesa de trabajo o en su sala, decía sin palabras cuánto tiempo iba a dar a su interlocutor. Jacques Chirac gustaba de utilizar los fondos azules durante su campaña presidencial en Francia para contrarrestar su vejez con la frescura del color, y Felipe González utilizó el verde en su campaña por la reelección en España, por ser el color de la esperanza. Los símbolos son instrumentos de comunicación en sociedad y los utilizan de manera regular los políticos para transmitir mensajes. "Los símbolos están ligados a la psicología de la imaginación", escribió el

reconocido político español Miguel Herrero de Miñón en un ensayo que publicó en 2006. "La eficacia del símbolo pende, en gran medida, de la oportunidad de su utilización", precisó. "Pero los símbolos", enfatizó, "no son eternos, sino que su temporalidad supone tanto su enriquecimiento como su erosión". Es decir, el impacto depende de un tiempo y espacio determinado para causar el efecto buscado.

¿Qué es la semiótica? (también llamada semiología). Según Umberto Eco, es la disciplina que estudia cómo se crean y transmiten los significados entre los hombres. Para Ferdinand de Saussure, "la semiología es la ciencia que estudia la vida de los signos en el seno de la vida social". Los símbolos tienen demasiada importancia, hasta el punto de afirmarse que "el hombre es ser simbólico" y que "el mundo en que vivimos es un mundo simbólico". El pensamiento simbólico y la conducta simbólica se hallan entre los rasgos más característicos de la vida humana y todo el progreso de la cultura se basa en estas condiciones. No todo signo es símbolo y no existe símbolo sin signo. Los símbolos son universales, tienen varios significados y son más emocionales. Los signos indican una presencia y los símbolos representan una ausencia. Un signo es toda cosa o elemento que me comunica algo. Dicho con otras palabras, signo es un medio de conocer "indirectamente" una realidad que, al ser vista, nos lleva a "ver" o conocer otra. Es como un puente que me lleva a la otra orilla. Cuando yo me encuentro con un objeto que es signo, mi mente es llevada a la orilla de su significado.

El biólogo molecular Francis Crick, después de hacer su gran aporte a la ciencia con el descubrimiento de la estructura del ADN, se dedicó a estudiar los misterios de la percepción visual. Asegura que en vez de tener una imagen visual del mundo exterior en nuestro cerebro, lo que tenemos es una representación simbólica del mundo. En sus palabras:

Aquí tenemos un ejemplo de símbolo. La información en la memoria de la computadora no es una pintura, simboliza la pintura. Un símbolo es algo que pasa por algo, como lo hacen las palabras. La palabra *perro* pasa por una especie de animal. Nadie confundiría la palabra con el animal mismo. Un símbolo no tiene que ser una palabra. La luz roja del semáforo simboliza "pare". Claramente, lo que esperamos encontrar en el cerebro es una representación de la escena visual en alguna forma simbólica.

¿Podemos pensar sin signos? Experimentos han confirmado el papel fundamental que juegan los símbolos y las metáforas en las asociaciones inconscientes. En la búsqueda de las relaciones de sentido se requiere interpretar los símbolos implícitos en nuestra cultura. A propósito de interpretar símbolos implícitos en el vocabulario femenino, ahí les va un desafío: éstas son las 10 expresiones y palabras más usadas por las mujeres (y listo, cinco minutos, nada, haz lo que quieras, ok, está bien, gracias, como quieras, no te preocupes, yo lo hago, ¿quién es?). ¿Alguien se atrevería a apostar que conoce los significados subyacentes a cada una de estas 10 expresiones y palabras? Da igual por dónde empieces. Por ejemplo la de "no te preocupes, yo lo hago", ¿de veras crees que no deberías preocuparte?

Cuando se trata de la memoria el significado es el rey. Nuestra memoria a largo plazo, incluso en cosas que hemos visto miles de veces, es limitada, es fundamentalmente semántica, lo cual quiere decir que en la mayor parte de los ejemplos cotidianos de recuerdo lo que tenemos que recordar es el significado, no los detalles superficiales. Por mucho que lo intentemos, es extremadamente difícil obligar a nuestra mente a recordar cosas sin significado. Y es que los hechos pasan, pero los significados permanecen.

Reflexionemos un poco sobre lo siguiente: por un lado tenemos unas sandalias que son una creación de Weitzman junto con el prestigioso diseñador de joyas Eddie Le Vian. Son unas sandalias de plata con incrustaciones de tanzanitas brillantes azules, que son la piedra preciosa más codiciada del mundo, y adornadas con 28 kilates de diamantes. Si reúnes dos millones de dólares, las puedes tener... Por otro lado, tenemos unas sandalias comunes y desgastadas por el uso. Igual, si reúnes dos millones de dólares las puedes tener. ¿Cuáles sandalias escogerías? Las sandalias que usó en vida la madre Teresa de Calcuta se subastaron en Londres por más de dos millones de dólares. ¿Crees que tienen poder los signos, los símbolos y los significados? Los hechos pasan, los significados permanecen.

Algunos de los términos y conceptos vinculados con los paradigmas como símbolos son:

Ceremoniales	Gritos	Rangos
Ceremonias	Hitos	Récords
Códices	Iconos	Reliquias
Códigos	Ideogramas	Ritos
Credenciales	Insignias	Rituales
Cultos religiosos	Lemas	Sacramentos
Diplomas	Liturgias	Significados
Efemérides	Logos	Signos
Emblemas	Mantras	Testimoniales
Eslóganes	Marcas	Tótems
Estatus	Medallas	Uniformes
Etimologías	Modas	

Los paradigmas como símbolos en los códigos culturales. Para el experto internacional Clotaire de Rapaille, el código cultural es el significado insconsciente que le damos a cualquier objeto —un auto, un tipo de comida, una relación, incluso a un país— según la cultura en la que hemos sido criados. Todo se reduce al mundo en el que hemos crecido. Estos códigos invisiblemente le dan forma a la manera como nos comportamos en nuestra vida. "Yo no creo en lo que la gente dice, y no creo que esto sea porque la gente mienta, sino porque no tiene idea de por qué hace lo que hace." ¿Qué importa lo que el cerebro racional diga si es el cerebro reptiliano el que siempre gana?

El consumo está influido por estos códigos culturales o arquetipos inconscientes. Los diferentes significados de la comida: en Estados Unidos se asocia con combustible, abundancia ("llenar el tanque"); en Italia con placer (aristocracia, rito), y en Francia con distinción (refinamiento, gourmet). El doctor Rapaille ha expuesto sus ideas en el reconocido foro "La ciudad de las ideas", que año con año es organizado en la ciudad de Puebla por Andrés Roemer, un mexicano brillante y sumamente inquieto. Les recomiendo echarse un clavado en www.ciudaddelasideas.com.

Los paradigmas en los colores y sus significados. Para la mayoría de nosotros los colores se dividen en dos clases: "me gustan y no me gustan", así como en "claros" y "oscuros". Un mismo color puede alegrar a una persona y deprimir a otra. Puede indicar buena suerte en una cultura y mala suerte en otra. En la retina tenemos unos 120 millones de bastones y unos seis millones de conos. Los bastones detectan las formas y los movimientos. Los conos detectan los colores. Tenemos 60% de conos sensibles al rojo y el naranja, 32% al verde y el amarillo y sólo un pobre 4% para detectar el azul y el violeta. Es por eso que no hay comida azul y la que haya no nos gusta. Los consumidores prefieren los alimentos y las bebidas de color rojo, naranja y amarillo, y rechazan los colores sintéticos que no se encuentran de forma natural en el mercado. Lo anterior se desprende de una encuesta realizada por el grupo Nielsen entre 5 000 sujetos de 10 países (Estados Unidos, México, Brasil, Reino Unido, Francia, Polonia, Rusia, India, China y Australia).

Es por ello que a los que no conocen la "tortilla azul" les suena raro que exista un alimento de ese color. Se trata de una tortilla que es única, no hay nada que se le parezca. Su sabor es diferente al de la tortilla tradicional de maíz. Científicos mexicanos del IPN han descubierto que contiene un índice glicémico más bajo, lo que las hace más sanas al liberar azúcar del torrente sanguíneo, con lo que se disminuye al mismo tiempo la cantidad de insulina, ayudando a mantener un suministro estable de energía. Adicionalmente han encontrado que tiene menos calorías, más antioxidantes y 20% más proteínas que el otro tipo de grano. La "tortilla azul" viene del maíz azul, el cual se forma por la combinación de diferentes tipos de maíces. El pigmento azul se genera por la presencia de antocianinas. Para Pantone, la mayor empresa de especificación del color, "el futuro será multicolor". Por lo pronto, en la cocina mexicana hasta el color azul está incluido.

9) El poder de los paradigmas como etiquetas. El concepto "etiqueta" tiene distintos usos y significados. Se trata de una señal, una marca, rótulo o marbete que se adhiere a un objeto para su identificación, clasificación o valoración. "Etiquetas más claras, fármacos más seguros": para reducir las 700 000 visitas anuales a las salas de urgencias debidas a los efectos adversos de los fármacos, nuevas normas adoptadas en Estados Unidos exigirán que los medicamentos se etiqueten de forma clara y fácil de leer.

El mejor ejemplo que se me ocurre para demostrar el poder de las etiquetas en todos los quehaceres del ser humano es contando una pequeña historia conocida como la narración parabólica de Kierkegaard sobre el payaso de la aldea en llamas, que Harvey Cox ha resumido brevemente en su libro *La ciudad secular*. El relato cuenta cómo un circo de Dinamarca fue presa de las llamas. El director del circo envió a un payaso, que ya estaba preparado para actuar, a la aldea vecina para pedir auxilio, ya que existía el peligro de que las llamas se extendiesen incluso hasta la aldea, arrastrando a su paso los campos secos y toda la cosecha. El payaso corrió a la aldea y pidió a sus habitantes que fuesen con la mayor urgencia al circo para extinguir el fuego. Pero los aldeanos creyeron que se trataba solamente de un excelente truco ideado para que en gran número asistiesen a la función; aplaudieron y hasta lloraron de risa. Pero al payaso le daban más ganas de llorar que de reír. En vano trataba de persuadirlos y de explicarles que no se trataba ni de un truco ni de una broma, que la cosa había que tomarla en serio y que el circo estaba ardiendo realmente. Sus súplicas no hicieron sino aumentar las carcajadas; creían los aldeanos que había desempeñado su papel de maravilla, hasta que por fin las llamas llegaron a la aldea. La ayuda llegó demasiado tarde, y tanto el circo como la aldea fueron consumidos por las llamas.

Ya puede decir lo que quiera, pues llevará siempre consigo la *etiqueta* del papel que desempeña, y por buenas maneras que muestre y por muy serio que se ponga, todo el mundo ya sabe de antemano lo que es: ni más ni menos que un *payaso*.

Un ejemplo de los peligros del etiquetaje quedó evidenciado en el experimento de David Rosenhan (1972), que consistió en dos partes: en la primera usó a colaboradores sanos o "seudopacientes", quienes en un intento de obtener la admisión en 12 hospitales psiquiátricos de cinco estados de los Estados Unidos, simularon alucinaciones sonoras. La segunda parte consistía en pedir al personal del hospital psiquiátrico que detectara a pacientes "falsos". En el primer caso, el personal del centro sólo detectó a un seudopaciente, mientras que en el segundo el personal detectó un gran número de pacientes reales como impostores. El estudio está considerado como una importante e influyente crítica a la diagnosis psiquiátrica. El estudio concluyó: "Parece claro que no podemos distinguir al sano del loco en los manicomios", y también ilustró los peligros de la despersonalización. Se sugirió que el uso de instalaciones comunitarias para la salud mental que se preocuparan de problemas específicos más que de asuntos psiquiátricos podía ser una solución y se recomendó educar a los trabajadores para hacerlos más conscientes de la psicología social implícita en esas instalaciones.

Los términos y conceptos vinculados con los paradigmas como etiquetas son:

Apodos	Estereotipos	Listas
Asignaturas	Estigmas	Motes
Buenas prácticas	Especialidades	Nomenclaturas
Calificaciones	Especializaciones	Ocupaciones
Casos típicos	Especificaciones	Oficios
Catálogos	Etiquetas	Palabras
Categorías	Exclusividades	Peritos
Chascarrillos	Expertos	Profesiones
Chistes	Famas	Reputaciones
Clases	Formalidades	Rótulos
Clasificaciones	Generalizaciones	Sambenitos
Compendios	Géneros	Sistemas expertos
Definiciones	Glosarios	Tasas bases
Descalificaciones	Gurús	Taxonomías
Diseños curriculares	Indicadores	Tests
Encapsulamientos	Índices	Tipologías
Encasillamientos	Juicios (de valor…)	Tipos
Especialidades	Justificaciones	Títulos
Estamentos	Libelos	Vacas sagradas

Los paradigmas como etiquetas en las categorías. No importa lo que veas, primero reconoces sólo su categoría, y sólo después lo reconoces como un objeto o sujeto. Y esto lo haces siempre automáticamente. Una categoría es una colección de objetos semejantes que comparten una esencia común. Son dispositivos para comprender el mundo que nos rodea y, como todos los dispositivos, no son a prueba de fallos. Cuando usamos los paradigmas como categorías lo que hacemos es "categorizar", es decir, simplificar la interacción con la realidad y facilitar la acción. Así lo explica Jerome Brumer, quien ha hecho importantes contribuciones en el terreno de la psicología cognitiva. Los paradigmas tienden a clasificar. La realidad no lo hace. En la realidad de la materia viva sólo existen o han existido objetos vivos, todos los cuales son, de hecho, individuos reales irrepetibles. La categorización siempre produce una simplificación de la complejidad.

La imagen de *puzzle* del perro dálmata de Richard Gregory (pueden buscarla en Google) nos demuestra cómo a una persona o cosa le imponemos nuestras etiquetas y creencias sobre la categoría. Nuestro cerebro, tan dado a pensar en categorías, en cuanto ve un montón de manchas salpicadas, busca agrupar y reconstruir esos fragmentos en una figura reconocible. El cerebro está convencido de que los fragmentos deben de pertenecer a un mismo objeto. La visión evolucionó básicamente para descubrir objetos a pesar del camuflaje.

El neurocientífico Earl Miller, quien ha descubierto que el estímulo visual está categorizado en el córtex prefrontal lateral, ve la categorización como la habilidad de reaccionar cognitivamente y de manera similar a estímulos que son visualmente distintos y reaccionar diferente a estímulos que son visualmente similares. Una manzana y un plátano son distintos pero entran en la misma categoría. Una manzana y una pelota de béisbol son similares pero están en dos categorías diferentes. El córtex temporal inferior analiza la forma de un objeto y el córtex prefrontal le asigna una categoría. El córtex prefrontal asigna a una casa la categoría específica, por ejemplo, la de que es la nuestra.

Una de las características base de la mente inconsciente es que representa las categorías como normas y como ejemplares prototípicos. Es así como pensamos en caballos, refrigeradores, y policías neo-

yorquinos; almacenamos en la memoria una representación de uno o
más miembros "normales" de cada una de estas categorías. La Universidad de Oxford hizo cinco preguntas a más de 15 millones de
personas en todo el mundo. El 90% contestó: Torre: Eiffel. Escultura: Venus de Milo. Monumento: estatua de la libertad. Pintura: Gio-
conda. Maravilla: Muralla china.

Los paradigmas como etiquetas en los estereotipos. Etimológicamente proviene de la palabra griega "stereos", que significa sólido, y
"typos", que significa marca. Son como virus culturales, muy persis-
tentes, que condicionan, inconscientemente, el comportamiento de
las personas. Cuando las categorías son sociales, estas representaciones se llaman estereotipos. El escritor inglés Mike Leigh, en su obra
Dos mil años narra una especie de chiste que refleja de manera muy
interesante este tipo de etiquetas sociales: hay cuatro tipos en una
esquina: un estadounidense, un ruso, un chino y un israelí. Un repor-
tero se acerca a ellos y les dice: "Disculpen… ¿Qué opinan sobre la
escasez de carne?" El estadounidense dice: "¿Qué significa 'escasez'?" El ruso dice: "¿Qué significa 'carne'?". El chino dice: "¿Qué
significa 'opinión'?" El israelí dice: "¿Qué significa 'disculpen'?"
Algunos estereotipos son perniciosamente erróneos, y pueden tener
terribles consecuencias, pero los hechos psicológicos no pueden ser
evitados: los estereotipos, tanto correctos como falsos, son la forma
como pensamos en las categorías. Algunos ejemplos: a los franceses no les gusta trabajar, les gusta pensar y pensar. A los estadounidenses no les gustan los intelectuales, les gusta la acción; son como
"eternos adolescentes". A los alemanes les gusta el orden y obede-
cer las reglas; la mayoría son de carácter racial ("prejuicios raciales").
Estereotipar es, por lo común, una mala palabra en nuestra cultura.
La norma social contra los estereotipos, incluyendo la oposición a la
discriminación, ha sido muy benéfica en la creación de una sociedad
más civilizada y más igualitaria. Sin embargo, es útil recordar que no
podemos ignorar los estereotipos válidos.

Los estereotipos también se establecen en la relación afectos y
desafectos. El país de las castas de desafectos es Corea del Norte. La
población norcoreana está clasificada según un estricto sistema de
control ideológico con tres rangos y 51 subcategorías, según su leal-

tad al régimen de Kim Jong-un. Ser norcoreano, como ser indio, es mucho más que ser un ciudadano de una parte del mundo. Ser norcoreano implica —como en el caso de un indio, aunque con marcadas diferencias en el sistema de castas— ser sujeto de un determinismo social —y político— que decide el destino, la clase y las oportunidades de alimentarse, recibir educación, encontrar un empleo o simplemente vivir. El rígido sistema de castas conocido como *songbun* marca de por vida a todos los norcoreanos según hayan nacido —o progresado, o descendido— en uno de los tres escalones en que, según su lealtad o desapego al régimen de Pyongyang, se clasifican todos los norcoreanos. Son los siguientes: "leales", la aristocracia, el entorno del poder; "vacilantes" o dudosos, todos aquellos sospechosos de desafección, los tibios o no suficientemente entusiastas con el líder, esa fina línea gris que puede oscilar entre la salvación y el ostracismo, y, por último, los "hostiles", sobre los que no cabe duda alguna y que acarrean de por vida una existencia arrastrada.

Los paradigmas como etiquetas en las generalizaciones. La etiqueta para uno o el único dato disponible nos sirve para todos. Cuando generalizamos lo que hacemos es aplicar a un conjunto una característica observada en un número limitado de casos. De ahí que el filósofo alemán Herman A. Von Keyserling afirmara que "generalizar es siempre equivocarse". El Premio Nobel Daniel Kahneman le llama a este fenómeno la heurística de la disponibilidad y la define como el proceso de juzgar la frecuencia por "la facilidad con la que vienen a la mente los ejemplos". Un evento saliente que atrae tu atención será fácilmente recuperado de la memoria. Los divorcios entre las celebridades de Hollywood y los escándalos sexuales entre los políticos atraen mucha atención, y ejemplos de esas ocurrencias vendrán fácilmente a la mente. Por lo tanto, eres propenso a exagerar la frecuencia tanto de los divorcios de Hollywood como de los escándalos sexuales de los políticos. La heurística de disponibilidad que aplican los sujetos se describe mejor como una "heurística de la escasez inexplicable". Un simple ejemplo: "El nivel educativo en esa universidad es muy pobre". "¿Y cómo lo sabes?" "Porque tengo un sobrino que estudia ahí y no veo que aprenda nada."

Los paradigmas en las etiquetas como apodos. Un apodo es un alías, un sobrenombre. Un nombre que ponemos sobre otro nombre. Este juego de etiquetas lo conocemos desde niños. Nos lo aplican y lo aplicamos. Desde pequeños nuestros padres y parientes practican con nosotros. Y luego en la escuela entras a las grandes ligas en el deporte de "etiquetar". Muchos apodos se vuelven tan significativos que muchas veces sustituyen por completo al nombre. La mayoría tenemos apodos durante esa época. Nos proporcionan identidad y personalidad, sirven para destacar un rasgo u ocultarlo y pueden ser, en gran medida, un punto de partida respecto a la imagen que nos formamos de una persona. Muchas personas famosas en los medios de comunicación —deportistas, actores, políticos— tienen un apodo, algunas veces afectivo, otras despectivo, pero tan ligado a su personalidad que se ha convertido en la forma más común de hablar sobre ellos, ya que cada vez que se les menciona, en donde quiera que sea, no se usa su nombre sino su apodo. Los apodos son actos creativos expresivos y por lo común se derivan de "asociaciones" basadas en analogías y comparaciones. Hay apodos que duran toda la vida.

Los paradigmas como etiquetas en los expertos. Como alguna vez lo dijera el ex primer ministro israelí David Ben-Gurion: "Todos los expertos lo son en lo que fue, pero no hay expertos en lo que será".

Los paradigmas como etiquetas en las casas que habitamos. "Salas de estar" donde nunca estamos, vasijas que nunca sacamos de los armarios, jardines que nunca pisamos, juguetes y juegos con los que pocas veces jugamos, bibliotecas que estimulan nuestro ego, cuentos que nunca nos contamos, comedores donde rara vez comemos, estudios donde nunca estudiamos, sofás donde jamás reposamos, vinos transformándose en vinagre, chimeneas sin fuego que arda, televisores de plasma que nunca encedemos, aparatos de gym que nunca utilizamos, luces encendidas para la sombra de nadie…

10) *Los paradigmas como acuerdos.* Un acuerdo es, en derecho, una decisión tomada en común por dos o más personas, por una junta, asamblea o tribunal. También se denomina así a un pacto, tratado o resolución de organizaciones, instituciones, empresas públicas o privadas.

Algunos términos y conceptos vinculados a los paradigmas como acuerdos son:

Acuerdos	Diccionarios	Negociaciones
Agendas	Dictámenes	Normas
Alianzas	Dietas	Normativas
Arreglos	Directrices	Obligaciones
Articulados	Disciplinas	Ordenanzas
Autorizaciones	Disposiciones	Órdenes
Avales	Edictos	Órdenes del día
Bandos de buen gobierno	Enmiendas	Pactos
Breviarios	Estándares	Parámetros
Cánones	Estatutos	Patentes
Cargos	Estipulaciones	Pautas de conducta
Cartillas	Formularios	Permisos
Castigos	Fórmulas	Peticiones
Censuras	Formulismos	Políticas
Certificados	Garantías	Posicionamientos
Circulares	Guías	Posturas
Condiciones	Horarios	Prescripciones
Códigos de conducta	Imperativos	Presupuestos
Coincidencias	Inhibiciones	Proclamas
Compromisos	Instrucciones	Prohibiciones
Consensos	Itinerarios	Prontuarios
Consentimientos	Jerarquías	Promesas
Consignas	Juramentos	Propósitos
Constancias	Jurisprudencias	Protocolos
Constituciones	Licencias	Puestos
Constitutivos	Leyes	Recomendaciones
Contribuciones	Mandas	Recompensas
Contratos	Mandatos	Regímenes
Cumplimientos	Manifiestos	Reglamentos
Decálogos	Manuales	Reglas de comportamiento
Declaraciones	Marcos teóricos	Reglas del juego
Decretos	Mediciones	Regulaciones
Derechos	Monopolios	Repertorios

Requisitos	Subsidios	Unidades de medida
Restricciones	Suscripciones	Uniformidades
Roles	Tabuladores	Votos
Sanciones	Tratados	
Secretos	Tratos	

Los paradigmas como acuerdos en las leyes. A propósito de la ley que establece los nuevos horarios de verano, el economista estadounidense Milton Friedman dice que la defensa de los tipos de cambio flexibles es, por curioso que parezca, casi idéntica a la del cambio de hora en verano. ¿No resulta absurdo cambiar el reloj en verano cuando se podría conseguir exactamente lo mismo si cada persona cambiase sus costumbres? Lo único que se precisa es que cada persona decida llegar a la oficina una hora antes, comer una hora antes, etc. Pero, obviamente, es mucho más sencillo cambiar el reloj que guía a todas estas personas, en lugar de pretender que cada individuo por separado cambie sus costumbres de reacción ante el reloj, por más que todos quieran hacerlo. La situación es exactamente igual a la del mercado de divisas. Es mucho más simple permitir que un precio cambie —el precio de una divisa extranjera— que confiar en que se modifique una multitud de precios que constituyen, todos juntos, la estructura interna del precio.

Los paradigmas como acuerdos en las alianzas. Una alianza es un acuerdo o pacto entre dos o más personas, hecha a fin de alcanzar objetivos comunes y asegurar intereses en común. La Alianza por el Cambio rumbo a las elecciones presidenciales en el año 2000, realizada entre el Partido Acción Nacional y el Partido Verde, resultó exitosa en su misión electoral. Vicente Fox sabía del poder de las alianzas y se apostó con oportunidad, flexibilidad y constancia a construirla. En el mundo de los negocios son conocidas como "alianzas estratégicas". Walmart México y Lazy Town Entertainment firman una "alianza estratégica" con el propósito de desarrollar soluciones saludables de estilo de vida para los niños y las familias mexicanas.

Algunos ejemplos de empresas que saben explotar el poder de las alianzas: Starbucks se asoció con las librerías Barnes y Nobles en 1993 para colocar cafeterías en sus sucursales, beneficiando a ambos minoristas. En 1996, Starbucks se asoció con Pepsico para embotellar, distribuir y vender la popular bebida a base de café Frappucino. Una alianza entre Starbucks y United Airlines se tradujo en que el café se ofrecía en los vuelos con el logo de Starbucks en las tazas y una asociación con Kraft Foods resultó en que el café de Starbucks se comercializara en los supermercados. En 2006, Starbucks formó una alianza con la NAACP (sigla inglesa de la Asociación Nacional para el Desarrollo de la Gente de Color), con el único propósito hacer avanzar los logros de la compañía y de la NAACP en relación con la justicia social y económica. Apple se asoció con Sony, Motorola, Phillips y AT&T en el pasado. Apple también ha colaborado recientemente con Clearwell con el fin de desarrollar conjuntamente la plataforma E-Discovery de Clearwell para el iPad de Apple. E-Discovery es utilizada por empresas y entidades jurídicas para obtener documentos e información de una manera "jurídicamente defendible", según un comunicado de prensa de 2010. Hewlett-Packard y Disney tienen una alianza de muchos años, comenzando en 1938, cuando Disney compró a los fundadores de HP, Bill Hewlett y Dave Packard, ocho osciladores para usarlos en el diseño de sonido de *Fantasía*.

Y muchas más lo hacen…

Los paradigmas como acuerdos en los pactos. Un pacto es un acuerdo entre dos o más personas o grupos que obliga a cumplir una serie de condiciones. El poder de un acuerdo basado en el principio ganarganar supone aprendizaje recíproco, influencia mutua y beneficios compartidos. Dicho de otro modo: ganar-ganar o no hay trato. Como el celebrado en enero del 2010 entre Femsa y Heineken.

No todos los pactos están basados en un esquema de ganarganar. Tal es el caso del "pacto de caballeros". El siguiente extracto está tomado del ensayo "Ética", escrito por José Ramón Muñoz Martínez (mi hijo mayor): se trata de "un acuerdo verbal", es decir, no está reglamentado por la Federación Mexicana de Futbol (FMF), entre los 18 dueños de los clubes de futbol, el cual establece que, básicamente, si existe un equipo mexicano interesado en adquirir los servicios de un jugador que ya haya militado en otro equipo, deberá pagar una cantidad extra en la negociación, la cual se conoce como el "derecho de información e inversión". En caso de no realizarse dicho pago, el jugador quedará inhabilitado. Este acuerdo ha evitado que a una gran cantidad de jugadores se les haya dificultado (o incluso imposibilitado) su paso a algún equipo mexicano. Entre los nombres más notorios se encuentran Gerardo Torrado, Omar Bravo o Reinaldo Navia. Otros como el fallecido Antonio de Nigris han tenido incluso que renunciar a la posibilidad de continuar su carrera en México. "El pacto de caballeros es un problema ético cuya solución está en manos de los mismos afectados", sentencia José Ramón Muñoz.

11) Los paradigmas como expectativas. Una expectativa es la esperanza o posibilidad de conseguir una cosa. Los paradigmas son esencialmente expectativas. Nuestras expectativas pueden configurar el mundo y la manera de actuar en él. El poder de las expectativas es tal que puede realmente modular todos los aspectos de nuestra experiencia. *Las personas ven lo que esperan ver.*

Nuestro cerebro está codificado para generar expectativas. Lo que hace el cerebro es realizar una predicción sobre lo que debe esperar, dado que en él se han creado millones de redes de acciones conectadas que generan expectativas y éstas nos llevan a creer que lo que sucede en el exterior debe de adaptarse a algunos de esos miles de patrones internos. El cerebro supone que verá cosas, "espera ver cosas" y simplemente pretende confirmar sus expectativas una y otra vez. Es un enorme dispositivo de predicciones, siempre está intentando descifrar lo que ocurrirá después. El cerebro está configurado para ver sólo lo que espera. Normalmente está viendo sólo lo que espera ver, en lugar de ver lo que realmente hay.

Los profesores e investigadores Christopher Chabris y Daniel Simons realizaron un interesantísimo experimento en el campus de Harvard. Consiguieron voluntarios a los que les pidieron que contaran la cantidad de pases que hacían los jugadores de blanco, pero que ignorasen los pases de los de negro. El video duraba menos de un minuto, e inmediatamente después de finalizado les preguntaban cuántos habían contado. (Si deseas hacer la prueba, puedes detener la lectura e ingresar en www.theinvisiblegorilla.com. Deberás observar el video atentamente, y asegurarte de incluir en tu cuenta tanto los pases aéreos como los de rebote.) Al parecer la respuesta correcta era 34 o 35. Para ser honestos, no importa. La tarea de contar los pases tenía como objetivo mantener al observador ocupado en algo que requería atención a la acción que se desarrollaba en la pantalla, pero la realidad es que la habilidad para contar pases no les interesaba. Lo que estaban probando era otra cosa: durante el video, una estudiante disfrazada de gorila entraba en la escena, se detenía entre los jugadores, miraba a la cámara, levantaba el pulgar y se retiraba, luego de haber permanecido alrededor de nueve segundos en pantalla. Después de preguntarles a los sujetos acerca de los pases, les hicieron las preguntas más importantes:

—¿Notó algo inusual mientras contaba los pases?

—No.

—¿Notó alguna otra cosa, además de los jugadores?

—Bueno, algunos ascensores y algunas letras *s* escritas sobre la pared. No sé para qué estaban esas letras *s*.

—¿Notó a alguien además de los jugadores?

—No.

—¿Notó un gorila?

—¡¿Un qué?!

Alrededor de la mitad de los sujetos no habían notado al gorila. Personalmente he puesto en mis conferencias este mismo video y he realizado el mismo ejercicio. Mis resultados son distintos: sólo unos cuantos lo notan. ¿Cómo puede la gente no ver un gorila que camina delante de ellos, gira para mirarlos, se golpea el pecho y se va? ¿Qué vuelve invisible al gorila?

Este experimento demuestra el poder de las expectativas. Las personas no ven al gorila porque no están esperando ver gorilas. Nuestras expectativas determinan lo que vemos y lo que pasamos por alto. El cableado de nuestras expectativas se encuentra casi por completo aislado de nuestro control consciente. Sólo vemos lo que esperamos ver. Nuestro cerebro está diseñado para detectar paradigmas de manera automática y es así que entre más atención prestemos menos posibilidades existen de que advirtamos lo inesperado. El estudio del gorila ilustra, pues, dos importantes hechos sobre nuestra mente: podemos ser ciegos a lo evidente, y también somos ciegos ante nuestra ceguera.

Cuando uno se echa a andar, normalmente no se toma la molestia de comprobar si el suelo que tiene delante es real y posee las condiciones de solidez precisas para soportar el peso del cuerpo; se espera —con una expectativa inconsciente, y cuya justificación científica generalmente se desconoce— que el suelo no se hunda bajo los pies.

Miramos, pero no siempre vemos. También está la ceguera inatencional (ceguera de desatención), una frase acuñada por los psicólogos Arien Mack e Irvin Rock, que se refiere a la incapacidad de ver algo si no estás poniendo atención, aunque esté frente a ti. La ceguera de desatención es la incapacidad de notar algo "inesperado" cuando nuestra atención está centrada en algo más. Es el efecto secundario de algo que hacemos muy bien, que es concentrar la atención y filtrar las distracciones irrelevantes.

La siguiente historia es también, por demás, ilustrativa. Cuentan que en una fábrica hubo una vez un problema de robo. Como a diario desaparecían objetos de valor, contrataron a una empresa de seguridad para que registrara todos los días a cada empleado, al abandonar el edificio. La mayoría de los empleados aceptaron que se les revisaran los bolsillos y las bolsas en que llevaban su almuerzo. Pero había un hombre que todos los días pasaba por el portón empujando una carretilla llena de desperdicios y el exasperado guardia tenía que estar media hora escarbando entre restos de papeles, colillas de cigarros y vasos de plástico usados, para comprobar si en medio de todo esto no iba algo de valor. Nunca encontró nada, pero un día el guardia se hartó e increpó al hombre: "Yo sé que usted anda en algo turbio, pero por más que le registro la carretilla nunca encuentro nada que valga la pena robar, lo cual me vuelve loco. Dígame qué se trae entre manos". El hombre le respondió: "Es muy sencillo; robo carretillas".

Aquí está en acción la poderosa regla (de Kahneman) LQVELQH: lo que esperas ver, es lo que ves. Lo que ves es lo que hay. Lo que hay es lo que hay. No hay más. Lo que vemos depende, en buena parte, de lo que buscamos.

Ésta es la esencia de la ilusión de enfocarse, que puede describirse en una sola frase: nada en la vida es tan importante como crees cuando estás pensando en ello.

Algunos términos y conceptos relacionados con los paradigmas como expectativas son:

Anhelos	Dolencias	Placeres
Ansias	Exigencias	Pronósticos
Antojos	Frustraciones	Sueños
Aspiraciones	Ilusiones	
Consolaciones	Motivaciones	

Los paradigmas como expectativas en los placebos. Los placebos son tratamientos simulados. Las sospechas no eran infundadas. Los médicos recetan placebo mucho más de lo que se cree. Así concluye una investigación de las universidades de Oxford y Southampton (Gran Bretaña) después de constatar que 97% de los médicos en este país ha usado tratamientos placebo "impuros", y que 12% ha recetado placebos "puros" (los placebos "impuros" son tratamientos no demostrados, como el uso de antibióticos cuando se sospecha de infección viral, o —más comúnmente— exámenes físicos que no son esenciales y análisis de sangre realizados para calmar al paciente, mientras que los placebos "puros" son terapias como pastillas de azúcar o inyecciones salinas que no contienen ingredientes activos).

"No se trata de engañar a los pacientes", señala Jeremy Howick, autor principal del estudio. "Nuestro estudio muestra que el uso de placebo está muy extendido en el Reino Unido, y que los médicos están convencidos de que los placebos pueden ayudar a los pacientes." La encuesta, realizada entre 783 médicos y publicada en *PLOS ONE*, muestra que los médicos que prescriben placebos, tanto "puros" como "impuros", lo hacen por razones muy similares: para tranquilizar a los pacientes, ya que se ha demostrado el llamado "efecto placebo".

Podríamos llamarlo también "efecto ideológico o de las creencias o de los paradigmas". Los pensamientos positivos tienen un intenso efecto sobre el comportamiento y los genes, pero sólo cuando estamos en armonía con la programación subconsciente. Los tratamientos simulados son increíblemente poderosos y efectivos. Los placebos para combatir la depresión producen más de 80% de los mismos efectos positivos de los antidepresivos. Los científicos trabajan para descifrar el poder curativo detrás de los placebos para aumentar la eficacia de algunos medicamentos, e incluso llegar a sustituirlos. Actualmente, el profesor Ted Kaptchuk, de la Universidad de Harvard, estudia el poder de la mente y sus investigación revela que la administración del placebo es tan importante como el mismo. Algo que deben considerar las enfermeras y los doctores, pues, después de todo, la percepción del paciente influye en su salud.

También existe lo que se conoce como efecto "nocebo": Se trata de algo que es esencialmente lo mismo que el efecto "placebo", pero que se basa en algo diferente: "una creencia negativa puede hacerte daño, incluso puede matarte, igual que una creencia positiva puede curarte". Tanto las positivas como las negativas son igualmente poderosas, sólo que en direcciones opuestas. Patrick Lemoine es psiquiatra, y escribe sobre esto en su libro *El misterio del nocebo*.

Irving Kirsch es director asociado del Programa de Estudios del Placebo en Harvard y expresa lo que, en mi opinión, es el poder de las expectativas: "La manera en que nos sentimos depende en gran medida de cómo anticipamos que nos sentiremos".

Los paradigmas como expectativas en los pronósticos. Un pronóstico es el conocimiento anticipado de lo que sucederá en un futuro a través de ciertos indicios. Los paradigmas nos llevan a esperar y también a pronosticar. Los paradigmas, en su calidad de expectativas, nos proporcionan la sensación de tener el control. Nos llevan a pensar que nuestros pronósticos se van a cumplir. Y al saber qué va a pasar sentimos que tenemos el control, y eso nos permite relajarnos. Aprendemos por predicción. Nuestro cerebro contiene muchos mapas y modelos mentales que utiliza para hacer predicciones y simular acciones. Predice lo que va a suceder cuando me muevo y se vale de los errores en la predicción para hacerlo mejor la próxima vez. La vida nos presenta muchas oportunidades para predecir. Cuando veo una copa de vino tinto, mi cerebro ya está haciendo predicciones sobre cómo será la copa al tacto y qué sabor tendrá el vino.

Pero el hecho de que nos la pasemos haciendo "predicciones" no significa que éstas sean acertadas, correspondan a la realidad o den en "el blanco". Frédéric Brochet, estudioso del vino, engañó a

57 expertos franceses en vino al servirles dos vinos idénticos, uno en una botella de *vin grand cru*, y el otro en una botella barata de *vin de table*. Aunque ambas botellas contenían el mismo vino, un burdeos de precio medio, los expertos prefirieron la botella de *grand cru* por una abrumadora mayoría. Utilizaron términos como excelente, complejo, y de final largo más del doble de veces al calificar el de la botella costosa. Un par de décadas antes, Amerine y Roessler anticiparon los mismos resultados de Brochet declarando que es sorprendente el número de expertos catadores que son bebedores de etiquetas; su juicio sensorial está basado en la reputación del vino, o del año de producción. Al probar un vino que sabes que es costoso, experimentas mayor placer (los vinos más caros saben mejor... es el sabor del dinero). La recomendación: primero hay que probar un vino y luego preguntar por el precio.

Los paradigmas como expectativas en las apariencias. El escritor del Siglo de Oro en España Baltazar Gracián escribió: "lo primero con que nos topamos no son las esencias de las cosas sino las apariencias; por lo exterior se viene en conocimiento de lo interior, y por la corteza del trato sacamos el fruto del caudal, que aun a las personas que no conocemos por el porte las juzgamos". El "efecto halo" es un fenómeno psicológico por el cual juzgamos a una persona a partir de un rasgo o cualidad determinada, positiva o negativa, y luego trasladamos ese rasgo a toda la evaluación que hacemos de las personas.

Una mujer, con un vestido de algodón barato, y su esposo, vestido con un humilde traje, se bajaron del tren en Boston, y caminaron tímidamente sin tener una cita a la oficina de la secretaria del presidente de la Universidad de Harvard. La secretaria adivinó en un momento que esos venidos de los bosques, campesinos, no tenían nada que hacer en Harvard. Ese hombre se llamaba Leland Stanford, y su esposa, Jane Stanford. Ambos habrían de fundar luego la Universidad Leland Stanford Junior, conocida como Universidad Stanford, ubicada en Palo Alto (California), considerada como una de las más prestigiosas de los Estados Unidos y del mundo. Stanford ha sido la cuna de empresas como Hewlett-Packard, Cisco Systems, Yahoo, Google y Sun Microsystems. No cabe duda de que "como te ven, te tratan" y de que "las apariencias" engañan.

Los paradigmas como expectativas ajenas. Consciente o inconscientemente respondemos a lo que otras personas esperan de nosotros. La psicología encuadra el "efecto Pigmalión" como un principio de actuación a partir de las expectativas ajenas y tiene su origen en un mito griego: un escultor llamado Pigmalión se enamoró de una de sus creaciones llamada Galatea. Se llama "efecto Pigmalión" a los resultados que conseguimos a consecuencia de la confianza o desconfianza que los demás tienen en nosotros. Los doctores Leonore Jacobson y Robert Rosenthal demostraron en 1968 que cuando un profesor recibe alumnos normales, pero sobre los que se le ha dicho que son excepcionalmente buenos, el rendimiento de estos alumnos es superior al que obtendrían si se les considera, *a priori*, malos estudiantes.

Aprendemos a vernos como nos ven, a valorarnos como nos valoran. Sufrimos una incertidumbre congénita respecto de nuestra propia valía, y es por ello que lo que los demás piensan de nosotros llega a tener un papel determinante en nuestra forma de vernos a nosotros mismos. Nuestro sentido de la identidad se ve preso de los juicios de aquellos con quienes convivimos. Nos convertimos en esclavos del "qué dirán".

12) *Los paradigmas como certezas.* La certeza es el estado de la mente que se adhiere firmemente y sin ningún temor a una verdad. Husserl la define como "la vivencia de la evidencia". La certeza (estado subjetivo) no es lo mismo que la verdad (adecuación de la mente con la realidad). La certeza es un estado de la mente en la que ésta se adhiere a un juicio sin temor a errar, sin miedo a equivocarse. La certeza está incrustada en el cerebro en un nivel muy básico.

En el cerebro el estado por defecto es el desacuerdo indeciso; varias partes mentales están insistiendo continuamente en que las otras partes están equivocadas. Los paradigmas a través de la certeza imponen consenso: "yo sé... estoy seguro... no tengo la menor duda de que esto es verdad". Las certezas nos blindan contra cualquier duda (suspensión del juicio); son nuestro principal mecanismo de defensa. Nos engañamos para estar seguros. Pueden conducirnos a estar convencidos de cosas que son falsas. Las declaraciones de una elevada confianza te dicen principalmente que un individuo ha construido una historia coherente en su mente, no necesariamente que la historia es verdad. La cantidad de evidencia y su calidad no cuentan mucho, porque una pobre evidencia puede hacer una buena historia. Exceso de confianza: ni la cantidad ni la calidad de la evidencia cuentan mucho en la confianza subjetiva. La confianza que tienen los individuos en sus creencias depende principalmente de la calidad de la historia que pueden contar sobre lo que ven, incluso si pueden ver muy poco. Con frecuencia no permitimos la posibilidad de que nos falte la evidencia que debería ser crítica para nuestros juicios —que lo que vemos es todo lo que hay—. Más aún, nuestro sistema asociativo tiende a conformarse con un patrón coherente de activación y suprime la duda y la ambigüedad.

Si uno está seguro, significa que no está preocupado por estar equivocado. "Estar seguro hace que uno se sienta bien". El poder de las certezas se relaciona con el fenómeno de la confianza excesiva. Se trata de la predisposición o tendencia a confiar desproporcionadamente en nuestras creencias (expectativas o habilidades), lo que puede conducirnos a no percatarnos de nuestros errores de juicio. Estar más confiado que acertado. Para la mente inconsciente es natural generar juicios excesivamente confiados, porque la confianza es determinada por la coherencia de la mejor historia que puedes contar a partir de la evidencia que tienes a mano.

El poder de las certezas puede llevarnos a la "ilusión de la confianza". Una confianza excesiva en lo que creemos que sabemos, y nuestra aparente incapacidad de reconocer la extensión total de nuestra ignorancia y la incertidumbre del mundo en que vivimos. Decía Stephen Covey, a quien tuve la oportunidad de conocer, que "el grado de certeza con que nuestros mapas mentales describan el territorio no altera su existencia". Somos propensos a sobrevalorar cuánto comprendemos sobre el mundo y a subestimar el papel de la casualidad en los eventos.

Nos enfocamos en lo que sabemos e ignoramos lo que no sabemos, lo que nos vuelve excesivamente confiados en nuestras creencias.

Poco a poco, empezamos a comprender que lo real está velado y es inaccesible, que de ello apenas percibimos la sombra que proyecta, en forma de espejismo provisionalmente convincente (Jean Guitton).

Cuando sabemos un montón de cosas, cuando tenemos mucha experiencia, cuando entendemos la cultura de una disciplina, de un país, de una empresa, de una familia, gozamos de muchas certezas, y eso es bueno. La cuestión es que esto muchas veces nos anula la mente y no nos permite entender que existen otras perspectivas. El poeta Charles Bukowsky, en su clásico estilo altanero y provocador, escribió: "El problema con el mundo es que la gente inteligente está llena de dudas, mientras que los estúpidos están llenos de confianza".

Algunos de los términos y conceptos relacionados con los paradigmas como certezas son:

Absolutos	Conclusiones	Pareceres
Acepciones	Convencimientos	Posiciones
Afirmaciones	Diagnósticos	Postulados
Aseveraciones	Dictaduras	Preceptos
Autoritarismos	Juicios subjetivos	Respuestas
Cátedras	Obviedades	Sentido común
Certidumbres	Opiniones	Todo el mundo lo sabe…

Resumiendo: Los paradigmas son los recuerdos, moldes, creencias, valores, hábitos, metáforas, imágenes, símbolos, etiquetas, acuerdos, expectativas y certezas, que llevamos en la mente acerca de nosotros, los demás y todos los aspectos del mundo.

Si bien nos ha quedado claro el poder de los paradigmas, es momento de preguntar: ¿Cuáles son los límites de los paradigmas? Lo primero: los paradigmas nos llevan a pensar siempre igual. Lo segundo: los paradigmas nos llevan a esperar siempre un resultado único. ¿Cuál es el problema con esto? En la era de la innovación sólo tendremos éxito si somos creativos e innovadores, y para lograrlo tendremos que aprender a "pensar diferente". Pensar igual no será suficiente. Por otro lado, la incertidumbre es una propiedad ineludible del mundo. Esto lo demostró el físico alemán Werner Heisenberg (1927) con el nuevo principio de la física cuántica conocido como "principio de incertidumbre o indeterminación". No sólo ha permitido comprender el mundo cuántico, en el sentido de que no podemos predecir completamente la trayectoria futura de una partícula como un electrón o un fotón, sino que ha impregnado y desfigurado el reino apacible de la seguridad de que las cosas son como parecen. Pasamos de un modelo de universo determinado, basado en certidumbres, a un modelo indeterminado, basado en incertidumbres, posibilidades y probabilidades.

Los paradigmas para que funcionen mejor necesitan convertirse en recuerdos, moldes, hábitos, certezas, en procedimientos automáticos, o incluso, en actos reflejo. Requieren invariabilidad, lo que afecta la capacidad para reaccionar ante contigencias imprevistas o poco habituales. Ésta es una debilidad de todo el mundo relacionado con los paradigmas.

Los paradigmas nos llevan a esperar siempre un resultado único. El principio de incertidumbre nos lleva a predecir un cierto número de *resultados posibles* y nos da las probabilidades de cada uno de ellos. En un mundo que es impermanente, donde todo está cambiando a cada instante, los paradigmas tienden a la permanencia en nuestra mente. Los paradigmas, al igual que los pilotos automáticos, no pueden guiar una embarcación en donde el Norte es impreciso, dado que no detectan los pequeños cambios en la dirección del viento. No detectan los cambios en el océano de la incertidumbre. Todos los paradigmas cumplen una misma función: nos ahorran la complejidad del mundo al simplificar, y nos llevan a pensar que el mundo es menos aleatorio de lo que realmente es. En el mundo físico (universo y naturaleza) los sistemas *estables* son las excepciones y los *inestables* son la regla. En el mundo de los paradigmas la estabilidad es la regla y la inestabilidad es la excepción. Así es como son las cosas en el mundo y en nuestra "idea" del mundo. El periodista estadounidense James Gleick escribió al respecto: "Quieran o no, los humanos se dejan llevar por el patrón, hacia la regularidad. Y lo aleatorio es la falta de regularidad". Ya el estadístico William Feller había ilustrado la facilidad con la que la gente ve patrones (paradigmas) donde no existe ninguno. Para el ojo no entrenado "la aleatoriedad" parece como regularidad o como tendencia a agrupar. Las *explicaciones causales* de los *eventos casuales* son inevitablemente equivocadas.

Brenda Zimmerman, de la Universidad de Nueva York, y Sholom Glouberman, de la Universidad de Toronto, son dos profesores que estudian la ciencia de la complejidad y proponen hacer una distinción entre tres tipos de problemas: *1)* Los *problemas simples* son aquellos que pueden ser comparados con la preparación de un pastel a partir de una mezcla preparada. Existe una receta. A veces hay que asimilar unas cuantas técnicas básicas, pero en cuanto éstas se dominan, aplicar la receta ofrece unas posibilidades de éxito elevadas. Los problemas simples requieren de soluciones deterministas, es decir, paradigmáticas. Esto lo relaciono con el mundo de los procesos, donde la variación también debe de tomarse en cuenta. *2)* Los *problemas complicados* son los que cabe comparar con enviar un cohete a la Luna. A veces pueden subdividirse en series de problemas simples. Pero no existe una receta como tal. Además de pericia y especialización, el éxito puede requerir la presencia de muchas personas, instrumentos y recursos. Abundan las dificultades imprevistas. La coordinación se convierte en un asunto serio. Los problemas complicados requieren de soluciones deterministas combinadas con probabilísticas. Esto lo relaciono con el mundo de los *proyectos*, en combinación con los *procesos*, para lo cual desarrollé el modelo de la administración cruzada. Los *problemas complejos* se parecen a criar un niño. Una vez que uno sabe cómo enviar un cohete a la Luna, puede repetir el proceso con otros cohetes y perfeccionarlos. Un cohete es como otro cohete cualquiera. Pero con la crianza de los niños no sucede así. Cada niño es único. Aunque criar a un niño proporcione experiencia, eso no garantiza el éxito con el siguiente. La pericia es valiosa pero desde luego no basta. Es más, el siguiente niño puede requerir un enfoque completamente diferente del anterior. Y esto nos lleva a otra característica de los problemas complejos; sus desenlaces siguen siendo muy inciertos. Todos sabemos que es posible criar bien a un niño, sólo que es complejo. Los problemas complejos requieren de soluciones probabilísticas.

Para Andréi Nikoláevich Kolmogórov, el matemático más destacado de la era soviética, estos tres conceptos son fundamentalmente equivalentes: *información*, *aleatoriedad* y *complejidad*, tres poderosas abstracciones ligadas entre sí como amantes secretos. ¿Qué hacer al respecto? Nicholas Taleb nos explica, de forma simple y clara, que "el viento puede por un lado extinguir una vela y por el otro energizar el fuego de la misma, lo mismo sucede con el azar, con la incertidumbre y el caos: uno quiere usarlos, no esconderse de ellos". Así que mejor invierte en preparación y no en la predicción. Porque "lo único predecible de la vida es que es impredecible".

Vivimos en un mundo de cambios acelerados, transformado por una nueva revolución del tiempo. Un mundo donde, como decía Michael Cunningham, "¡qué extraño… cada vez resulta más difícil ver el patrón!" Las teorías y los principios relacionados con la relatividad, la incertidumbre, la incompletitud y la indecibilidad han desfigurado el mundo apacible de las certezas y la seguridad. Las dos nuevas revoluciones, la industrial y la del conocimiento, están reconfigurando el mundo tal como lo conocíamos.

El poder de los paradigmas es el resultado de la transición de una "mente original" a una "mente convencional". El desafío será pasar de una "mente convencional" a una "mente caleidoscópica" que nos permita PENSAR DIFERENTE y con ello transitar del "poder de los paradigmas" hacia el "poder de la innovación".

CAPÍTULO 4

Las siete habilidades del innovador

En esta nueva época los protagonistas son los creadores y los innovadores. Para poder ingresar a las filas de los creadores y los innovadores deberemos aprender a "pensar diferente".

Cuando fuimos niños la curiosidad y la imaginación eran el motor y el combustible de nuestros juegos. Éramos poseedores de una "mente original". Con el paso del tiempo y por el efecto del poder de los paradigmas fuimos transitando hacia una "mente convencional". Para "pensar diferente" y detonar la innovación en nuestra vida habremos de transitar hacia una "mente caleidoscópica". El caleidoscopio fue inventado por el científico David Brewster. La palabra "caleidoscopio" tiene su origen en tres palabras griegas: "kallós" (bella), "éidos" (imagen), "scópeo" (observar). Observar imágenes bellas. La mente caleidoscópica se relaciona con la innovación, lo múltiple, lo complejo, lo multidimensional, lo cambiante, lo variado, lo multicolor, lo polivalente, lo diverso. Para esta transición necesitaremos de reintroducir la aleatoriedad, la variación, la novedad, el descubrimiento, la inspiración y los distintos puntos de vista que ofrece nuestro mundo. Si pensamos en los empleos, sólo sobrevivirán aquellos cuyas tareas no puedan ser automatizadas y que ningún robot pueda realizar. En Italia los fabricantes textiles se enfrentan a la extinción, tan sólo en 2013 más de 500 empresas textiles (cuya base es la lana y la cachemira) cerraron sus puertas. La innovación implica pasar del *re* de la repetición al *re* de la revisualización. Un artesano vive en el mundo de la repeticion. Un artista en el mundo de la revisualización.

Linus Pauling, la única persona en recibir dos premios Nobel no compartidos, pensaba que "la mejor forma de tener una buena idea es tener muchas ideas". Esto se relaciona con pensar con fluidez. La fluidez de pensamiento significa la generación de grandes cantidades de ideas. El pensamiento creativo e innovador implica apertura y conectividad, abrir nuestra mente a los muchos entornos interconectados. Consiste en hacer nuevas conexiones neuronales, de modo que podamos ver las cosas desde nuevos puntos de vista y desde diversas perspectivas. El cerebro creador-innovador se comporta de modo diferente al cerebro que está llevando a cabo una tarea repetitiva o una rutina. Las neuronas se comunican de forma distinta, y las conexiones adoptan formas también distintas. En lugar de enmarcar la mente el único marco debería ser la propia mente.

En este capítulo abordaremos las siete habilidades que cualquiera puede llegar a dominar para aprender a "pensar diferente" y con ello adquirir un pensamiento y una capacidad más creativa e innovadora. Desde que era estudiante de filosofía, y posteriormente de psicología, siempre me llamaron la atención los temas de la mente, lo que ocurría dentro del cerebro, los procesos de pensamiento y la naturaleza del cambio y la innovación. Durante toda mi trayectoria profesional siempre estuve en posiciones, o las hice girar, en torno al cambio y la innovación. No había tema que me interesara más. A lo largo de todos estos años fui documentando y tejiendo una serie de aprendizajes y hallazgos en relación con las habilidades de los innovadores, que yo iba conociendo, investigando y experimentando sobre la marcha. Hace poco estuve con el español Pedro Moneo, fundador de Opinno, y me comentaba que los grandes emprendedores de la historia, los protagonistas y líderes del cambio destacan en estas cinco características: son curiosos, hábiles, sociales, conocen su vocación y la persiguen a morir. Estas características se vinculan con las siete habilidades de los innovadores, mismas que expondré a continuación.

Estas son los siete habilidades claves que constituyen los secretos mejor guardados de todo innovador (véase la gráfica 6):

- Enfocar
- Revisualizar

- Combinar
- Experimentar
- Crear redes
- Desactivar
- Actuar

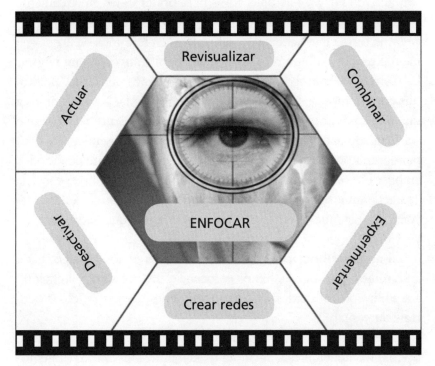

Gráfica 6

Habilidad 1: Enfocar

La habilidad de enfocar se relaciona con observar, poner atención, estudiar, mirar, notar, contemplar, curiosear.

En cierta ocasión un señor entra en una tienda de animales a comprar un loro.

—Pues no nos queda ninguno, pero tenemos este búho.

—¿Y habla?

—Bueno, no tanto como hablar. ¡Pero habría de ver cómo se fija! Fijarse también se relaciona con enfocar.

¿Qué es el enfoque? William James, psicólogo y filósofo de Harvard del siglo XIX, aludía a una definición de enfoque diciendo: "Es el tomar posesión de la mente, en forma clara y vívida, de uno de los aparentemente varios posibles objetos o trenes de pensamiento [...] La focalización, la concentración de la conciencia son su esencia. Implica retraerse de algunas cosas para poder lidiar efectivamente con otras..." El enfoque involucra atención y concentración. Entonces, una forma más sencilla de definirlo es en términos de la energía mental requerida para recabar detalles significativos y para ignorar las distracciones innecesarias. También podemos pensar en el enfoque en términos de la metáfora de una emboscada. Nos referimos a una táctica militar que consiste en un ataque violento y sorpresivo sobre un elemento enemigo que se encuentra en movimiento u ocupando una posición de manera temporal. Es usual que cuando los emboscados empiezan a ser agredidos en lo que se conoce como la "zona de muerte" respondan disparando en todas direcciones, provocándose la muerte entre ellos mismos. Sin enfoque nadie sobrevive. Con enfoque escapar es posible.

Si no nos enfocamos, si no "prestamos atención" a algo, nada lograremos que suceda. Si nos enfocamos, si "prestamos atención" a algo, las posibilidades y las probabilidades de que las cosas ocurran, aumentan.

Es en la atención a lo real donde empieza el verdadero show de la vida. La atención es la facultad de la mente consciente para enfocarse en un objeto. Cuando ponemos atención tanto el mundo exterior como el mundo interior penetran en nuestra mente. Por medio de la atención, en cierta forma, suscitamos realidad. No creamos algo real, pero sí "despertamos" algo real. El logro esencial de la voluntad es atender a un objeto y sostenerlo claro y fuerte ante la mente, dejando que todos los demás —sus rivales por la atención y la subsecuente acción— se desvanezcan. Hay un concepto que se utiliza tanto en neurociencia cognitiva como en la magia, y es el concepto del foco de la atención. Entonces, la atención funciona como un foco, aquello a lo que le estás prestando atención se ilumina, incluso más de forma subjetiva, parece más brillante, más sobresaliente, mientras que aquello a lo que no se presta atención queda en la oscuridad y no sólo eso, sino que el cerebro lo está inhibiendo, lo está suprimiendo de forma activa. A lo que le ponemos atención se ilumina.

Christopher de Charms es un tipo por demás interesante, es un emprendedor en serie, neurocientífico, empendedor social, autor e inventor. Por su parte, Michael M. Merzenich es un neurocientífico profesor emérito de la Universidad de California, en San Francisco. Juntos han investigado el fenómeno de la atención desde las neurociencias. Y sus aportaciones han sido muy valiosas: "El cerebro viene con una estructura de cableado y nuestro entendimiento del mundo está limitado por lo que nuestro cerebro puede entender. Si bien es cierto que la experiencia modela al cerebro, ésta sólo puede modelar a un cerebro atento. Los ejercicios pasivos, sin atención, o que reciben poca atención, son de poco valor para producir plasticidad neuronal. Momento a momento escogemos y esculpimos cómo va a trabajar nuestra siempre cambiante mente, escogemos quiénes vamos a ser el siguiente momento en un sentido muy real, y esas elecciones quedan grabadas en forma física en nuestros seres materiales". Cuando decidimos poner atención conscientemente, nuestros circuitos neuronales cambian. Es decir, se trata no sólo de una intervención psicológica, sino que también es biológica. La atención es un ingrediente importante para la flexibilidad neuronal.

¿Qué significado tiene lo anterior? Que el poder de la voluntad radica en la atención, en el enfoque. Es así como yo lo entiendo: si el poder de los paradigmas reside en que 98% de nuestra actividad cerebral es inconsciente y automática, el poder de la voluntad, que reside en la mente consciente y que inicia en la "atención" —aunque ésta sólo represente 2% de nuestra actividad cerebral—, es lo suficientemente poderosa para alterar el mundo de nuestros paradigmas.

Las neurociencias nos enseñan que como seres humanos tenemos un sistema de filtración denominado sistema de activación reticular (SAR). Este sistema está ubicado desde la parte de atrás de nuestro cerebro hasta la corteza del sistema nervioso central. Existen dos partes del sistema, el SAR ascendente que se conecta con la corteza, tálamo e hipotálamo y el SAR descendente que se conecta al cerebelo y a los nervios responsables de las distintas sensaciones. Es en realidad un grupo de células semejantes a una red —la palabra "reticular" significa semejante a una red—, que sólo permite pasar por la corteza del sistema nervioso central aquella información que es importante para nosotros en este momento. En la atención ocurre nuestro primer filtro: esto sucede gracias a que el lóbulo frontal, a través del sistema de activación reticular, una red de neuronas y fibras neuronales que conectan el tallo cerebral con la corteza, actúa como filtro de todos los mensajes sensoriales que nuestro cerebro extrae del mundo exterior. Al seleccionar y desconectar otros circuitos neuronales el cerebro se protege de una sobrecarga.

El sistema de activación reticular es una especie de radar neurológico. Al poner atención accionamos nuestro radar neurológico filtrando lo que nos importa y bloqueando lo que no nos interesa. Sólo atendemos lo que previamente registramos en nuestro radar. Cuando programas una idea en tu radar neurológico, sin importar si luego piensas en ello o no, ocurrirá lo mismo que si ingresas cualquier clave en un "motor de búsqueda" (Google), éste buscará en el océano de informacion que te rodea todo el tiempo y encontrará justo el bit que te interesa y eliminará los otros 399 999 999 999 999 bits de información irrelevante. El sistema de activación reticular funciona como un radar de oportunidad. Las personas creativas e innovadoras constantemente están buscando destellos en la pantalla del radar de la vida, y cuando un destello parece interesante, lo investigan. Investigaciones recientes demuestran que las personas como De Mestral (descubridor del velcro) confían en lo que algunos han llamado el sistema de promoción del cerebro, los aspectos del cerebro que son precargados para buscar y reconocer una buena oportunidad. Como le escuché decir a Brian Bacon, presidente de la Oxford Leadership Academy, cuando lo invité a venir a México para compartir aprendizajes y experiencias: "Donde ponemos nuestra atención, la energía fluye. Donde la energía fluye, la vida crece".

A pesar de tener más de 100 000 millones de neuronas a nuestra disposición, actuando como procesadores neuronales de súper alta velocidad, nuestros recursos atencionales sólo pueden estirarse hasta cierto punto. La cantidad de información que llega al cerebro proveniente de los órganos de los sentidos es de 11 millones de bits por segundo, pero la capacidad de información de nuestra conciencia no sobrepasa los 45 bits por segundo. Esto nuevamente nos confirma que la inmensa mayoría de nuestra actividad cerebral es inconsciente. En su libro *Strangers to Ourselves* (*Extraños para nosotros mismos*), Timothy D. Wilson, de la Universidad de Virginia, dice que la mente humana puede absorber 11 millones de piezas de información en cualquier momento dado. La estimación más generosa es que la gente puede ser consciente de 40 de éstas. Se trata de lo mismo pero dicho de otro modo. Las conclusiones son las mismas: el poder de la atención es el poder de filtrar mis pensamientos y la atención es limitada. La atención es como dinero mental y uno debe elegir dónde invertirlo, y esto será en lo que nos enfocaremos.

Nuestra atención es limitada y también es selectiva. Cuando se almacena información en la memoria se hace por selección. Sólo se guarda una parte de la información disponible en función del impacto, la utilidad, la carga emocional y los intereses que tengamos. La cuestión es que existe una creencia errónea que necesitamos sacudir. La mayoría de las personas creen que pueden atender varias tareas al mismo tiempo con eficacia. Un estudio de la Universidad de Utah sugiere que en realidad no pueden hacerlo. Los investigadores David Sanbonmatsu y David Strayer con un simulador de conducción usado en su investigación han demostrado que sólo podemos enfocarnos en una cosa a la vez. Tu mente sólo percibe conscientemente una cosa a la vez. No somos tan "multitareas" como creemos. La verdad es que no estamos hechos para hacer muchas tareas a la vez. La mente se basa en una cantidad extremadamente limitada de recursos de atención. Cuantas más tareas, que requieran atención, realice nuestro cerebro, peor realizará cada una de ellas.

La persona promedio lucha con un número sorprendente de distractores. Una encuesta encontró que el trabajador promedio de oficina cambia de tareas cada tres minutos, y que una vez interrumpido, le toma casi media hora regresar a la tarea original. Entre el correo electrónico, la mensajería instantánea, las llamadas telefónicas, Twitter, BlackBerry, iPhone, televisión y publicidad digital, la atención es una víctima de la era de alta tecnología en la que vivimos. Esto ha provocado el surgimiento de un nuevo campo de investigación llamado "ciencia de la interrupción". Esta "ceguera mental" temporal, causada por el hecho de que no somos buenos percibiendo dos cosas al mismo tiempo, es como un parpadeo atencional.

El investigador de la Universidad de Delaware Steven Most ha identificado un fenómeno que llama fisgonería atencional, que es similar a lo que experimentas cuando vas manejando por una carretera y no puedes quitar la vista de un accidente; tu enfoque está en los autos que chocaron en vez en el camino, hasta que, ¡zas! Tú también chocas. Más de 3 000 jóvenes mueren cada año en Estados Unidos por escribir mensajes de texto mientras conducen, esta razón sustituyó a la conducción bajo los efectos del alcohol como la primera causa de muerte al volante entre adolescentes, informó *El País*. Un estudio realizado por el Cohen Children's Medical Center, de Nueva York, indica que estas cifras van en aumento, y que también hay 300 000 adolescentes heridos tras tener un accidente por escribir mientras conducen. Es la primera vez que el alcohol deja de ser la principal causa de muerte al volante, ya que se registraron 2 700 muertos en la carretera por consumir algún tipo de bebida alcohólica y 282 000 heridos, refiere el medio. Lo cierto es que podemos andar y masticar chicle, pero no mucho más. Como regla general es más eficiente hacer una tarea por vez que varias en forma simultánea. Para el cerebro la atención es un juego de suma cero; si prestamos más atención a un lugar, objeto u acontecimiento, necesariamente prestamos menos a otros. Podemos hacer varias cosas al mismo tiempo, pero sólo si éstas son sencillas y no demandantes.

Las neurociencias distinguen cuatro estados mentales o estados de concentración: *1) Beta.* En este estado estamos alerta y despiertos. Percibimos el espacio y el tiempo. *2) Alpha.* Este estado es perfecto para relajarte, desarrollar la creatividad, la memoria, la intuición. *3) Theta.* Ideal para conectar con tu yo interior y para meditaciones profundas. *4) Delta.* Este estado es necesario para disfrutar de un sueño profundo y reparador. Reid Hoffman, cofundador y presidente de Linkedin, le llama "beta permanente" a la actitud o disposición que debemos asumir en el sentido de estar siempre alertas, despiertos y activos. Otros le llaman "atención plena" (*mindfulness*).

Enfocar se relaciona con saber mirar y saber ver. Porque si de lo que se trata es de aprender a pensar diferente no nos servirá de nada nuestra manera habitual de ver las cosas. ¿Por dónde empezar? "Tienes que empezar con la experiencia del cliente y luego ir hacia atrás, hacia la tecnología… y no al revés" (Steve Jobs). La atención inicia con la identificación del cliente y sus necesidades. ¿Cómo puedo darles a las personas lo que desean? ¿Cómo puedo entregarle a la gente algo que realmente quiera y así crearle una gran experiencia como consumidor? Hay que ver lo que los clientes hacen, no lo que dicen. Y hay que verlo en su terreno. "No importan las preguntas más agudas. Si no estás en la jungla, no conocerás al tigre" (David Kelley, de IDEO).

Consideremos el caso de Square. Su objetivo es abrirse paso a través de las complejidades de una red diferente: la industria de los pagos con tarjetas de crédito. Square es una empresa mencionada en el *top ten* de las compañías más innovadoras. ¿Cómo empezó? A partir de poner atención y de observar. Su creador es Jack Dorsey (fundador de Twitter). Dorsey tiene un amigo artista, un soplador de vidrio, cuyo negocio era demasiado pequeño como para justificar las cuotas mensuales y las confusas reglas y tasas de un lector de tarjetas de crédito y débito tradicional. Un día que fue a visitarlo observó cómo su amigo no pudo vender una pieza de 2 000 dólares porque la clienta no tenía dinero en efectivo en ese momento. "Con ese dinero habría podido vivir un mes", señala Dorsey. "Las mejores innovaciones vienen de los problemas y dolores reales. Mientras me compadecía de él por teléfono, se me ocurrió que lo que teníamos en nuestras manos eran poderosas computadoras de uso general. Pensé que tenía que haber una manera de usarlas para facilitar las transferencias de dinero", relata. Poco después, Dorsey había diseñado un pequeño lector que puede conectarse a la toma de auriculares de un iPhone o un iPad. Square envía este dispositivo gratis a cualquiera que lo pide. La empresa se queda con una tarifa fija de 2.75% de todas las transacciones. Tanto para instructores particulares de vuelo como para magos de fiestas infantiles, Square es un regalo caído del cielo: cero costos iniciales; fácil de usar, operatividad inmediata y movilidad absoluta. En el momento en que reciben ese lector y lo conectan a su teléfono inteligente pueden comenzar a aceptar pagos con Visa, MasterCard, Discover y American Express, al igual que con tarjetas de cualquier gran tienda minorista. Square también ofrece información analítica para ayudar a los pequeños comerciantes a entender quién compra qué, cuánto y con qué frecuencia. En tanto, Pay With Square, una aplicación más reciente, permite a los clientes ingresar a una tienda, hacer una compra y pagar sin necesidad de deslizar ningún tipo de tarjeta: el comprador simplemente dice su nombre y el iPad del vendedor identifica automáticamente cualquier teléfono inteligente en las inmediaciones que esté usando la aplicación y muestra la foto del cliente en pantalla a modo de confirmación antes de acceder a la información guardada de la tarjeta de crédito. Se trata del sueño de cualquier minorista: una transacción sin fricciones.

Jack Dorsey observó un problema real y el dolor que éste producía. ¿A qué le podemos prestar atención? ¿Qué es lo que podemos enfocar? Con ayuda de la gráfica 7 y repasando lo que leímos en el capítulo anterior ("El poder de los paradigmas") podemos hacer un recorrido, mapeo, auditoría, o una simple lista de verificación de los diversos términos y conceptos vinculados con los paradigmas.

Podemos observar "paradigmas no desafiados", tendencias subestimadas, necesidades no articuladas, problemas no resueltos, competencias desaprovechadas, errores no corregidos, recuerdos lastimosos, vicios no superados, metáforas restrictivas, pactos injustos, expectativas desmesuradas, sistemas obsoletos, creencias falsas, imágenes fantasiosas, trámites engorrosos… y miles de cosas más.

Blake Mycoskie es un joven empresario de Arlington, Texas. Visitó por primera vez Argentina con su hermana en 2002, mientras competía en la segunda temporada de The Amazing Race. Regresó allí de vacaciones en enero de 2006, y se dio cuenta de que los jugadores de polo locales llevaban unos zapatos llamados alpargatas. Investigó que estos zapatos han sido usados por los agricultores argentinos durante cientos de años, y fueron su inspiración para el estilo clásico de los hoy famosos Tom's Shoes. Las alpargatas están hechas de lona o tela de algodón y ahora se fabrican en muchos estilos y diseños coloridos. Más tarde regresó de nuevo Argentina a realizar trabajo voluntario en las afueras de Buenos Aires y fue ahí donde "observó" que muchos de los niños estaban corriendo por las calles descalzos. Luego se enteró de que la falta de zapatos era un proble-

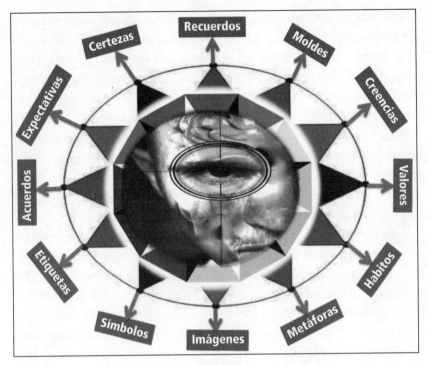

Gráfica 7

ma que tenía un serio impacto en estos jóvenes, poniendo en peligro la asistencia a la escuela, la prevención de infecciones, entre otros. Después de descubrir que la falta de zapatos era un problema no sólo de esa comunidad sino que abarcaba muchos lugares más en Argentina y otros países en desarrollo, decidió que quería desarrollar un tipo de alpargata para el mercado de América del Norte, con un enfoque de "innovación social o inclusiva", es decir, "un negocio con fines de lucro, con un componente filantrópico": por cada par de zapatos vendidos habría de proporcionar otro par de manera gratuita a los jóvenes descalzos de Argentina y otras naciones en vías de desarrollo. Hoy Tom's Shoes, a través de cientos de minoristas, expande su marca por el mundo.

GoPro es una marca de cámaras personales de alta definición, de uso frecuente en la acción extrema. Son conocidas por ser ligeras, resistentes y portátiles. Las puedes montar en tu cabeza o en lugares poco comunes, como fuera de los aviones, autos o barcos. La empresa que fabrica y comercializa las cámaras es privada, Woodman Labs, de San Mateo, California. La compañía fue creada por Nick Woodman, quien dice que se inspiró para iniciar la empresa después de un viaje de surf en Australia en 2002, donde estuvo esperando para capturar fotos de acción de alta calidad, pero no pudo porque los fotógrafos aficionados no pueden acercarse lo suficiente, o se les dificulta obtener equipos de calidad a precios accesibles. Así que a partir de "poner atención" a esa experiencia y a esa necesidad no cubierta que muchos otros fotógrafos aficionados compartían, desarrolló su innovación. Su deseo de tener un sistema de cámaras que pueden capturar los ángulos profesionales inspiró el nombre de la GoPro.

Keyence Corporation, una empresa japonesa especializada en dispositivos de automatización industrial, como sensores electrónicos, se asegura de que 25% de los dispositivos que vende cada año sean productos nuevos y más avanzados que los de cualquiera de sus competidores. Las nuevas ideas de producto parten en su mayoría de la experiencia práctica de 7 000 vendedores que proactivamente se dirigen a las plantas de producción de unos 50 000 clientes. Los vendedores deben pasar horas observando las líneas de producción del cliente a fin de observar el tipo de problemas que se les presentan. Al observar las líneas de producto de los fabricantes de sopa de fideo instantánea, Keyence se enteró de que la calidad de los fideos podía verse afectada, ya que se producían con distintos grosores. Así que desarrolló sensores láser capaces de medir hasta una centésima de milímetro. Los fabricantes de fideos dependen actualmente de estos sensores para mantener la consistencia de los fideos. Cada año miles de observaciones de este tipo efectuadas por los vendedores desembocan en cientos de nuevos dispositivos de automatización industrial para los clientes (este caso lo narra Chris Anderson en su libro *El ADN del innovador*).

Los clientes de hoy en día son un hueso duro de roer. Se caracterizan por andar siempre cortos de tiempo, de prisa; adictos a las multipantallas; conscientes de lo que genera o no valor, y comprometidos desde un punto de vista social. Sus expectativas son cada vez más difíciles de cumplir para las empresas. Las necesidades de los consumidores digitales se relacionan con la comodidad, la conectividad, la variedad y con "sentirse únicos" (de aquí el fenómeno de la "personalización", el cual abordé en el primer capítulo). Son clientes que tienen más poder que nunca, y que esperan respeto por parte de los negocios. De hecho, aquellos negocios que no muestran respeto quedan, por lo general, fuera del juego.

En un mundo donde nuestra interacción social suele estar mediatizada y nuestras herramientas de trabajo son en sí mismas medios de comunicación que no dejan de emitir mensajes —interminables parpadeos electrónicos en el flujo del tiempo—, la atención se ha convertido en un recurso limitado sumamente codiciado. Según Jason Silva, "la atención es el nuevo petróleo" y "está siendo devorada cada vez más rápido"; en el mercado mediático los gurús del *marketing* y la comunicación ponen sus mejores esfuerzos al servicio de "capturar y manejar [la atención de las] personas".

Cuando Londres fue la sede de los Juegos Olímpicos en 2012, los organizadores querían mostrar su ciudad, así que idearon la Exhibition Road (Vía de exhibición), un ambicioso proyecto que requirió dos años de construcción y costó cerca de 45 millones de dólares. Entre las instituciones que se encontraban a los lados de la vía estaban el Museo de Historia Natural, la Iglesia de la Santa Trinidad, la Real Sociedad Geográfica y el Real Colegio de Arte. El municipio de Kensington y Chelsea se asoció con un grupo de diseñadores para desarrollar "el destino cultural más accesible del mundo". El diseño de la Exhibition Road requería un espacio compartido, de modo que los diseñadores se inspiraron en un proyecto anterior: el pueblo modelo de Ashford. Ahí los diseñadores convirtieron una autopista de tres carriles en un lugar de encuentro en donde los transeúntes podían interactuar sin mayores problemas con los 12 000 automóviles o más que pasan por la zona a diario. La firma diseñadora Hamilton-Baille eliminó todas las señales de tránsito y las reemplazó con callejones estrechos y "pasos de cortesía". Tras poco más de un año, los accidentes de tránsito cayeron a cero. La velocidad de los vehículos se redujo a 20 millas por hora. Hoy en día, 11 millones de visitantes y siete millones de lugareños atraviesan esta área cada año sin problemas de seguridad.

Ben Hamilton–Baille considera que es necesario que en esta nueva era de la innovación exista un liderazgo que fomente el enfoque y la observación.

El problema con nuestros diseños es que la mayoría de las cosas que consideramos normales no tienen fundamento en la observación sino en los prejuicios (paradigmas). Si observáramos primero y diseñáramos luego, no necesitaríamos la mayoría de las cosas que construimos, explica Ben Hamilton-Baille, un diseñador urbano del Reino Unido. Ben se formó como arquitecto, pero se ha dado a conocer como una voz provocativa en el mundo de la gestión del tráfico y el diseño de la calle. Antes de construir cualquier cosa, Hamilton-Baille examina las raíces culturales e históricas del lugar. Esto implica buscar mapas, planos, documentos, muestras del suelo, etc. También pide la opinión de los usuarios, sobre todo de los niños, que están más en sintonía con su vida diaria que los adultos. Observa a los transeúntes a diversas horas y determina cómo interactúan las personas con los alrededores. Observa el tráfico y calcula la velocidad de los vehículos. Los expertos en seguridad creen que la mayoría de los transeúntes pueden sobrevivir a una colisión si el vehículo no va a más de 32 km por hora. El tráfico fluye mejor a menor velocidad, pues tanto los conductores como los peatones tienen más tiempo de reaccionar ante el entorno.

"El éxito depende de mi estado interior, de la calidad de atención que pongo en cada situación", expresó Philip Ryan, ex CEO de Hanover Insurance. En todos los casos que analicemos y estudiemos nos encontraremos con un común denominador (patrón): No hay innovación sin enfoque ni observación.

Habilidad 2: Revisualizar

Para explicar lo que significa "revisualizar" voy a recurrir a una expresión del físico austriaco Erwin Schrödinger, quien desarrolló una serie de resultados fundamentales en el campo de la teoría cuántica, que le hicieron merecedor del Premio Nobel de Física en 1933:

"La tarea más importante no es tanto ver lo que nadie haya visto antes, sino pensar sobre lo que nadie ha pensado antes, sobre lo que todo mundo puede ver".

La revisualización nos lleva a contemplar la naturaleza de nuestra mente y la de los paradigmas que la gobiernan. En un trabajo de 2004, Rebecca Saxe, doctora en filosofía y profesora adjunta del Departamento del Cerebro y las Ciencias Cognitivas del MIT, declaró que la capacidad de aplicar el razonamiento a las cosas que creemos "se desarrolla antes y resiste más a la degradación que otros tipos de razonamiento lógico similarmente estructurados". Esto en relación con la capacidad que la mente consciente tiene para reflexionar sobre nuestros paradigmas. Todos tenemos paradigmas que condicionan nuestra percepción de la realidad. Al revisualizar cambiamos nuestra manera de ver las cosas y las cosas que vemos cambian.

Sören Kierkegaard, el gran filósofo danés, escribió lo siguiente: "Si deseara algo, no serían riquezas, honor o poder, sino la pasión de lo posible, la mirada que, eternamente joven y eternamente ardiente, ve la posibilidad". La revisualización nos lleva a transitar de un mundo basado en certezas (paradigmas) a un mundo basado en posibilidades, supone un modo nítidamente nuevo de enfocar antiguos problemas.

> La esencia de la revisualización es ser inquisitivos y considerar nuevas posibilidades.

Ya he explicado en el capítulo anterior acerca de la tendencia de nuestro cerebro a confirmar los paradigmas que lo habitan. Las personas están condicionadas para tener siempre la razón y tener que estar en lo cierto constriñe la mente. Ejercitar un pensamiento crítico nos libera de la esclavitud de que debamos "tener siempre la razón" y del riesgo de convertirnos en marionetas.

Pensamiento crítico es el ejercicio de la inteligencia que piensa, analiza, cuestiona, reflexiona y, sobre todo, juzga. El pensamiento crítico en el plano social y político es la única esperanza de libertad y democracia. El filósofo de la educación Robert Hutchins decía que una nación que no promueve la actitud crítica de sus ciudadanos está destinada a la dictadura.

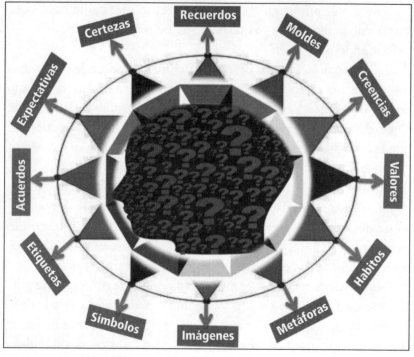

Gráfica 8

La revisualización nos lleva a dudar, provocar, retar, encarar, cuestionar, desafiar los paradigmas en cualesquiera de sus manifestaciones (véase la gráfica 8).

Revisualizar es desafiar el sentido común, retar el *statu quo*, exhumar las imágenes, revisar las etiquetas, replantear los acuerdos, renovar las metáforas, rejerarquizar los valores, redirigir las expectativas, sacudir las creencias, deshabituar los hábitos, resignificar los símbolos, rediseñar los moldes, reajustar los recuerdos, dinamitar las certezas. Al dudar de nuestros propios paradigmas, al interpelarlos, al cuestionarlos, al criticarlos, podemos llegar a reconocer que no necesariamente reflejan la realidad. El cuestionamiento es la salud del pensamiento, sostenía Heidegger. No te creas todo lo que piensas.

¿Qué es lo que podemos revisualizar y cuestionar? Con ayuda de la gráfica 8 y repasando lo que leímos en el capítulo anterior ("El poder de los paradigmas") podemos hacer un recorrido, mapeo, auditoría, o una simple lista de verificación de los diversos términos y conceptos vinculados con los paradigmas.

En el núcleo de la revisualización están las preguntas como actores centrales. Einstein lo sabía y por eso constantemente repetía: "Si sólo tuviera la pregunta adecuada… si sólo tuviera la pregunta adecuada". Para el filósofo húngaro Imre Lakatos las preguntas son ejercicios espirituales: cuando pregunto me hago a mí mismo y a mis "puntos de vista" a un lado y me aboco al otro. Lo que importa son las preguntas. Pero no cualquier tipo de preguntas. Lo verdaderamente peligroso es hacer la pregunta equivocada. Cabe recordar aquí de nuevo que "cuando construyes algo, quedas preso de lo que construyes", "cuando construyes una pregunta, quedas prisionero de tu propia pregunta". Es por ello que las preguntas tienen que ser provocadoras, disruptivas, desafiantes, revolucionarias, inspiradoras:

¿En realidad eso es así?

¿Cuáles son los límites de ese paradigma?

¿Qué pasaría si eso que es imposible de hacer se pudiera?

¿Cuál es la pregunta que quiero resolver?

¿Cómo quedé atrapado en este patrón de pensamiento?

¿Por qué vale la pena vivir?

¿De dónde provengo?

¿Cuáles son los caminos que no conducen a nada?

¿Qué pienso cuando pienso?

¿Quién lo hará si tú no lo haces?

¿Qué tipo de experiencia espera nuestro cliente?

¿Qué hago que sea diferente?

¿Cómo voy a conseguir clientes?

¿Estoy resolviendo una necesidad real?

¿Gano dinero vendiendo?

¿Existe una oportunidad en el mercado?

¿Funciona mi solución? ¿La gente puede usarlo?

¿Qué empujará mi crecimiento?

¿Debo ver los paradigmas como algo indeseable?

¿Innovar se limita a romper paradigmas?

Steve Jobs nos legó una pregunta poderosa: "¿Cómo saben lo que quieren si nunca lo han visto?" La mayoría de las personas parten del supuesto de pensar que saben lo que los demás quieren, lo cual es un error. Otras consideran que con preguntarle a los demás lo que quieren y luego hacerlo es suficiente. Sabemos por diversas experiencias que lamentablemente las cosas así no suelen salir bien. Y no es que el cliente no sepa lo que quiere. ¡Claro que lo sabe! El cliente es muy malo expresando lo que quiere, lo que no quiere decir que no lo sepa. Para Josh Seiden, director de Neo en Nueva York, hay tres tipos de necesidades, y deberíamos ser capaces de comprender perfectamente cada una de ellas... y no quedarnos en la primera.

Necesidades expresadas: "Queremos caballos más rápidos".

Necesidades implícitas: "Ford Modelo T".

Necesidades latentes: "Viajar largas distancias a una mayor velocidad".

Por lo común los hechos y los datos se refieren a necesidades expresadas con el lenguaje de la mente consciente y bajo la influencia del neocórtex. De ahí la importancia de profundizar en las necesidades implícitas latentes radicadas en la mente inconsciente, en los cerebros límbico y reptílico. Lo cual los especialistas en diversos campos buscan conseguir a través de descifrar los paradigmas en sus múltiples manifestaciones (símbolos, códigos, metáforas, hábitos).

Si tuviera que escoger dos preguntas simples pero poderosas escogería éstas: ¿Por qué no? y ¿Qué pasa si...? Estando en Italia, disfrutando de una rica taza de café, un empleado de Nestlé, Eric Favre, se preguntó: "¿Por qué no inventar algo con lo que todo el mundo pueda prepararse y disfrutar en la comodidad del hogar el mejor expreso italiano? El expreso es una mezcla de aire, agua y aceites del café. Es muy sencillo, pero nadie se lo había planteado hasta entonces. Favre inventó el Nespresso, un sistema pionero en la preparación de café en monodosis, tanto en la elaboración, por su calidad, como en el sistema de extracción, por su innovadora tecnología. Con un crecimiento impresionante de las ventas, Nespresso se ha convertido en una de las marcas de café en monodosis pionera en esta especialización. Las cápsulas son de aluminio, y por lo tanto pueden reciclarse una vez que han sido utilizadas. Así lo expresa Favre: "Yo no inventé una cápsula, sino algo mucho más poderoso: una fórmula", afirma. Un claro ejemplo de lo que es usar el "poder de los paradigmas como moldes" para innovar.

¿Y por qué no permitir el cachondeo con los libros? Todavía hoy en día existen muchas librerías donde te prohíben abrir un libro para husmear un poco más allá de la simple portada y contraportada. Innovar para satisfacer las necesidades de los clientes es una de las mejores maneras de lograr la permanencia en el mercado. Así lo entendió Mauricio Achar, fundador de las librerías Gandhi, quien desde 1971 quiso renovar el concepto de librerías de mostrador para crear la librería abierta, algo novedoso para su época, pero que permitía el acercamiento, el "cachondeo" con los libros, verlos, tocarlos, olerlos, estar con ellos en un lugar agradable. En la librería Gandhi saben que "las novedades" no son para siempre, a veces ni siquiera para meses —tal vez ni semanas—. Viene a mi mente el recuerdo de la imagen de mi libro *Las dos mentes del ser humano* (editado por Grijalbo en 2009), colocado en la sección de "novedades" de esta prestigiada librería. De ahí que tengan que renovarse continuamente. Ya no sólo venden libros físicos, sino también electrónicos, discos y videos y además cultura, información y entretenimiento.

¿Por qué no existe una categoría intermedia de dispositivo entre la computadora portátil y el teléfono inteligente?, se pregunta Steve Jobs, para volver a preguntarse: ¿qué pasaría si creáramos uno? Fue así que el mundo habría de conocer y disfrutar del iPad, una tableta diseñada y fabricada por Apple. Los usuarios instalamos, me encuentro entre ellos, aplicaciones a través de la App Store de iTunes. Cuando reviso mis estados de cuenta me percato de que muchas han sido bajadas por mis hijos. Desde su introducción, el iPad ha dominado el mercado de las tabletas. En el primer trimestre de 2012, las ventas comprendían 80% de las ventas totales del PC móvil. Los competidores han introducido sus propios desafíos para el iPad en los últimos años, incluyendo el Blackberry Playbook, el Amazon Kindle Fire y más recientemente la tableta Microsoft Surface.

Ratan Tata considera que es necesario que en esta nueva era de la innovación exista un liderazgo que fomente el cuestionamiento y la revisualización. ¿Por qué no puede esta familia tener un coche que le permita resguardarse de la lluvia? Esta pregunta se la hizo Ratan Tata, presidente del Tata Group en la India. Para Ratan no era novedad que las familias manejaran motos, las había visto por miles a lo largo de su vida. Pero algo diferente ocurrió en un día lluvioso en Bombay en 2003. Ratan "fijó su atención" en un hombre que conducía una moto acompañado de su mujer y su hijo, iban empapados y la pregunta le vino a su mente. Después de varios años de observación y experimentación el sueño de Ratan se hizo realidad en 2009. Con un precio de 2 200 dólares, el Nano se lanzó al mercado como el auto más barato del mundo. Generó 200 000 pedidos en sus primeros meses de vida y sus numerosas innovaciones lo convirtieron en 2010 en el auto del año de la India.

¿Por qué no llantas sin aire? Mejoras en los neumáticos de los autos comunes se han producido de forma incremental desde su creación, pero en la próxima década las llantas, tal como las conocemos, pueden convertirse en una cosa del pasado. Hankook y otros fabricantes, como Michelin y Bridgestone, están preparando los neumáticos de nueva generación que son sin aire, reciclables y bastante extraños en cuanto a su aspecto. Durante el pasado Salón del Automóvil de Ginebra, Bridgestone presentó un nuevo concepto de neumático sin aire y una nueva tecnología de impresión de neumáticos que pronto podrían salir al mercado. Aunque éste no es un concepto nuevo, sí lo es el hecho de que su producción en serie pueda estar muy cerca. Presentados ya en el Tokyo Motor Show de noviembre de 2011, los neumáticos sin aire ofrecen un impacto ambiental menor al de los convencionales. Una estructura única de radios se extiende a lo largo de los lados interiores del neumático, soportando el peso del vehículo sin necesidad de rellenarlos periódicamente con aire, lo que supone un menor mantenimiento. Con esta tecnología desaparece el riesgo de pinchazos.

En marzo de 1989, Phillip McCrory, peluquero de Madison, Alabama, vio con horror, al igual que todo el mundo, cómo se derramaban los 11 millones de galones de crudo del *Exxon Valdez* al estrecho del Príncipe Guillermo. McCrory estaba viendo en CNN un reportaje en el que los rescatistas trataban en vano de limpiarles el pelaje a las nutrias. Parecía como si el petróleo estuviera ligado químicamente con el pelaje. Fue entonces cuando a McCrory se le prendió el foco: Si el pelaje de la nutria puede atrapar tan bien el petróleo, ¿por qué no usar el cabello humano? McCrory sabía que en la mayoría de los salones de belleza se tira a la basura hasta medio kilo de cabello al día. Su idea era recolectar todos estos cabellos y usarlos para contener el derrame de petróleo. Para poner a prueba su teoría, McCrory reunió dos kilos y medio de cabello de su salón de belleza. Los metió en un par de pantimedias y las amarró para formar un anillo. Puso a flotar el anillo en una piscina inflable y vertió en el centro del mismo aceite de motor. El aceite se adhirió rápidamente al cabello y pronto desapareció del agua. McCrory descubrió que el cabello adsorbe petróleo. *Adsorber* no es lo mismo que *absorber*. Es un concepto que se aplica en física y en química en el sentido de atraer un cuerpo moléculas o iones de otro cuerpo en estado líquido o gaseoso y retenerlos en su superficie. Así, pues, es posible usar cabellos para recoger derrames de petróleo, limpiarlo y usarlo otra vez. McCrory viajó al Technology Transfer Center para presentarles su descubrimiento a los científicos. Éstos hicieron algunas pruebas y descubrieron que el cabello adsorbe aproximadamente 3.5 litros de petróleo en menos de dos minutos a un precio aproximado de dos dólares. Los métodos tradicionales eran cinco veces más costosos y más tardados. McCrory patentó la idea y montó un negocio. De hecho, el derrame de petróleo de 2010 en el Golfo de México fue recogido en buena parte con cabello. Gracias a este notable invento, McCrory mejoró con creces la manera en que el mundo batalla con los derrames petroleros.

¿Y por qué no crear una institución mexicana que aproveche los descubrimientos del Proyecto del Genoma Humano (PGH) y nos posibilite desarrollar un nuevo tipo de medicina capaz de prevenir el desarrollo de las llamadas enfermedades genéticas complejas? En 1998 fui invitado por Microsoft a una reunión sobre tecnologías encabezada por Bill Gates, en Boca Ratón, Florida. En uno de los recesos se presentó conmigo el doctor Gerardo Jiménez Sánchez, quien en ese entonces trabajaba de tiempo completo en la escuela de medicina Johns Hopkins, en Baltimore, Estados Unidos. Me comentó sobre el desarrollo y los avances del PGH y de las posibilidades que él y otros científicos veían para México. ¿Y yo cómo puedo ayudar en esto?, le pregunté. Me dijo que sabía de mi cercanía con el entonces gobernador de Guanajuato, Vicente Fox —quien en

1997 había anunciado su decisión de buscar contender por la Presidencia de México—, y que le gustaría platicarle, en su oportunidad, sobre este proyecto para que de ganar lo considerara en su programa de gobierno. Me pareció algo innovador y lo registré en mi radar y luego, en Los Pinos, en la lista de "proyectos presidenciales". El doctor Jiménez continuó manteniendo el enfoque en su propósito y sumando el respaldo tanto del ilustre mexicano doctor Guillermo Soberón (quien presidía la Fundación Mexicana para la Salud) como del internacionalmente reconocido doctor Julio Frenk (secretario de Salud en el sexenio de Vicente Fox). En el libro *Camino y destino*, de Mauricio Ortiz, en conversación con Julio Frenk, podemos leer:

> Promover cambios a una ley no es algo que un secretario de Estado haga por sí mismo. En primer lugar había que presentar el proyecto al presidente para que diera su visto bueno, y en este caso un paso previo era persuadir a Ramón Muñoz, encargado de llevar el tablero de control de los proyectos que habrían de formar el legado de la presidencia de Vicente Fox. Muñoz había conocido a Gerardo Jiménez y éste le había hablado del enorme potencial de la medicina genómica. Muñoz se había entusiasmado con la idea de hacer un instituto sobre la materia y abrió la puerta para que se le hiciera una presentación al presidente, quien no tardó en entusiasmarse, a su vez, con el proyecto, dando luz verde para que el área jurídica de la Secretaría de Salud elaborara la iniciativa de ley.

El 19 de julio del 2004, el entonces presidente de México, Vicente Fox, firmó el decreto que daba vida al Instituto Nacional de Medicina Genómica (Inmegen). El doctor Gerardo Jiménez habría de ser su primer director general y fundador. Este instituto se creó insertado estratégicamente como uno de los institutos nacionales de salud, cuyo sistema organizacional es un invento bastante mexicano, único podría decirse, con una serie de ventajas y características deseables para un proyecto de esta magnitud. La medicina genómica es transversal dado que tiene aplicaciones en la oncología, enfermedades infecciosas, neurológicas, y otras muchas más. El principal logro del Inmegen ha sido la publicación del primer mapa de variaciones genómicas de la población mexicana. El doctor Jiménez me hizo el honor de invitarme, siendo yo senador de la República, a su presentación en mayo de 2009, por parte del presidente Felipe Calderón, en la Residencia Oficial de Los Pinos. A casi 10 años del evento de Boca Ratón, aún suena en mis oídos la pregunta de Gerardo: ¿"y por qué no?

Lo natural. ¿Y por qué no voltear hacia la naturaleza como principal fuente de innovación? De esto es lo que trata la "biomimesis" o "biomimética" (del griego "bios", vida y "mimesis", imitación), cuyo enfoque es tomar a la naturaleza como modelo, como medida y como mentor. Conectamos a los biólogos e ingenieros para que los primeros enseñen a los segundos las soluciones evolutivas de diseño que la naturaleza ha adoptado en millones de años y que los segundos las apliquen en el desarrollo de objetos e infraestructuras. La imitación de la naturaleza tiene el potencial de cambiar nuestra manera de obtener alimento, materiales y energía, de curarnos, de almacenar información y de comerciar. La biomimesis está descubriendo lo que funciona en el mundo natural y, aún más importante, lo que dura. Después de 3 800 millones de años de investigación y desarrollo, los fracasos han quedado fosilizados, y lo que nos rodea es el secreto de la supervivencia. Un ejemplo interesante es el Sistema Bio-M (diseñado por Innova Industrial Design) para Cauchos Karey basado en la biomimesis. Se trata de un sistema de camas y complementos para el confort animal que alargan la vida de las vacas evitando heridas y lesiones y reduciendo el estrés.

Empieza por revisualizar conceptos como lo ilógico, lo paradójico, lo absurdo, lo extraño, lo inusual, lo inútil, lo anormal, lo raro, lo contradictorio, lo contrario, lo imprudente, lo insensato, lo incorrecto, lo inoportuno ("todas las oportunidades son inoportunas"), lo inconveniente, lo factible, lo pertinente, lo viable, lo anómalo, lo asimétrico, lo loco, lo obvio, lo indecente, lo caótico, lo incierto, lo gracioso, lo sencillo, lo natural, lo inaceptable, lo excepcional, lo extraordinario, lo insignificante, lo imposible, lo improbable, lo increíble, lo inverosímil.

Revisualizando lo excepcional. Analicemos la falacia de "la excepción que confirma la regla". Tal vez sea una de las expresiones que más invocamos cuando algo no se ajusta a nuestros paradigmas y pretendemos con ello mantener una creencia más allá de la evidencia razonable. De ahí que esto no les guste a los hombres de ciencia, ya que desde su perspectiva tienden a pensar que una regla es una regla, y si tiene excepciones lo que hacen es invalidar la regla, no confirmarla. No puedo más que coincidir con ellos. Puede haber reglas sin excepciones, pero no excepciones sin reglas. Un ejemplo, para que esto se entienda: supongamos que un cartel de un pueblo diga "mercado autorizado los miércoles". Su enunciado permite deducir que los otros días el mercado no está autorizado el resto de la semana. En este caso, la excepción "autorizado los miércoles" deja de manifiesto la existencia de la regla "prohibido en otros días". Como podemos ver, el significado de la expresión es ahora muy distinto.

Revisualizando lo ilógico. El caso Christmas Club. En 1909, a Merkel Landis, tesorero de la Carlisle Trust Company, de Pennsylvania, dando un paseo se le ocurrió una nueva idea financiera, lo que daría origen a algo denominado "los clubes de Navidad". Los clientes depositarían dinero en el banco durante todo el año y tendrían que pagar una tasa si retiraban el dinero antes. A fines de año la gente podría acceder a su dinero justo a tiempo para las compras de Navidad. ¿De dónde sacó semejante idea tan ilógica? ¿Cómo cree que la gente va a estar dispuesta a renunciar a su capital por poco o ningún interés? Landis lo intentó, y la idea de inmediato tuvo un éxito fulgurante. ¿Cuál es la explicación a esto? Lo que la gente quería era que alguien le guardara el dinero. Sabían que si lo guardaban ellos, acabarían gastándolo. Los clientes prefieren endilgarle a otro la responsabilidad de protegerlos de sus impulsivas decisiones. Al igual que Ulises, se anticipan a su futuro "yo", no al presente y racional Ulises, sino al futuro y enloquecido Ulises. La gente lleva a cabo contratos Ulises continuamente, lo que explica el éxito inmediato y duradero del club de Navidad de Merkel Landis. En esta misma lógica, aparentemente "ilógica", mi esposa Claudia y yo contratamos las becas educativas de nuestros cuatro hijos cuando eran muy pequeños aún. Desde luego que el mérito de la idea fue de ella y hoy, varios años después, aprecio aquella decisión. Se trata de una especie de "ahorro forzado" anticipándose a los hábitos de consumo y gasto. Un buen ejemplo de lo que es tomar en cuenta el poder de los paradigmas como hábitos.

Revisualizando lo paradójico. El filósofo Michel Maffesoli considera que el "paradigma de la paradoja" podría ser la clave de la comprensión del mundo en gestación. La paradoja es una idea extraña o irracional que se opone al sentido común o a la opinión general. Es una declaración contraria a la sabiduría convencional. Es un absurdo aparente. Bien podríamos hablar de los paradigmas como metáforas en las paradojas, dado que también son una figura retórica que consiste en la unión de dos ideas que aparentemente, en un principio, parecen imposibles de concordar. ¡Justo en esto consiste la innovación! De ahí que la innovación es una paradoja que trata de cambiar la sabiduría convencional. El filósofo irlandés Charles Handy expresaba que "hay una paradoja en el corazón de las cosas. El reto de la innovación es encontrar un camino a través de las paradojas". Ahí tenemos el ejemplo de la estatua del papa Juan Pablo II, se trata de la estatua más grande del mundo. Si sólo se tratara de esto estaríamos hablando del récord Guinness, pero resulta que está levantada en un parque de miniaturas, hechas a una escala de 1:25, junto a las réplicas de una serie de catedrales famosas, como la de Santiago de Compostela. El parque se localiza en Czestochowa, Polonia. Sin duda una "paradoja de la historia". Ahora leamos lo siguiente: el mensaje en braille dice "no tocar", pero la única manera de saberlo es tocándolo. Una paradoja muy interesante.

Revisualizando lo absurdo. Lo absurdo es contrario y opuesto a la razón, a lo racional. En el mundo del arte resulta interesante el llamado "teatro del absurdo". Abarca un conjunto de obras escritas por ciertos dramaturgos estadounidenses y europeos durante las décadas de 1940, 1950 y 1960 y, en general, el que surgió a partir de la obra de aquéllos. Se caracteriza por tramas que parecen carecer de significado, diálogos repetitivos y falta de secuencia dramática que a menudo crean una atmósfera onírica. El teatro del absurdo tiene fuertes rasgos existencialistas y cuestiona a la sociedad y al hombre. A través del humor y la mitificación escondían una actitud muy exigente hacia su arte. La incoherencia, el disparate y lo ilógico son también rasgos muy representativos de estas obras. Muchos ven el teatro del absurdo como unas obras sin explicaciones lógicas y sin sentido. Se resalta la incongruencia entre el pensamiento y los hechos, así como la incoherencia entre las ideologías y los actos. Lo interesante del teatro del absurdo es que no da las respuestas que esperamos, o las que creemos que vamos a esperar, sino que nos deja a nosotros la interpretación y el análisis de cada una de sus obras. El término *absurdo* proviene del uso de la misma palabra por los pensadores existencialistas como Albert Camus y Jean-Paul Sartre.

Penguin Books es una editorial británica fundada en 1935 por Allen Lane, con la intención de vender libros de calidad a precios muy bajos, equiparables a lo que, en aquella época, valdría un paquete de cigarrillos, y que fueran vendidos no sólo en librerías, sino también en estaciones ferroviarias y en tiendas en general. Imaginemos a Allen acercándose a un autor de un libro cuyo valor en el mercado era de siete chelines y seis peniques y decirle: "Estoy creando una editorial donde puedo vender muchos de tus libros a 'seis peniques' en lugar de 'siete chelines y seis peniques'". ¡Qué idea más absurda!, pensaría el autor, al igual que pensaron todos los demás autores.

Me viene a la memoria un dicho de mi estimado amigo y ex jefe en mi paso por Bimbo Rafael Cuen Barragán: "Vender pesos a cincuenta centavos cualquiera puede hacerlo". Hoy el chelín como moneda ya no existe, desapareció con motivo de la reducción del sistema monetario inglés al sistema decimal. Lo que sí sigue existiendo es Penguin Books, con su sede oficial en la ciudad de Westminster, en Londres, Inglaterra. Actualmente es el principal sello editorial del grupo internacional Penguin Group y es la principal editorial del Reino Unido, Australia, Nueva Zelanda, Irlanda, India y Sudáfrica. A partir de 2013 Penguin (propiedad de Pearson PLC) y Random House (propiedad de Bertlesmann) han completado una fusión de casi 4 000 millones de dólares, para crear el mayor editor de libros en el mundo. La sede mundial de la empresa conjunta Penguin Random House estará en Nueva York y empleará a más de 10 000 personas en el mundo en los cinco continentes. Se compone de casi 250 editorialmente y creativamente huellas independientes y editoriales que publican en conjunto más de 15 000 nuevos títulos al año. Sus listas de editoriales incluyen más de 70 premios Nobel y cientos de autores más leídos del mundo. Me congratulo por esta fusión y por las proyecciones tan ambiciosas que tiene, máxime cuando es esta casa editorial la que me hace el honor de publicar este libro que tienes en tus manos.

Revisualizando lo raro. La siguiente historia la protagoniza Dick Fosbury, un joven de Portland que practicaba el salto de altura. Por más que lo intentaba era incapaz de sobrepasar el listón colocado a 1.80 metros. Su entrenador era Berny Wagner, de la Universidad de Oregon, y había decidido que debería renunciar y probar suerte en otros lados. La razón era que se aproximaban las Olimpiadas en México (1968). El récord era de 1.73 metros. Fosbury estudiaba ingeniería civil, y ello le permitía desarrollar sus propias teorías físicas sobre cómo rebasar el listón en el salto de altura. Entonces lo normal era usar el sistema de rodillo ventral, sobrepasándolo frontalmente. Este estilo no le iba muy bien a los 1.93 metros de altura de Fosbury, por lo que decidió buscar un nuevo sistema para rebasar el listón. Es así como surgió el famoso "salto Fosbury", en el que nadie creía. Su éxito fue arrollador; pero a nivel personal a sus entrenadores les parecía "raro", y por si fuera poco, era horrible y antiestético. Pero llegado 1968, nueve meses antes de las Olimpiadas de México, se proclamó campeón intercolegial al saltar 2.19 con su nuevo estilo. En las pruebas de clasificación para las Olimpiadas logró el tercer puesto, al saltar 2.21. Ya no quedaba más remedio, a pesar de su "estilo raro", que llevarlo a México. A Wagner, su entrenador, le parecía mentira que Dick, el muchacho de las largas bermudas y extraño estilo, pudiera acudir a los Juegos Olímpicos en representación de su país. El 20 de octubre de 1968 era el último día de los Juegos Olímpicos en México. Fosbury disputaba la final. Cuando hizo su primer salto, el público creía que aquel "loco" seguía entrenando. Pero no era así. El marcador señalaba que era un salto oficial. Se convirtió en un héroe en pocos segundos. Su gran rival y compañero era su compatriota Ed Caruthers, y el soviético Valentín Gavrilov, a la postre plata y bronce, respectivamente. Nada pudieron hacer ante el salto de 2.24 metros del de Portland. El oro premió su esfuerzo, y los aplausos del público, su originalidad. "Creo que no hice nada extraño. Era el estilo más natural que podía haber, ya que el giro que inventé en el aire no es nada difícil de realizarlo", dijo. Tras el oro no hizo nada más. Se retiró a su casa de Ketchum, en las Montañas Rocosas, ejerciendo como ingeniero civil. No quiso saber nada ni de glorias ni de contratos millonarios de publicidad. Nunca aceptó ser un mito del olimpismo.

¿Qué podemos decir del lema, no oficial, de la ciudad de Austin? "Mantén a Austin rara" ("Keep Austin Weird"). Una ciudad que le apuesta a la "economía creativa" (economía naranja), a la tolerancia con la diversidad y al apoyo institucional a las pequeñas empresas y trabajadores independientes. Austin es la capital de Texas, una ciudad universitaria que desde hace muchos años alienta lo "raro" y promueve con orgullo los distintos estilos de vida de sus residentes. Austin es rara en el sentido más liberal del término. Es lo raro como sinónimo de libertad, de creatividad, de curiosidad, de individualidad. Lo raro que sorprende, divierte y enriquece. Cuestión de darse una escapada, para comprobarlo, al Austin City Limits (ACL), un importante festival de música que reúne a 150 bandas y artistas de todo el mundo durante dos fines de semana consecutivos. Se calcula que unas 75 000 personas entran a Zilker Park cada día para vivir la experiencia completa que ofrece un festival de esa talla. O si prefieren también está el South by Southwest (SXSW), el mayor festival de música de su tipo en el mundo, con más de 2 200 artistas "oficiales" y bandas tocando en más de 100 lugares. De la música se expandieron al festival de cine, centrándose en los nuevos talentos como directores, y luego al festival interactivo, centrado en la tecnología emergente, un evento que se ha ido posicionando como un caldo de cultivo para nuevas ideas y tecnologías creativas.

Revisualizando lo anómalo. La mayoría de las personas buscamos confirmar nuestros paradigmas e ignorar las anomalías. Las cosas que no caben en el paradigma —las anomalías— tienden a ser ignoradas o dejarse sin explicación, pero lo cierto es que las anomalías son lo que contiene la más rica información. Suelen revelarnos las deficiencias de nuestros paradigmas y abrir nuevas maneras de ver el mundo. A fines del siglo XIX, varios científicos percibieron el extraño fenómeno de metales raros que, como el uranio, emitían rayos luminiscentes de naturaleza desconocida, sin estar expuestos a la luz. Pero nadie prestó mucha atención a esto. Para la científica y primera persona en recibir dos premios Nobel, Marie Curie, esa anomalía era precisamente el tema que debía investigarse. Ese fenómeno más tarde sería llamado "radiactividad" y su descubrimiento alteró por completo la visión misma de los científicos sobre la materia.

Revisualizar lo "sencillo". Un joven israelí de nombre Shvat Shaked, quien había fundado una *startup* llamada Fraud Sciences, se reunía, por intermediación de la inversora Benchmark Capital, ni más ni menos que con Scott Thompson, el presidente de PayPal. A Scott no le llamaba mucho la atención esa *startup* enfocada a prevenir y descubrir fraudes electrónicos. Estaba ahí por compromiso con la inversora. "¿Cuál es tu modelo de negocio, Shvat?", le preguntó impaciente. A lo que éste respondió nervioso: "Nuestra idea es sencilla. Creemos que el mundo se divide en gente buena y mala y que el truco para combatir el fraude *online* está en saber distinguirlos en la red". Scott disimuló su frustración. Él sabía, porque había trabajado antes para VISA, que eso no era así de sencillo. Después de que le exigió a Shvat una demostración, pasó de la frustración a la sorpresa mayúscula. Una *startup* desconocida, con una idea tan "sencilla" sobre los "buenos" y los "malos", tenía un sistema más efectivo que ellos que eran expertos en gestión de riesgos. No había tiempo que perder, había que darse prisa para que la competencia no se hiciera con tan avanzada tecnología. Después de unos días de negociación, Thompson y Shaked acordaron una cifra de 169 millones de dólares por la compra de Fraud Sciences. Nada mal para una idea tan "sencilla".

Revisualizando lo "insignificante". El pasador para el cabello es un artefacto demasiado simple que sigue representando hasta la fecha una joya en la ingeniería funcional. Está hecho de una sola pieza de metal doblada y no cuenta con ningún mecanismo adicional para abrir y cerrar; los tres puntos de contacto son la clave para asegurar el cabello. En 1926, el estadounidense Salomon H. Goldberg lo diseñó pensando en el pelo corto, muy de moda en las mujeres durante los años veinte; pero fue igualmente útil para sujetar los tubos y lograr ondas perfectas. El pasador se sigue produciendo bajo el mismo diseño y se utiliza tanto en peinados simples como sofisticados. Otro artefacto "insignificante" es el alfiler para ropa, también conocido como "seguro". El que se cierra ocultando la punta fue inventado en 1849 por Walter Hunt, un prolífico inventor neoyorkino que tuvo muchas patentes a lo largo de su vida. Se dice que lo inventó en tres horas para cubrir una deuda de 15 dólares. Unos días después, vendió la patente en 400 dólares (unos 10 000 dólares al día de hoy).

Revisualizando lo "loco". Cuando Sam Walton expuso su idea las reacciones no se hicieron esperar. ¿Está loco? ¿A quién se le ocurre instalar tiendas en las comunidades rurales? A Sam Walton, quien aprendió que las tiendas grandes podrían tener éxito en ciudades con menos de 5 000 habitantes, si ofrecían algún incentivo a la gente para hacer un viaje de entre 10 y 20 kilómetros. Las comunidades rurales donde puso sus tiendas podían mantener una tienda de descuento y no dos. Uno de los elementos clave en el éxito de Walmart ha sido la falta de competencia en pequeñas poblaciones rurales. Cuando el autoservicio y los descuentos se convirtieron en un gran negocio en los sesenta, Sam Walton definió las reglas y se las explicó incesantemente a sus empleados, que llamó socios. Y se estableció así un nuevo paradigma poderoso. Sólo a unos pocos años de sus primeras fases, el promedio de tiendas que hacían descuentos casi duplicó y triplicó sus ventas. En 1992, el año de la muerte de Sam Walton, Walmart tenía 1 900 súper tiendas con más de 430 000 empleados. Las ventas alcanzaron 55 000 millones de dólares con ganancias cercanas a los 2 000 millones. Así se formó el hipermercado más grande del mundo. En 1985, *Forbes* reveló que Sam Walton era el hombre más rico de Estados Unidos. Y Walmart recibió elogios por ser una de las compañías mejor administradas de ese país.

Disculpe, ¿puedo alquilar su coche? ¿Qué responderíamos si una persona se nos presenta con esta pregunta? La mayoría seguramente pensaríamos: ¿está loco?, ¿rentar mi coche?, ¿dónde vio que traigo letrero de taxi? Pero Robin de Chase no se desanimó, siguió adelante con su idea, hasta crear una empresa que supo combinar el acceso con la propiedad, donde sus miembros, por una cuota anual, pueden reservar un vehículo en línea o por teléfono en cualquier momento. El 14 de marzo de 2013 Avis Budget Group compró Zipcar en aproximadamente 500 millones de dólares. Luego Robin habría de fundar Buzzcar, una empresa innovadora que combina el servicio de autos compartidos con las redes sociales.

Revisualizando lo caótico. ¿Te has puesto a pensar en la cantidad de repuestos, de partes y accesorios de los distintos aparatos que existen por todos lados? Pues tanto Dean Summers como Glenn Laumeister reconocieron la oportunidad que les presentó un mercado caótico. Y crearon orden a partir de un caos. Así es cómo surgió la idea de crear Partsearch con la visión de "volverse el aglutinante que mantiene unido todo el negocio de los repuestos". Entre sus clientes destacan Best Buy y Radio Shack. Hoy en día el catálogo de Partsearch contiene ocho millones de partes y accesorios para más de 560 marcas, incluyendo aparatos electrónicos, electrodomésticos, aparatos inalámbricos y equipos para uso en exteriores.

Revisualizando lo obvio. James Watt inició la Revolución Industrial con la sencilla observación de la energía del vapor que escapaba de la tetera. Esto condujo a la invención de la máquina de vapor. Pero para millones de personas que habían visto el mismo fenómeno doméstico esa posible fuente de energía era invisible. Descubrir lo "obvio" constituye siempre un desafío. Revisualizar es pensar lo obvio de manera diferente.

Revisualizando lo opuesto. Busca una creencia muy arraigada en el mercado al que quieras incursionar y empéñate en contradecirlo. Pienses lo que pienses, piensa lo opuesto. Flower es un juego para PlayStation-3 que en lugar de apostar por la fórmula fácil de los guerreros, héroes violentos o carreras de autos, eligió una temática poco apreciada por la industria, la tranquilidad de la naturaleza. Se trata de un juego que consiste en ser el viento y polinizar al mundo.

Revisualizando lo imposible. ¿Volar más rápido que el sonido? ¡Eso es imposible! Nunca nadie lo ha conseguido. Nadie, excepto Charles *Chuck* Yeager, un piloto de guerra de las fuerzas armadas de los Estados Unidos, que se hizo mundialmente famoso al convertirse en el primer ser humano que rompió la barrera del sonido, una hazaña más en la vida de una leyenda de la aviación. Surcando el cielo a 13 700 metros, el 14 de octubre de 1947, Yeager encendió la tercera de las cuatro cámaras cohete del famoso Bell X-1, cuando éste aceleraba suavemente a velocidad mach 0.92. (1 225 k/h). Después de unos segundos, el desierto de California escuchó el primer estampido sónico cuando Chuck Yeager rompió la temida "barrera del sonido" (1 200 k/h). El Bell X-1 ni se desintegró ni "voló en mil pedazos".

En 1920, Robert Millikan, Premio Nobel de Física, afirmó: "no existe posibilidad de que el hombre pueda liberar el poder del átomo". Veinticinco años más tarde la liberación del átomo se logró en la bomba atómica que los Estados Unidos hicieron estallar en la segunda Guerra Mundial. Hoy en día los científicos trabajan en múltiples aplicaciones pacíficas de la energía atómica, mismas que pueden apreciarse en nuevas y productivas variedades de cultivos agrícolas (arroz, banano, frijol, papa), en nuevos procesos industriales (silos de almacenamiento, oleoductos, tuberías, puentes, edificios, motores), en la disponibilidad de productos médicos esterilizados y nuevos procedimientos para los diagnósticos y tratamientos de enfermedades como el cáncer, entre muchas otras más.

Muchos físicos suscriben la famosa sentencia del escritor inglés Terence H. White, que escribió en *Camelot*: ¡lo que no está prohibido es obligatorio!… ¡lo que no es imposible es obligatorio!

Revisualizando lo adverso. Detenido en 1975 por su condición de obispo católico y encarcelado durante 13 años en las cárceles del Viet Cong, nueve de ellos en completo aislamiento, Xavier Nguyen Van Thuan escribió:

> No te encierres en un montón de costumbres. Las construcciones mentales, las ideas, las costumbres cimentadas profundamente en mí, son mis peores enemigos. Desde el interior de mi ser me paralizan. Para liberarme de ello necesitaré de una revolución. Ésta me exigirá muchos sacrificios… y, sobre todo, el sacrificio de lo que aprecio más. Es al precio de esta revolución que mi alma será liberada. Antes de comprometerme debo reflexionar con atención en cada detalle para poder llenar las lagunas, hacer frente a los imprevistos y convencerme de los fundamentos de mi opción. Realizaré mi sacrificio con habilidad y coraje, sin lamentos, porque lucho por mi liberación. ¡Tu sacrificio, Señor Jesús, es sin límites!"

Podrás estar en la prisión, pero es tu decisión ser o no tu propio prisionero, en tu propia mente.

Revisualizando lo problemático. Conocí a Fernando Quezada, director ejecutivo del Biotechnology Center of Excellence Corporation, en un evento en el que participamos como evaluadores de un proyecto de innovación de FUMEC. Él es un regiomontano radicado en Boston. Me enseñó que los problemas de cualquier tipo son una espléndida oportunidad para hacer negocios. Plagas en los cultivos, alimentos contaminados, cerámicas quebradizas, químicos dañinos, aires irrespirables. Un ejemplo interesante es el del salmón chileno contaminado. Chile ocupa el primer lugar mundial en exportaciones de salmón congelado. Ante esta problemática, al igual que muchas empresas recurren a InnoCentive, Chile se abre al mundo: "Tengo este problema", ¿te interesa ser parte de la solución? Tus ideas son bienvenidas… y desde luego, reconocidas y remuneradas.

Revisualizando lo que creemos sobre los paradigmas. ¿Debemos ver los paradigmas como algo indeseable? Desde luego que no. Los paradigmas además de inevitables son necesarios para interpretar el mundo y tomar decisiones. Normalmente nos benefician más que lo que nos perjudican. Traen a nuestra vida el orden que necesitamos, y los seres humanos somos "bebedores de orden". Nos sentimos cómodos con ellos, les confiamos nuestra vida. Nos hacen la vida más fácil y placentera. Por otro lado el contexto general de la creencia es la colaboracion de la humanidad en el avance y la difusión del conocimiento. Nos ayudan a economizar la energía de nuestra mente y a reaccionar con rapidez. La mente inconsciente, a través de los paradigmas, es por lo general muy buena en lo que hace: sus modelos de situaciones familiares y predicciones de corto plazo son normalmente precisas también, y sus reacciones iniciales a los desafíos son rápidas y por lo general apropiadas. Ya he explicado sus limitaciones en el capítulo anterior.

En mi opinión lo que pasa es que los paradigmas, al igual que las bacterias, comúnmente tienen mala fama. Las bacterias, al igual que los paradigmas, son invisibles a simple vista y son tan pequeñas que sólo pueden observarse con ayuda de un microscopio que amplíe al menos 500 veces su tamaño real. Algunas se hacen visibles sólo si se amplían 1 000 veces. Son muy variables en cuanto al modo de obtener la energía y el alimento, y viven en casi todos los ambientes, incluido el interior de los seres humanos. Habitan en las zonas más profundas de los océanos y en las profundidades de la tierra, al igual que los paradigmas habitan en las zonas más profundas de nuestra mente, de nuestros "pantanos mentales". La Universidad del Sur de California publicó el 22 de agosto de 1994 esta nota:

"Espuma de pantano" puede ser sinónimo de "primitivo", pero los diminutos organismos que la componen superan fácilmente la tecnología humana cuando se trata de capturar la energía del sol. Algunas *bacterias* purpúreas que responden a esa descripción poco favorecedora usan la energía lumínica con una eficiencia de casi 95%, más de cuatro veces la de los mejores paneles solares de construcción humana. Sabemos que no todas las bacterias son perjudiciales o nocivas. Muchas de ellas pueden ser positivamente útiles. Lo mismo podemos crear lámparas con bacterias luminiscentes, que retratos bacterianos. En las profundidades del mar, donde las condiciones son tan extremas y la oscuridad es total, las criaturas abisales (crustáceos, cefalópodos, peces) se iluminan generando su propia luz, ya sea a través de la bioluminiscencia intrínseca, es decir la que produce el mismo organismo vivo, o mediante bacterias luminiscentes, que habitualmente generan una luz azul verdoso. Es una respuesta de la biología para generar luz, sin necesidad de energía eléctrica. Una empresa de electrodomésticos desarrolló un concepto de bioluz basado en bacterias alimentadas con metano. Sus aplicaciones podrían estar en muchos entornos de baja luz, desde cines y discotecas hasta sistemas de señalización y salidas de emergencia; por lo pronto lo han considerado para sus cocinas, pensando en casas que funcionen como "máquinas biológicas" alimentadas con los residuos domésticos.

Zachary Copter, microbiólogo y artista de Cincinnati, crea cuadros con bacterias. ¿Cómo lo hace? Usa una foto para proyectar una sombra sobre una caja de Petri cubierta con *Escherichia coli*, que después expone a radiaciones. Las bacterias agrupadas dentro de la caja crecen, mientras que las otras mueren, lo que da como resultado una copia de la imagen. Finalmente sella el retrato con acrílico. En Google podemos apreciar muchas de sus obras.

Seguramente habrás escuchado hablar del "botox". Hace poco Michelle Obama declaró que no descarta el uso del "botox" para preservar su aspecto. Se trata de un medicamento recetado que se inyecta en los músculos y se utiliza, entre otras cosas, para mejorar la apariencia de líneas de expresión de moderadas a severas entre las cejas. La base de este medicamento es la toxina botulínica, una proteína que ayuda a frenar los espasmos musculares. La toxina botulínica es producida por la misma bacteria que causa la intoxicación alimentaria. Una dosis alta de toxina botulínica puede ser fatal, así como lo puede ser la intoxicación alimentaria. Sin embargo, la dosis que se utiliza en las inyecciones es tan pequeña que probablemente no tendrá ningún efecto perjudicial. La capacidad que posee la toxina botulínica para producir parálisis muscular por denervación química se aprovecha para usarla como medicamento en el tratamiento de ciertas enfermedades neurológicas y como producto cosmético para tratamiento estético de las arrugas faciales. Las inyecciones de "botox" están basadas en esta toxina.

Los límites de nuestros paradigmas definen los límites de nuestro mundo. ¿Dónde están los límites? ¿En el mundo o en nuestra idea del mundo? Para el brillante filósofo Arthur Shopenhauer "cada hombre toma los límites de su propio campo de visión como los límites del mundo". De ahí la importancia de esta habilidad de revisualización, porque nos permite explorar y expandir los límites de lo que nos rodea, lo que, eventualmente, puede conducirnos a nuevos desarrollos y oportunidades. En muchas ocasiones nuestros propios miedos culturales nos impiden explorar lo que hay más allá de nuestros límites. Al igual que en el mito de la caverna de Platón, el propósito es dejar de ser prisioneros de nuestros paradigmas, arrastrarnos fuera de la caverna de nuestra mente para conocer el mundo real y el sol que hace posible revisualizar todas las cosas. Lo peor que nos puede pasar es que tomemos a nuestros modelos o paradigmas como definidores de la realidad o, peor aún, como la realidad misma. Revisualizar es ampliar siempre tus horizontes: con tu mente siempre en expansión, redefinirás los límites de tu mundo aparente.

Algunos de los términos y conceptos relacionados con revisualizar son: repensar, revalorar, renovar, revolucionar, reimaginar, reestructurar, reenmarcar, reconfigurar, reenfocar, recontextualizar, replantear, reconceptualizar, reetiquetar, reatribuir, reevaluar, reinterpretar, reimaginar, recablear, reconcebir, reconsiderar, redimensionar, reelaborar, remapear, redefinir, revalorar, rediseñar, reconstruir, recontextualizar, reprogramar, reempacar, reemplazar, reposicionar, recalcular, revertir... entre muchos otros más.

Rediseña. Inicialmente este producto fue creado como un potente antiséptico quirúrgico. Llegó a venderse como limpiador de suelos y como remedio contra la gonorrea. Pero no se convirtió en un éxito arrollador hasta los años veinte, cuando lo *"reenmarcaron"* como "solución a la halitosis o mal aliento". Hasta ese momento no se había considerado que el mal aliento constituyera una catástrofe, pero el Listerine se encargó de cambiar las cosas. Como apunta el profesor de publicidad James B. Twitchell, "el Listerine no creó tanto el enjuague bucal como la halitosis". En sólo siete años, los ingresos de la compañía ascendieron de 115 000 dólares a más de ocho millones. La revisualización no paró ahí. Se siguió en el "rediseño" del empaque. Es así como crearon el Listerine Pocket Paks. En lugar de un enjuague líquido, el enjuague bucal se ha transformado en tiras finas como el papel que se disuelven en la lengua en menos de 10 segundos. Este cambio de presentación catapultó las ventas de este producto. Y es que como escribe Thomas Hine, autor de Total Package: "los envoltorios tienen personalidad, crean confianza, esparcen fantasía y venden los bienes rápidamente".

Reenmarca. Esto es justo lo que hizo Steve Jobs cuando declaró que "no somos una empresa de computadoras", sino que "somos la compañía de móviles más grande del mundo".

Reenfoca. Yellow Tail se convirtió en la compañía de vinos más exitosa en los Estados Unidos, un país donde el producto dominante es la cerveza, gracias a que reenfocó las fronteras del mercado a fin de separarse de la competencia y crear océanos azules. Lo mismo hizo Gloria Rubio, una salvadoreña emprendedora que inició de cero en Estados Unidos y que ahora es la dueña de 14 restaurantes Gloria's en Texas. La emprendedora, con tan sólo noveno grado, decidió tomar las riendas de un negocio de pupusas en la 600 West Davis, el 15 de abril de 1986, donde doña Gloria atendía las 10 mesas del lugar, era la cocinera y hasta lavaba los platos. Con el paso del tiempo, esta mujer emprendedora fue ganando clientela y presencia en la mente de los consumidores. "Todo eso me generaba dinero, así fui ahorrando para dar una prima y quedarme con el negocio", apuntó. De tener un comedor pasó a tener 14 restaurantes, que generan 800 empleos.

Reintercambia. Maggie Connors, una gerente de marca de Pepsi Co, pasó una semana en 2012 en las oficinas de Airbnb Inc. en San Francisco, la firma de alquiler de apartamentos y cuartos para viajeros. Los gerentes querían observar cómo la empresa nueva, con sólo 200 trabajadores frente a los 300 000 de PepsiCo, gestionaba su marca. Connors vio que Airbnb cumplía sus metas de marketing sin equipos de analistas de datos haciendo cálculos, grandes cantidades de agencias de marketing y cientos de empleados. "Son mucho más sencillos en la forma en que abordan el marketing", asevera. "Se fían más del instinto." Vivek Wagle, un gerente *senior* de marketing en Airbnb, fundada en 2008, dijo que a su firma le interesaba cómo PepsiCo recopilaba enormes conjuntos de datos de investigación de mercado. "Todo se pone a prueba en el mercado hasta el grado más alto. Nos abrió los ojos", dice.

Los "zapatos intercambiables" de TALI son también un ejemplo interesante, desde otra perspectiva. La firma de zapatos Premium TALI presenta un mecanismo único en el mundo con el que un simple zapato se convierte en una fuente inagotable de imaginación y, con ello, de posibilidades. TALI representa una idea revolucionaria que cambia el concepto del calzado femenino. Su naturaleza desmontable permite obtener una infinidad de diseños combinando puntas, tacones y complementos. No es sólo una línea de moda, es un nuevo concepto. Una idea que rompe con lo establecido, otorgando un poco más de libertad y creatividad al universo femenino.

Redistribuye. Todos tus datos en línea y fáciles de redistribuir. Drew Houston tenía un problema: olvidó su *pen drive* (parecido a una USB), "¿y ahora qué demonios hago?" Algún otro conocido suyo tiró al piso su PC (a mí también me pasó lo mismo). A Drew Houston se le ocurrió entonces una idea poderosa: "Todos nuestros datos estarán *online* y desde allí podemos redistribuirlos sin fricciones ni interferencias complejas. Pueden tirar su laptop al agua e ir a una tienda de Apple y seguir su vida como si nada hubiera pasado. No importa el aparato que uno posea, funcionará con Dropbox. Estamos convirtiendo el almacenamiento en la nube en un puente entre diferentes artefactos".

Dropbox es hoy un ícono en la industria del almacenamiento en internet, con más de 100 millones de usuarios. Yo soy uno de ellos. Mientras escribo este libro lo respaldo en Dropbox.

Revive. Inspirado en 5 000 años de historia y tradición, Shen Yun ("La belleza de los seres divinos bailando") promueve altos valores estéticos y humanos, rompiendo todas las barreras culturales y logrando una conexión entre lo tradicional y lo vanguardista, entre Oriente y Occidente, entre la tierra y el cielo. Tuve la oportunidad de disfrutar de la presentación que hicieron en México, en el Auditorio Nacional, una gala inolvidable de la verdadera cultura tradicional china: historias conmovedoras en medio de deslumbrantes e imponentes paisajes digitales animados, orquesta en vivo, música original inolvidable, magníficos vestuarios y la excelencia de las danzas y las coreografías que ya han conmovido a más de un millón de espectadores en todo el mundo. Establecida en la ciudad de Nueva York en 2006, Shen Yun Performing Arts tiene tres compañías que realizan giras simultáneas y se presentan en los escenarios más prestigiosos de Norteamérica, Europa y Asia.

Recuenta. Matt Madden (Nueva York, 1968) revolucionó el mundo del cómic con *99 ejercicios de estilo* (Sins Entido), un libro con una serie de cómics de una página que cuentan la misma historia de formas y con estilos completamente diferentes. Un ejercicio de creación tan fascinante como curioso, cuya reedición ha presentado en la madrileña librería de La Central. "Es un libro —asegura Madden— con un cómic de una página en la que no pasa casi nada, apenas una anécdota, pero con ese relato he hecho 99 variaciones, para contar la historia de diferentes maneras: cambiando el punto de vista, con diferentes personajes, distinto estilo de dibujo... con versión superhéroes, western, manga, línea clara, terror..."

Rememora. Los productos innovadores y nostálgicos de Nostalgia Electrics es justo lo que se proponen. En la industria de los aparatos electrodomésticos también es posible imponer modas, en donde empresas se encargan de traer diseños del pasado para convertirlas en ideas y productos innovadores. Es así como le empresa Nostalgia Electrics tuvo la idea reescribir la historia al comercializar productos eléctricos para el hogar basados en diseños nostálgicos de aparatos que existieron en el pasado y que siguen teniendo un uso práctico en el presente. Sus diseños *vintage* han cautivado el gusto de los consumidores logrando posicionar sus productos de manera exitosa en más de 30 países. Éste es un buen ejemplo de cómo se pueden reinventar productos ya existentes combinando varios factores como nostalgia y modernidad, rediseño y diseño convencional, utilidad y ornato, calidad y productos económicos de baja calidad, imagen atractiva e imagen convencional de todos los productos en el mercado.

Regenera. Ésta es la misión de Robert Gupta, un joven brillante y sensible con quien, para mi fortuna, coincidí como conferencista en el Foro de Mentes Brillantes organizado en México por el Universal Thinking Forum. Robert Gupta es un violinista cuyo interés en la neurobiología y los problemas de salud mental han hecho de él un defensor de renombre mundial del poder regenerador de la música. Dirige la organización Street Symphony, una serie de conciertos de música clásica gratuitos para enfermos mentales sin ayuda que viven en la calle, encarcelados o en las comunidades de veteranos. Ha tocado el violín a nivel internacional como solista y músico de cámara desde los ocho años; después de unirse a la Filarmónica, se convirtió en el amigo e instructor de violín de Nathaniel Anthony Ayers, un músico sin hogar, enfermo mental cuya vida fue objeto de un libro y la película *El solista*, protagonizada por Jamie Foxx. En sus conversaciones, Gupta explora la capacidad de la música para cambiar nuestro cerebro, curar enfermedades, y en última instancia, transformar vidas. Gupta tiene un *master* en música por la Universidad de Yale e hizo su debut en solitario, a los 11 años, con la Filarmónica de Israel. Como estudiante de medicina, Gupta fue parte de varios proyectos de investigación en neurociencia y biología neurodegenerativa.

Regulariza. Brasil regulariza el trabajo de 10 millones de empleadas del hogar, quienes han conseguido ser equiparadas, en todo, a los demás trabajadores del país, e incluso con algunas ventajas adicionales. La ley aprobada el 27 de marzo de 2013, y que ya ha entrado en vigor, ha constituido una de las mayores revoluciones en el campo del trabajo desde que existe la Constitución Republicana. Hay hasta quien, con énfasis, considera la fecha de aprobación de esta ley como el "fin de la esclavitud", y no la de 1888, cuando Brasil fue el último país del mundo en abolirla definitivamente. La nueva norma, con todas sus críticas y posibles complicaciones jurídicas, es una de las mayores conquistas sociales de este país en muchos años.

Redefine. Tal como lo hizo el diseñador de moda Gianni Versace: "El buen gusto no existe". O como lo hace Bután, que mide no sólo el producto interno bruto (PIB) sino también la felicidad interior bruta de los habitantes. La aprobación en 2011 por la Asamblea General de la ONU de la resolución titulada "Felicidad: hacia un enfoque holístico del desarrollo", presentada por Bután y apoyada por 68 países miembros, muestra que muchos de los medidores tradicionales están siendo "redefinidos".

Reinvierte. Sabemos del poder de los paradigmas como metáforas. Una forma de beneficiarnos de ellas es reinvirtiéndolas. En lugar de "atados al pasado" podemos hablar de estar "atados al futuro" y, de repente, toda una serie de figuras irrumpen en el escenario: quienes han hipotecado su presente en créditos, planes de pensiones y seguros de vida, los ciudadanos que han de apretarse el cinturón al haberse comprometido sus estados o municipios a "entrar en la modernidad". La reinversión de metáforas nos permite detectar y promover cambios profundos. ¿Qué pasaría si desbancamos la metáfora "mesa de negociación" por "playa de negociación?

Reconcilia. El Concilio Vaticano II (1962-1965), convocado por el papa Juan XXIII y seguido y clausurado por el papa Paulo VI, es sin duda un caso emblemático de reconciliación. Se pretendió que fuera una especie de *aggiornamento*, es decir, una puesta al día de la Iglesia, renovando en sí misma los elementos que necesitaran de ello y revisando el fondo y la forma de todas sus actividades. Proporcionó una apertura dialogante con el mundo moderno, incluso con nuevo lenguaje conciliatorio frente a problemáticas actuales y antiguas. Ha sido el concilio más representativo de todos. Constó de cuatro etapas, con una media de asistencia de unos 2 000 padres conciliares procedentes de todas las partes del mundo y de una gran diversidad de lenguas y razas. Sus características distintivas fueron "renovación" y "tradición". La tradición tiene que innovarse para seguir siendo tradición.

Reemplaza. La iniciativa "Fibras del Futuro" (FAO): Establecida en diciembre de 2010 con financiamiento del gobierno alemán, se propone prestar un apoyo, muy necesario por otra parte, para la promoción del uso de las fibras duras y el yute. En especial el sisal. Se trata de un cultivo versátil, con un gran potencial de desarrollo, que constituye una fuente sostenible de recursos para los pequeños agricultores que viven en lugares expuestos a la sequía donde es muy difícil producir otros cultivos, como es el caso principalmente de Haití, Mozambique y Tanzania. La contracción de los mercados de los productos tradicionales del sisal (cordeles y sogas), debida a la competencia con las fibras sintéticas basadas en el petróleo crudo, afectó a los pequeños productores, cuyas oportunidades para diversificar la producción de sisal con otros cultivos son limitadas o inexistentes debido a las limitaciones ambientales, climáticas y de recursos. Por eso la iniciativa "Fibras del Futuro" apunta a penetrar en mercados industriales innovadores y de gran valor, reduciendo al mismo tiempo la degradación ambiental y mejorando la rentabilidad mediante la comercialización de los residuos y desechos, que representan alrededor de 95% de la biomasa del sisal. Entre los productos innovadores figuran materiales compuestos (presentes en una amplia gama de aplicaciones industriales, muchas veces como sustitutos de materiales sintéticos), así como pasta de papel, fertilizantes y biogás.

Recicla. Interface Corporation, una empresa de Atlanta, ofrece "servicios de alfombras", las rentan en lugar de venderlas. Las alfombras de los clientes se reemplazan, cuadro por cuadro, a medida que se van gastando, e Interface recicla los cuadros viejos para fabricar nuevas alfombras en lugar de tirarlos a la basura.

Ellos abandonaron la práctica económica de tomar, hacer y desperdiciar, y aprendieron a reciclar alfombras. Ray Anderson, el presidente y fundador de la empresa (la mayor fabricante de alfombras de Estados Unidos), sostiene que "la sustentabilidad no cuesta, sino que paga… Nuestros costos son bajos. Nuestros productos son mejores que nunca. Nuestra gente está motivada por un propósito superior compartido. Y la buena voluntad en el mercado… ha sido sorprendente".

La revisualización en la extrapolación. La extrapolación es una extraordinaria fuente de inspiración, que precisa de sacar a las personas de su entorno y de su habitual marco de referencia. Se refiere a aplicar una cosa conocida a otro dominio para extraer conclusiones, hipótesis y, tal vez, nuevos aprendizajes. La pregunta clave de la extrapolación es: ¿Y este conocimiento o experiencia cómo lo puedo aplicar a mi circunstancia actual? ¿En qué otros campos puede ser aplicable esto? Al asistir a una exposición de incubadoras para pollos, al ginecólogo francés Stéphane Tarnier (1870) se le ocurrió impulsar el desarrollo y uso de incubadoras para bebés recién nacidos, con la finalidad de mantener el calor corporal, y con estadísticas demostró la reducción de las tasas de mortalidad de los bebés prematuros. Más adelante vendrían la incorporación de terapias de oxigenación y otros avances. A diferencia de otras innovaciones médicas que le pueden dar al paciente 10 o 20 años más de vida, la incubadora le regala la vida entera.

El dentista estadounidense Horace Wells se convirtió en el primer paciente al que se le extrajo una muela bajo la influencia de óxido nitroso, o gas de la risa. Wells había advertido los efectos del gas en ferias itinerantes, donde se demostraba con gran éxito; se dio cuenta de que personas que habían inhalado el gas no se daban cuenta cuando se golpeaban la espinilla al volver a sus asientos. A partir de enfocar pasó a revisualizar. Gracias a esto había nacido la anestesia. En el mismo ángulo de reflexión el procedimiento del que Werner Forssmann fue pionero probablemente ha salvado la vida de alguno de tus conocidos. Cada año millones de personas son sometidas a cateterización cardiaca. Es la manera estándar (paradigmática) como funciona el corazón después de un ataque cardiaco, angina de pecho u otras indicaciones de un problema del corazón. Se hace un pequeño corte en una arteria (a menudo cerca de la ingle) y se introduce en ella un tubo hasta que alcanza el corazón. La historia de Forssmann empezó en 1929, cuando observó dibujos que mostraban a veterinarios que accedían al corazón de un caballo a través de la vena yugular. En aquella época tocar el corazón era terreno prohibido y Forssmann ensayó en su propio brazo. Lo despidieron del hospital pero obtuvo el Premio Nobel de Medicina.

La técnica de tratar las piedras o cálculos renales con ondas sonoras procede de observar cómo se rompen los cristales de hielo cuando un avión supera la velocidad del sonido... pero... nadie amarró nunca un paciente al morro de un caza supersónico. ¡Simple extrapolación! El poder de los paradigmas en las analogías.

El programa de manejo de los recursos de la tripulación: Crew Resource Management (CRM), basado en un estudio de la NASA (1970) sobre errores de pilotaje, crea un entorno en el que se comparten abiertamente todos los puntos de vista. El capitán deja de ser el dictador del avión. Las mejores decisiones surgen cuando se movilizan diversos puntos de vista sobre la situación, como en el caso del aterrizaje forzoso del vuelo 232 de la United. El CRM se enfoca en el comportamiento individual y de equipo, y ha revolucionado el entrenamiento de pilotos y tripulaciones. David Gaba, anestesiólogo, y su equipo de la Universidad de Stanford, en Estados Unidos, reconocieron las similitudes entre los pilotos y los anestesistas. Él adaptó el entrenamiento en Manejo de Recursos de Tripulación de la aviación al campo de la anestesia y lo llamó Manejo de Recursos de Crisis de Anestesia (ACRM, por sus siglas en inglés). Gaba inventó uno de los primeros simuladores de alta fidelidad en los Estados Unidos, MEDSIM, que permite realizar esta forma altamente especializada de entrenamiento. Este programa se está aplicando en muchos hospitales para operaciones quirúrgicas. La experiencia del Centro Médico de Nebraska ("adviértelo, dilo, arréglalo") con sus cuestionarios postoperatorios: "¿qué errores se han cometido?, ¿cómo se pueden evitar la próxima vez?", los ha llevado a lograr una espectacular disminución de los errores médicos.

La extrapolación es conocida también como "polinización cruzada" (aplicar el conocimiento de un campo a una situación de naturaleza distinta). Desde el principio, la firma internacional de diseño IDEO se ha preocupado por alentar el papel del polinizador a través de siete "ingredientes secretos": Mostrar y decir: cuando los equipos de IDEO se reúnen, comparten ideas que no siempre tienen que ver con lo que la firma está haciendo actualmente. Es una fuente casual de continua renovación, insertada en los procesos de la organización. *Contratar gente diversa:* IDEO nunca ha considerado que contratar a alguien sea un proceso de adquisición de lo mismo. En cambio, revisa bien entre todos los candidatos con el fin de aumentar la cantidad de habilidades disponibles. *Echarle espacio a la mezcla:* IDEO entiende que los espacios físicos que rodean a la compañía pueden ser un poderoso instrumento para acelerar su agenda. Así, pues, en IDEO es importante utilizar el espacio para polinizar. Hay muchos salones de proyectos multidisciplinarios y muchas áreas para propiciar el encuentro "casual" entre personas de diversos grupos. Incluso las escaleras son amplias para propiciar encuentros a "mitad de camino". *Diversas culturas y zonas geográficas:* dado que un personal internacional se poliniza naturalmente, IDEO favorece la mezcla de culturas. *Conferencias:* casi cada semana, un pensador de clase mundial da conferencias en IDEO. Ésta es una gran fuente de polinización, que mantiene fresco el pensamiento y las conversaciones. *Aprender de los visitantes:* la mayoría son posibles clientes que presentan sus puntos de vista sobre sus industrias y compañías. *Buscar diversos proyectos:* una carrera de 40 años en IDEO no es simplemente el mismo año repetido 40 veces. La gran variedad de clientes le permite a la firma polinizarse a partir de diversas fuentes y crear una cultura de constante aprendizaje. La polinización cruzada también ocurre al mezclar creativos y expertos de diferentes áreas y funciones y al integrar en sus equipos por los roles de antropólogo, experimentador y polinizador.

Revisualizar los mitos de la innovación: Scott Berkun ha investigado algunos de ellos y otros más los he ido constatando en mis conferencias, consultorías y experiencias profesionales. Contrario a lo que pensamos, no existe el momento ¡eureka!, no entendemos la historia de la innovación, no existe un método para innovar, la gente no ama las nuevas ideas, no hay tal inventor solitario (ni siquiera Steve Jobs), no es muy difícil encontrar buenas ideas, las mejores ideas no necesariamente son las que ganan, no es verdad que la innovación es siempre deseable, el que las empresas usen el término de innovación no significa que estén haciendo algo innovador.

Con todo, en mi opinión, el mito de la innovación más arraigado, difundido y de mayor impacto es el mito de que la innovación consiste en romper paradigmas. "¡Hay que romper paradigmas!" es el grito de guerra y la consigna —cuando de innovar o de cambiar algo se trata— que escuchamos por todos lados: los políticos, los funcionarios públicos, los académicos, los empresarios, los padres de familia, los artistas, los deportistas. No sólo en México sino en toda Latinoamérica. Este mito nos une a todos. "Hay que romper los paradigmas que hemos construido" (discurso de Fernando Henrique Cardoso, ex presidente de Brasil, en la recepción del doctorado *honoris causa* otorgado por la Flacso. El presidente de la Cámara Inmobiliaria de Venezuela (CIV), Aquiles Martín, pidió a inmobiliarios "romper paradigmas". En Copenhague, Dinamarca, el presidente de México, Felipe Calderón, llamó a jefes de Estado y de gobierno de todo el mundo a "romper paradigmas y prejuicios" en la lucha contra el cambio climático.

Algunas expresiones relacionadas con "romper paradigmas": romper estereotipos, romper reglas, romper tabúes, romper inercias, romper mitos, romper moldes, romper esquemas, romper prejuicios. Si deseamos navegar y aventurarnos más, por nuestra cuenta, en este ejercicio, sólo es cuestión de que revisemos los conceptos relacionados con los paradigmas en sus diversas manifestaciones (véase el capítulo 3, "El poder de los paradigmas").

Romper es la acción de partir una cosa en trozos irregulares de modo violento, o de separar violentamente dos cosas que estaban unidas. Veremos cómo la innovación ni se reduce a "romper" ni se asocia necesariamente con la "violencia".

> Considero que si existiera algún paradigma que hubiera que romper, éste sería "el paradigma de romper paradigmas".

La revisualización más importante, desde mi perspectiva, es la que se refiere a la relación entre los "paradigmas" y la "innovación". ¿Podemos innovar desde los paradigmas? La respuesta no sólo es afirmativa, sino contundentemente afirmativa. No existe otra manera. En el capítulo anterior señalé que los paradigmas, desde la óptica de las neurociencias, son conexiones neuronales en nuestro cerebro. Todo se reduce a conexiones neuronales. Para el científico Eric Kandel, todo se reduce a conexiones neuronales antiguas y nuevas. Las antiguas se traducen en "recuerdos" ("paradigmas") y las nuevas en "aprendizajes" ("innovaciones"). Las neurociencias nos dicen que todos tenemos en nuestro cerebro aproximadamente 100 000 millones de neuronas. En esto todos nos parecemos. Lo que marca la diferencia es la cantidad de "conexiones neuronales" que cada uno hemos establecido dentro de nuestro cerebro. La clave son las redes de neuronas conectadas.

Retomando la pregunta ¿podemos innovar desde los paradigmas?, las grandes ideas o innovaciones no se las saca nadie de la manga, sino que se construyen sobre una serie de elementos ya existentes (paradigmas). Esto lo saben bien desde el filósofo Henry David Thoreau: "Escuchamos y aprendemos sólo lo que ya conocíamos a medias", hasta el científico Stuart Kauffman con su interesante teoría de "lo posible adyacente": expresión que condensa tanto los límites como el potencial creativo del cambio y la innovación. Hablamos tanto de límites como de aperturas. La evolución biológica, la tecnológica o la molecular siempre están funcionando en el "adyacente posible". Y el secreto de estos procesos radica en que únicamente son viables porque el conjunto de posibles sucesos es enormemente mayor del que nunca podamos explorar. Dentro de "lo posible adyacente" cada nueva combinación da pie a combinaciones nuevas. Podemos imaginarlo como una casa que se va ampliando mágicamente a medida que abrimos puertas. Por ejemplo los átomos de carbono, el internet. Una "nueva idea" o una innovación es una red, líquida y plástica, y densamente poblada. Una constelación específica de miles de neuronas que se activan entre sí por primera vez dentro del cerebro, para que aparezca la idea en el nivel consciente. Una nueva idea es una red de células que exploran lo posible adyacente de las conexiones que son capaces de establecer dentro del cerebro.

Einstein describía su propio proceso creativo como una combinación y una construcción a partir de patrones. Un ejemplo de "lo posible adyacente": lo que Einstein hizo fue examinar toda la información existente que todo el mundo se conformaba con adaptar a la estructura newtoniana y configurarla de una manera completamente diferente. Si vamos al detalle de lo que hizo fue como reemplazar una copa en un restaurante, pero a partir de esta nueva manera de ver las cosas vino la energía atómica o nuclear. Las ocurrencias instantáneas y el encontrarse con una idea genial sin antes haberse ocupado del tema no es, como lo hemos podido comprobar, algo imposible pero sí sumamente improbable. Por regla general, los espíritus creativos fueron expertos que se desenvolvieron muy bien en su disciplina. Antes de su genial fórmula $E = mc^2$, Einstein se había interesado durante años en la teoría de la relatividad mientras que Edison, que registró 1 093 patentes, dedicó toda su vida a la investigación.

"Literalmente, para llegar a *Avatar* tuvo que existir *Terminator* y *Jurassic Park*, pues tuve que esperar que la tecnología CGI (Computer Generator Imaginary) llegara en cuerpos suaves para lograr lo que quería", expresó el director de *Titanic*, James Cameron, en el evento de TagDF, al que tuve la oportunidad de asistir con mis hijos Julio Iván y Juan Pablo.

Nadie inventa algo ni hace innovación alguna a partir de la nada. Innovamos desde los paradigmas, es decir, innovamos desde los recuerdos, moldes, creencias, valores, hábitos, metáforas, imágenes, símbolos, etiquetas, acuerdos, expectativas y certezas que llevamos en la mente acerca de nosotros, los demás y todos los aspectos del mundo. Revisualizar es pensar diferente.

Habilidad 3: Combinar

Steve Jobs considera que es necesario que en esta nueva era de la innovación exista un liderazgo que fomente la combinación. "La innovación consiste simplemente en conectar y combinar cosas", sostiene.

Si tienen interés los invito a que naveguen por internet y observen la obra *Ciencia y caridad* que muestra a un médico tomando el pulso a una mujer enferma; al otro lado de la cama, una monja sostiene en sus brazos a un niño. En mis conferencias acostumbro exponerla al público y preguntar quién consideran que es el autor: *a)* Picasso, *b)* Rembrandt o *c)* Rubens. Nadie levanta la mano a favor de Picasso, 30% lo hace por Rembrandt y el 70% restante se decide por Rubens (ya no tienen de otra). Cuando les digo que el autor es Picasso la sorpresa es mayúscula. Picasso la pintó a sus 16 años (1897) y se trata de un óleo sobre lienzo. Se inspiró claramente en *La visita de la madre* del artista español Enrique Paternina. La comisaria y conservadora del museo barcelonés, Malén Gual, ha explicado en la presentación que se trata de una obra esencial en la etapa de formación de Picasso, cuyo tema se enmarca en "el realismo social predominante en los medios más conservadores de la segunda mitad del siglo XIX y que sigue la tradición de las obras presentadas en las exposiciones de bellas artes de la última década de ese siglo".

El proceso creativo de Picasso evidencia la relación existente entre los paradigmas y la innovación: primero: Rompimiento de conexiones de paradigmas: ruptura definitiva con la pintura tradicional. Rompe con el último estatuto (paradigma) renacentista vigente a principios del siglo XX, la perspectiva. Picasso elimina todo lo sublime de la tradición reaccionando contra el realismo e influido notablemente por la aparición de la fotografía. Todo cambio pasa por darnos permiso para salirnos de nuestros límites paradigmáticos. Límites que nos hemos autoimpuesto o permitido que nos impusieran otros; segundo: Combinación de paradigmas que nunca han sido relacionados: como elementos precursores del cubismo debemos destacar la influencia de las esculturas africanas y las exposiciones retrospectivas de Georges Seurat (1905) y de Paul Cézanne (1907) así como la poesía de Apollinaire y Max Jacob. La combinación de los elementos anteriores da como origen el "cubismo", provocando nuevos significados en esa síntesis novedosa. Este movimiento vanguardista da inicio con el cuadro *Las señoritas de Avignon*. Esta obra es considerada el inicio del arte moderno y una nueva etapa en la pintura del siglo XX. Le habrían de seguir otras más como el óleo donde retrató a su musa Marie-Thérèse Walter, madre de su hija Maya. Dicha obra se vendió en la casa de subastas Sotheby's de Londres por 32.9 millones de euros. ¿Con cuál se quedan? ¿Con esta última o con *Ciencia y caridad*?

Es muy probable que si Picasso se hubiera limitado a "romper paradigmas" ya habría sido sepultado en el olvido. Pero no se limitó a ello. En todo caso podríamos hablar aquí de "destrucción creativa". Un concepto acuñado por el gran economista Joseph Schumpeter que explica la "paradoja" del progreso y que muchos estudiosos lo reducen a "sustituir lo viejo por lo nuevo". En el fondo lo que se da es una "conexión" entre sectores, donde los nuevos atraen los recursos que antes se destinaban a los viejos. Me queda claro que este tema tiene como telón de fondo a los sistemas capitalistas y, como tal, merecería una discusión aparte, porque no tiene sentido un "texto sin contexto", y somos muy dados a separar lo uno de lo otro, como si quisiéramos separar una interpretación de un paradigma; lo cierto es que todo se combina.

Para Jack Dorsey, fundador de Twitter, la innovación ocurre cuando pensamientos dispares se conectan. "Es importante desmitificar el término. Innovación es sólo reinvención y replanteamiento. No creo que haya algo real y orgánicamente nuevo en este mundo. Se trata sólo de una mezcla de todas estas cosas que proporcionan diferentes perspectivas, lo que te permite pensar en una forma completamente diferente." Los mejores inventores buscan experiencias diversas, recopilando muchos puntos que luego pueden asociar. De alguna forma la innovación se relaciona tanto con el pasado como con el futuro. Dorsey anima a realizar paseos a medio día fuera de las oficinas como fuente de inspiración y lidera grupos de empleados en excursiones a museos o al otro lado del puente Golden Gate, en San Francisco. En la medida que podamos aprender a pensar diferente, combinando más fuentes de información y experiencias, mayores posibilidades tendremos de tener resultados innovadores.

Bruce Nussbaum es profesor de Innovación y Diseño en Parsons, la Nueva Escuela de Diseño, en Nueva York, y considera que la innovación es "relacional", así que su práctica consiste principalmente en conectar puntos dispares del conocimiento existente en formas nuevas y significativas. Nuestra civilización se fundamenta en alrededor de 25 000 ideas y una infinidad de combinaciones de ideas.

Pese a que creemos que los creadores inventan algo de la nada, Steve Jobs asegura que incluso los conceptos más remotos surgen usualmente de combinaciones de cosas que existen. Es decir innovamos desde los paradigmas. Así que de lo que estamos hablando es de la importancia de "revisualizar" más allá de las ideas admitidas, combinando de forma inédita conocimientos ya adquiridos.

¿Qué podemos combinar o conectar? Alimentos, modas, colores, texturas, materiales, números, tecnologías, productos, letras, elementos, servicios, artes, ciencias, ideas, sabores, emociones, juegos, música, imágenes, símbolos… etc. Todo lo que se te ocurra y seas capaz de imaginar. *Tú eres tu conectoma.* Me explico: tú no eres solamente tu "genoma", eres tu "conectoma", es decir, eres tus antiguas "conexiones neuronales" (recuerdos y paradigmas) combinadas con las nuevas "conexiones neuronales" (aprendizajes e innovaciones) que seas capaz de construir. En nuestra "idea" del mundo podemos aspirar a conectarlo "todo con todo" (de hecho así es como funciona el mundo, todo en él está interconectado). En este sentido, tal vez sea más propio decir: podemos aspirar a descubrir todas las conexiones que ya existen en el mundo. Para luego tratar de comprender cómo es que se dan estas combinaciones, asociaciones o conexiones.

Cuando analizamos las conexiones neuronales que se convierten en innovaciones nos damos cuenta de que "siempre estarán las partes que no cambian". Aunque muchas cosas cambien, la mayor parte permanece constante. La mayoría de los cambios no se dan en lo que hacemos sino en la forma de lo que hacemos. En la moda masculina casi el único cambio ha sido el ancho de la corbata, cada 20 años. De los 30 000 nuevos productos de consumo lanzados cada año más de 90% caduca. Por más que la tecnología haya crecido a pasos colosales, la esencia del cine, lo importante de las películas, no ha mutado ni un ápice, dijo James Cameron, director de *Avatar* y *Titanic*, los dos filmes más exitosos de la historia. "Lo que necesitas (para una buena película), además de una buena historia, son actores, una cámara y un buen equipo, y eso no ha cambiado en 100 años", explicó el canadiense en su conferencia magistral dentro del programa de TagDF.

Con ayuda de la gráfica 9 y repasando lo que leímos en el capítulo anterior ("El poder de los paradigmas") podemos hacer un recorrido, mapeo, auditoría, o una simple lista de verificación, de los diversos términos y conceptos vinculados con los paradigmas.

Podemos combinar recuerdos, memorias, registros, moldes esquemas, contextos, herramientas, métodos, sistemas, creencias, enfoques, puntos de vista, teorías, valores, incentivos, hábitos, colecciones, gustos, costumbres, culturas, metáforas, crónicas, cuentos, lecciones, imágenes, impresiones, marcos

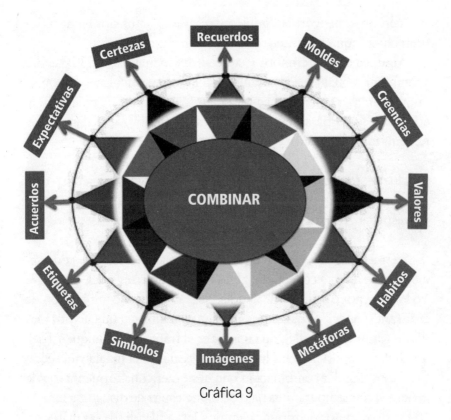

Gráfica 9

de referencia, símbolos, marcas, lemas, logos, significados, etiquetas, categorías, especialidades, catálogos, oficios, acuerdos, agendas, alianzas, cargos, puestos, protocolos, expectativas, motivaciones, sueños, anhelos, certezas, afirmaciones, posiciones, postulados, respuestas... Y como decía Buzz Lightyear en la película *Toy Story*: "Al infinito y más allá". Sobre todo si combinamos el poder de los paradigmas, en cualesquiera de sus manifestaciones, con el mundo del azar, lo aleatorio y las posibilidades.

Para transitar de una mente "convencional" a una mente "caleidoscópica" necesitaremos de la combinación de muchos tipos de pensamiento: crítico, divergente, analógico, lateral, reversible, disruptivo, asociativo. Pensamientos que nos llevan a pensar de múltiples maneras diferentes. Necesitaremos aprender a sumar 2 + 3 + 2. Las dos mentes del ser humano (la consciente y la inconsciente); los tres cerebros (neocórtex, límbico y reptílico), y los dos hemisferios (derecho e izquierdo). Los resultados son exponenciales.

Algunos de los términos y conceptos vinculados con la palabra "combinar" son: mezclar, ensamblar, relacionar, vincular, unir, conectar, sumar, agregar, atar, ligar, asociar, fusionar, amalgamar, juntar, coincidir, coexistir, adicionar, colaborar, vertebrar, articular, cooperar, enlazar, yuxtaponer, entrelazar, enganchar, conjuntar.

> Un recordatorio: no importa lo que sea que combinemos. Lo que sí importa es que lo que combinemos sean pensamientos dispares, cosas no relacionadas con anterioridad.

Se trata de que hagamos nuevas combinaciones, de que conectemos lo que no está conectado. ¿Has escuchado acerca del "cronut"? Yo lo supe por mi hija Ana Claudia. Se trata de una combinación de croissant (panecillos parecidos a una media luna o a un cuerno) más donut (dona o rosquilla). Su creador es el francés Dominique Ansel, un chef de repostería en Nueva York. ¿Cuál es la magia y el secreto de esta singular combinación que ni siquiera una tormenta fría de invierno, con temperaturas bajo cero, fue capaz de disuadir a más de 100 neoyorquinos de formarse en una larga fila, desde las 6:30 a.m. para comprar sus apetecibles cronuts? Hasta ahora el número máximo de cronuts que una sola persona puede comprar es de seis.

En el primer capítulo mencioné la importancia de una educación que combine ciencia, tecnología y arte para conseguir con ello innovaciones únicas y valiosas. Mi ejemplo favorito es Pixar, cuyo eslogan es por demás elocuente: "El arte desafía a la tecnología y la tecnología inspira al arte". Sus películas no sólo fueron "taquilleras", sino que se convirtieron en verdaderas "improntas" en la mente y el corazón de toda una generación. *Toy Story, Monsters Inc., Cars, Ratatouille, Wall-e, Buscando a Nemo, Los increíbles*... me enternecen porque las asocio con la niñez de mis cuatro hijos.

Pixar no es el único. Cuando ves un mensaje como éste: "Nos veo en el negocio del arte", ¿en qué o en quién piensas? Lo más seguro es que no sea en General Motors. Pero resulta que quien lo dice es Robert Lutz, vicepresidente de GM: "Nos veo en el negocio del arte.

Arte, entretenimiento y escultura en movimiento que, por coinciden-
cia, también resulta que proporciona transporte". Y BMW no se queda atrás: "Nosotros no hacemos automóviles. BMW produce obras de
arte en movimiento que expresan el amor del conductor por la calidad". Samsung, la compañía multinacional de electrónicos de Corea
del Sur, y una de las 10 marcas más valiosas en el mundo, fue reconocida en 2013 como una de las empresas más innovadoras y espe-
cíficamente "por elevar la imitación a una forma de arte". Así que
por lo visto los nuevos líderes tendrán que aprender a "pensar como
ingenieros" y a "sentir como artistas". La mente consciente y la mente inconsciente en acción.

Lo bueno de este desafío es que si John Toby y Leda Cosmides,
cofundadores de la psicología evolucionista, tienen razón en lo que
afirman, en el sentido de que el arte es universal porque cada ser
humano fue diseñado por la evolución para ser un artista, y ha desarrollado su mente de acuerdo con principios estéticos, el reto no es,
al menos, imposible. La combinación de ciencia, tecnología y arte se
traduce en "diseños superiores". Y aquí entran en escena Fab♥, por
"ayudar a las personas a mejorar su vida con el diseño"; Sodastream
por "hacer de la carbonatación algo sexy", al permitirnos poner a las
burbujas en libertad creando nuestras bebidas favoritas, y Pinterest,
por "revivir la pasión por las imágenes".

La pregunta que tendremos que dinamitar con otro par de preguntas es: ¿No combina? Por lo común son los paradigmas los que
nos llevan a decidir si algo combina o no. De ahí la importancia de
"revisualizarlos", cuestionarlos y desafiarlos: ¿Y qué pasa si? y ¿Por
qué no? Justamente las ideas innovadoras lo son porque crean nuevas combinaciones y asociaciones. Las nuevas asociaciones son por lo
general ilógicas, caprichosas, raras, extrañas, absurdas, locas, extra-
vagantes, ridículas, chistosas, paradójicas, contradictorias, inadecuadas, y lo que le sigue.

Un caso que me parece de lo más interesante y que ha desper-
tado tremendamente mi curiosidad y atención es el de las "maletas
con ruedas". ¿Qué pasaría si tuviéramos que atravesar un aeropuerto corriendo con las maletas para poder llegar a embarcar si
nuestras maletas no tuvieran ruedas? Todo sería un desastre, está cla-

ro. Eso mismo pensó Bernard D. Sadow en 1970 cuando arrastraba dos pesadas maletas a través de un aeropuerto al regresar de unas vacaciones familiares en Aruba. Esperando en la aduana observó cómo un trabajador rodaba, sin mucho esfuerzo, una pesada máquina sobre un patín de ruedas. Le dijo a su esposa: "¿Sabes?, ¡eso es lo que necesitamos para el equipaje!" Cuando regresó a trabajar (era vicepresidente de una compañía de Massachusetts que hacía maletas y abrigos) tomó unas ruedas que tenía en un armario, las montó en una gran maleta de viaje, le puso una correa en la parte delantera, tiró de ella, y funcionó. Era una idea novedosa. Pero faltaba mucho para ser una "innovación exitosa". La patentó (patente 3.653.474) y luego fue tienda por tienda ofreciendo su producto: la combinación de una maleta con ruedas. No fue nada fácil. "La gente no acepta bien el cambio", decía Sadow. Sobre todo los hombres que, en una postura muy machista, se resistían a usarlas. Han pasado 40 años desde entonces y nosotros no sabríamos vivir sin maletas con ruedas, pero en aquella época algo que parecía tan obvio y sencillo y que facilitaba mucho las cosas a los viajeros fue considerado como "un invento loco que nadie iba a querer". En octubre de ese mismo año, la prestigiosa Macy's neoyorquina comenzó a vender la innovación ("el equipaje que se desliza").

La tienda de equipo para exteriores REI.com preparó una guía de lo más ilustrativa sobre la evolución del equipaje. Éstos son sólo algunos de sus hallazgos. Fue en el año 1153 que el equipaje con ruedas fue creado en Palestina para llevar armas durante las Cruzadas. En 1596 el término "equipaje" se acuñó como "luggage", que en inglés viene de "lug", que significa para arrastrar. En 1848 el equipaje con ruedas aparece nuevamente, esta vez tirado por elefantes en la India. En 1910 se crea la fábrica de "maletas-baúles" Shwayder en Denver. Para 1966 se convierte en líder en el área con sus maletas Samsonite, cuyo nombre proviene de Sampson (Sansón), el personaje bíblico. En 1987 el piloto Bob Plath le agrega la manilla estática a las maletas con ruedas. Primero las vendió a los miembros de su propia tripulación, y cuando los viajeros en los aeropuertos vieron a las azafatas caminando a pasos veloces con sus nuevas maletas rápidamente se creó un nuevo mercado. Bob dejó de volar y fundó Travelpro International, ahora una importante empresa de equipaje. Otros fabricantes de equipaje lo imitaron de inmediato. En 1994 Don Ku crea otra innovación, la manilla retráctil que tienen todas las maletas con ruedas en la actualidad. ¿Qué sigue? ¿Quién puede saberlo? Pero ya se habla de una que se transformará en asiento y otra que le podrían combinar joystick, teclado, acceso a Wi/Fi, pantalla LED táctil, frenos para las ruedas, e incluso un clóset para la ropa. ¿Les parece absurdo, excesivo, inútil y sinsentido? Es el olor de la innovación. Las buenas ideas quieren conectarse, vincularse, recombinarse. ¿A quién le cabe en la cabeza que hubieran de pasar casi 6 000 años entre la invención de la rueda y esta genial aplicación de ella? Hoy el uso de la maleta con ruedas no sólo se reduce a los aeropuertos, cada vez más se extiende a las oficinas y a la escuela.

Imaginémonos esta combinación: diferentes formas de arte, ética y diversión, el peligro de actos físicos con el suspenso de la narración de una historia, personalidades diversas con talentos y experiencias, la unión de cabaret, arte circense, música y comedia. El resultado es "Los siete dedos de la mano", una compañía fundada en Montreal en 2002 por Sebastián Soldevila e Isabelle Chassé, inspirados en la misión de renovar (revisualizar) el género cirsense.

¿Cooperación o competencia? ¿Y por qué no combinamos las dos? Justo de esta combinación surgió el concepto de "coopetición" o "coopetencia". Es la colaboración oportunista entre diferentes actores económicos que además son competidores. El término es una fusión entre dos palabras: "competición" y "cooperación", se trata de un neologismo que se genera uniendo el principio de una palabra con el final de otra y fue popularizado por dos autores estadounidenses en 1996: Adam M. Brandenburger y Barry J. Nalebuff. En España existe un excelente ejemplo de "coopetición". Se trata de la Asociación Nacional de Centrales de Compra y Servicios (Anceco), cuya visión es que "la coopetición te enseña a competir sin destruir el pastel y a cooperar sin que se coman tu parte".

Conozco personas que son aficionadas a la fotografía, y algunas son algo más que eso, son obsesionadas. Pueden llegar a tener en su historial miles de fotografías tomadas por ellas mismas. Y si nos ponemos a pensar, además de la pasión y el disfrute de su actividad (que no es poca cosa), ¿a qué se reduce todo ello? No es lo mismo tener un montón de fotografías guardadas en un disco duro que "amontonar fotos, una encima de otra, a la manera de combinaciones caleidoscópicas", hasta lograr visiones que el ojo humano no ha visto jamás. Esto es justo lo que el fotógrafo Matt Molloy ha conseguido. Matt vive en la orilla del lago Ontario, al este de Toronto, y durante más de tres años consecutivos ha estado fotografiando las puestas de sol y el desplazamiento de las nubes por el cielo. Si aquí terminara la historia estaríamos hablando justo de eso, de una historia, pero no de una "innovación". Sin embargo a Molloy se le ocurrió combinar, digitalmente, decenas y centenas de fotografías en una sola fotografía. El resultado lo ha venido exhibiendo al mundo en sus "Cielos imposibles". El efecto es diferente en cada imagen, algunos parecen ser obra de un artista impresionista y el cielo parece lleno de bolas de algodón de colores, otros tienen un humor más "futurista", con diseños geométricos que se cruzan en el aire. Podemos apreciar sus fotografías en el buscador de Google. Si no las hubiese combinado, lo único que tendría es un montón de fotografías, de una realidad tan real, que a pocos importaría.

De igual manera un montón de alimentos es sólo eso, un montón de alimentos. Pero en la mente y en las manos del fotógrafo londinense Carl Warner es definitivamente algo diferente. Lo que este artista crea son paisajes impresionantes hechos con una gran variedad de ingredientes de comida de verdad, tales como embutidos, pescado fresco, frutas, verduras y pan, y construye mundos que se ven increíblemente realistas. Puedes accesar a www.carlwarner.com/ para disfrutar de sus maravillosas obras.

¿Paradigmas o aleatoriedad? ¿Y por qué no combinamos los dos? Al igual que en la "intersección" de la teoría de conjuntos, "todo lo que nos importa está en medio, allí donde el patrón (paradigma) y la aleatoriedad se mezclan". Charles H. Bennett (investigador de IBM y uno de los fundadores de la teoría de la información cuántica) desarrolló una nueva medida del valor que denominó la "profundidad lógica". Se relaciona con la complejidad pero está en oposición a ella. No hay profundidad lógica en las partes de un mensaje que son mera aleatoriedad e imprevisibilidad (mundo de las posibilidades), y no hay profundidad lógica en la redundancia evidente, en la simple repetición y copia (mundo de los paradigmas). Todas las predicciones que podemos hacer del futuro son una mezcla de determinismo y probabilidades.

Consideremos el caso del "crucigrama": nació en 1933 en los Estados Unidos, cuando Arthur Wynne, un periodista los creó y los vendió al diario *New York World*; fue tal su éxito que se hizo millonario. Si un crucigrama es demasiado superficial y "predecible" (mundo de los paradigmas) no nos interesa, es aburrido. No nos desafía. Si por el contrario es demasiado críptico, difícil de descifrar, nuestro cerebro emprende la retirada. No nos interesa. Es demasiado complicado. La combinación de un poco de "predecibilidad" con un poco de "aleatoriedad" es lo que nos produce placer. A la combinación de procesos que no son ni deterministas (el siguiente suceso puede calcularse con seguridad) ni aleatorios (el siguiente suceso es absolutamente libre) se les conoce como "procesos estocásticos", están regidos por una serie de probabilidades.

Uno de los fenómenos de esta nueva época es la abundancia de información y datos. Muchos ven en esto su efecto pernicioso, una especie de "infoxicación", pero muchas empresas intentan comprender cómo los datos cambian la forma de hacer negocios y están buscando la mejor forma de aprovecharlos. Los expertos ya bautizaron este fenómeno como Big Data. La definición es amorfa, pero normalmente significa lo siguiente: las empresas tienen acceso a mucha más información que antes, que proviene de muchas más fuentes, y la obtienen casi al momento en que se genera. El concepto de Big Data a menudo se relaciona con las empresas que ya operan en el mundo de la información, como Google, Facebook y Amazon. Pero compañías en múltiples industrias están colocando los datos en el corazón de sus operaciones. Están recolectando cantidades enormes de información, a menudo combinando indicadores tradicionales como las ventas, con comentarios de redes sociales e información de ubicación que viene de los dispositivos móviles. Las empresas escrudiñan esta información para mejorar sus productos, recortar costos y mantener la fidelidad de sus clientes. Caesars Entertainment Corp analiza cómo sus 65 000 empleados y sus familiares usan el seguro médico. Zynga Inc., el desarrollador de juegos como FarmVille, extrae 25 terabytes diarios de información sobre sus juegos, lo suficiente para llenar 1 000 discos Blu-Ray. Utiliza esa información para mejorar la atención al cliente, el control de calidad y determinar qué características se integrarán a la siguiente generación de juegos.

Siendo senador de la República, el 6 de marzo de 2012 presenté una iniciativa para reformar la Ley de la Propiedad Industrial, a fin de coadyuvar en el mejoramiento de la competitividad del país y facilitar a innovadores y emprendedores la obtención de protección legal para los productos que desarrollan, mediante el reforzamiento de la figura conocida como "modelos de utilidad", previsto en dicha legislación. "Los modelos de utilidad son aquellos objetos, utensilios, aparatos o herramientas que, como resultado de una modificación en su disposición, configuración, estructura o forma, presentan una función o utilidad diferente respecto a las partes que los integran, o bien, que tienen ventajas adicionales en cuanto a su utilidad." A diferencia de las patentes, que otorgan protección a nuevos diseños y tecnologías, los "modelos de utilidad" se aplican fundamentalmente a la protección de soluciones innovadoras que combinan diversas ideas o tecnologías ya existentes para crear un nuevo producto con características o funciones diferentes. La mayoría de los modelos de utilidad que se registran se basan en combinaciones. A los modelos de utilidad se les conoce como "pequeñas innovaciones", cuya novedad no es universal sino nacional. La figura de los "modelos de utilidad" se estableció por primera vez en la legislación mexicana en 1991 a través de la Ley de Fomento y Protección de la Propiedad Industrial, como una forma de promover la creatividad y el desarrollo tecnológico doméstico y, a su vez, aumentar la competitividad de las empresas mexicanas mediante la protección de las invenciones menores que realizaban sin que se requiriera mayor formalidad que la presentación de la solicitud.

En ese momento, a diferencia de lo que sucede cuando se emite una patente, en la figura de "modelos de utilidad" no se realizaba un examen de fondo de la solicitud, lo que redundaba en un costo menor y en tiempos de obtención de la protección jurídica mucho menores que en el caso de las patentes. De acuerdo con datos de la Organización Mundial de la Propiedad Intelectual, en México la figura de los "modelos de utilidad" es utilizada con mucha mayor frecuencia porque su costo tiende a ser menor que el de una patente, pero también porque su trámite de registro tiende a ser mucho más rápido, sencillo y económicamente más rentable que la obtención de una patente, sobre todo para el caso de productos que se basan en la combinación de diversas tecnologías ya existentes para ofrecer una nueva funcionalidad y cuyo ciclo de vida en el mercado suele ser relativamente reducido. Empero el manejo inadecuado de esta figura, particularmente el registro ilícito de "modelos de utilidad" provenientes del extranjero, originó que en una reforma a la Ley de la Propiedad Industrial de 1994 se impusiera como requisito la realización del examen de fondo, lo que anuló la principal ventaja que ofrece esta figura para los innovadores mexicanos, ya que el procedimiento para la obtención del registro en muchas ocasiones supera la duración del ciclo de vida comercial de los productos que se pretende proteger. Actualmente la resolución de las solicitudes de registro de los modelos de utilidad demora en promedio 24 meses, aunque el tiempo límite para la realización del examen de fondo puede extenderse hasta cinco años, mientras, por ejemplo, el tiempo promedio para el otorgamiento del registro en el sistema japonés es de cuatro a seis meses. Japón es sólo un ejemplo, otros de nuestros socios comerciales tienen sistemas similares; de hecho, en términos generales la eliminación de los exámenes de fondo para la emisión de registros de modelos de utilidad parece ser una tendencia creciente entre los principales socios comerciales de nuestro país. La ausencia de ese examen acelera la concesión de los derechos de propiedad intelectual. Algunos ejemplos de países que no realizan el examen de fondo para los modelos de utilidad incluyen a Australia, Bélgica, Bielorrusia, China, República Checa, Dinamarca, Francia, Alemania, Grecia, Irlanda, Italia, Japón, Países Bajos, Perú, Rusia, Eslovaquia, España, Turquía, Ucrania y Uruguay. De las cinco economías emergentes más dinámicas en la actualidad, los llamados "Países BRICS", Brasil, Rusia, India, China y Sudáfrica, sólo el primero tiene el requisito de realizar un examen de fondo para la emisión de los registros de modelos de utilidad, mientras que esta figura jurídica no existe en la India. La eliminación del examen de fondo en modelos de utilidad reduciría el tiempo de análisis y resolución de modelos de utilidad así como que los solicitantes tendrían certeza jurídica respecto a su solicitud en un menor lapso; además, la simplificación administrativa generaría una mayor cantidad de solicitudes de modelos de utilidad. Un trámite sencillo pero correctamente regulado constituye un elemento de competitividad nacional y representa un factor de captación de inversión extranjera. La iniciativa se turnó, para su análisis y dictamen correspondiente, a la Comisión de Comercio y Fomento Industrial.

Combinando conocimientos internos con conocimientos externos. A esto se le conoce como "innovación abierta". El caso InnoCentive es un ejemplo de innovación en *management*. Co-innovación a través de *innomediarios*. Fue fundada con la premisa de que por cada desafío científico que enfrente una compañía, existe una mente especialmente preparada en alguna parte del mundo con la pericia y el conocimiento para resolver este problema de forma rápida y barata. El reto era conectarlos. InnoCentive lo logró y marcó un hito en la historia con su iniciativa de conexión entre las principales corporaciones mundiales y los científicos del mundo entero para resolver desafíos difíciles de investigación y desarrollo. Actualmente esta red de más de 25 000 científicos en línea, en 125 países, ha integrado una comunidad de "proveedores de soluciones" que se ha convertido en el laboratorio virtual más grande del mundo. Líderes globales como BASF, The Dow Chemical Company, Procter & Gamble y Syngenta, que conjuntamente invierten miles de millones de dólares en esfuerzos de investigación y desarrollo, se unieron a la comunidad de "buscadores" de InnoCentive. Un factor clave del éxito han sido sus relaciones con prestigiosas universidades y organizaciones de investigación en el mundo entero. Pueden conocer más en www. innocentive.com/.

Podemos combinar arte con cualquier objeto, servicio o espacio para añadirle valor y singularizarlo. El Bosque de Osma es un buen ejemplo. Conocido como el "bosque pintado", es una sección del bosque vasco que gracias a la obra del pintor-escultor Agustín Ibarrola, quien pintó los troncos con figuras humanas, animales y geométricas de gran colorido, se ha convertido en una atracción para los visitantes al País Vasco.

La habilidad de combinar es claramente una de las que más se ejercitan en el mundo de la música. David Guetta cuenta que, cuando era niño, su profesora llamó a sus padres preocupada por sus resultados académicos. "No hay ningún problema. Yo quiero ser *DJ*", les respondió a sus padres, a lo que su profesora replicaba: "¿Crees que con eso vas a ganarte la vida?" David Guetta se hizo millonario mezclando música. Y además de seguir su pasión, ¿cuál fue su secreto? Él mismo nos responde: "He hecho una conexión entre la música electrónica alternativa y el pop y el hip hop". Así la gente puede entender la música dance, que era un fenómeno un poco más marginal". Ésa parece haber sido una de las claves de su éxito, combinar ritmos electrónicos de ordenador con poderosas y carismáticas voces, casi todas negras, procedentes en la mayoría de los casos de la música urbana y gospel, como el desconocido cantante estadounidense Chris Willis.

El músico francés Jean Michel Jarre es un pionero en los géneros electrónicos, ambientales y *new age* y emplea un instrumento musical conocido como "arpa láser", en la que las cuerdas son sustituidas por rayos láser. Una interesante combinación del arpa con el rayo láser, cuya palabra viene de un término inglés que da cuenta de una amplificación de la luz a partir de la emisión estimulada de la radiación. Sus espectáculos al aire libre combinan música con luces, pantallas láser y fuegos artificiales. Les recomiendo disfrutar de su melodía "Oxígeno" en YouTube.

Mastodon es una banda estadounidense de *heavy metal*, formada a principios de 2000, que materializa un poliedro musical que combina elementos progresivos, *heavy rock*, toques algo extremos, *base sludge metal*, cositas *grunge*, *doom* y mucho, pero muchísimo *groove*. ¿Amantes del riesgo?, le preguntan al guitarrista Bill Kelliher: "Sin lugar a dudas todo se trata de eso porque lo hace más interesante. Si te dedicas a crear el mismo álbum una y otra vez, el sonido es el mismo, no hay diversión para mí, siempre queremos empujar los límites porque hace falta un elemento de riesgo y posibilidad de fracasar".

¿Qué podemos decir de los hipertextos? Los textos son una estructura unidimensional, los hipertextos son textos multidimensionales, que se basan en la combinación de palabras, imágenes, sonidos y diversas caligrafías. En términos más sencillos, y a la vez más amplios, un hipertexto es un sistema de bases de datos que provee al usuario una forma libre y única de acceder y explorar la información realizando saltos entre un documento y otro. Según Roy Rada, el término *hipertexto* "se relaciona con el término 'espacio hiperbólico', debido al matemático Klein, en el siglo XIX". En 1965, Ted Nelson fue el primero en acuñar la palabra *hypertext* (texto no lineal).

Las innovaciones basadas en combinaciones nos sorprenden por todos lados. En 2004 se lanzó la primera zapatilla deportiva combinada con un microprocesador de 20 MHz, la Adidas 1, fruto de más de 20 años de desarrollo, fue un negocio muy lucrativo para la fábrica, pues en su debut más de 10 000 deportistas la compraron. Habrían de seguir otras innovaciones como el f50 Adizero TRX FG-sintético, que además de incluir nueva suela de tacos para mayor aceleración y duración en terrenos duros, incluye "mi coach", dispositivo que permite medir la velocidad y la distancia del futbolista y además lo combina con un adaptador para PC/MAC o iPhone o iPad para la posterior descarga de datos. ¿Y qué pasa si combinamos un celular con lentes ajustables? Lo que pasa es que tenemos el Smartphone Xperia Z1, un dispositivo que al combinarse con los lentes CyberShot QX100 y QX10 se convierte en una fabulosa cámara compacta, con lo cual los consumidores pueden disfrutar de experiencias inolvidables.

En resumen: La innovación consiste simplemente en conectar y combinar cosas. Una innovación exitosa es una combinación poderosa de paradigmas. Y su poder será mayor en la medida en que combine el poder de los paradigmas en sus 12 manifestaciones. Lego en latín significa "ponerlo junto", y es justo lo que ha hecho la empresa danesa de juguetes. Lego combina bloques de plástico interconectables. Un gerente de un centro comercial les sugirió: "Los juguetes necesitan una idea y un sistema organizado". ¿Cómo hacerle para que cuando levanto mi construcción no se desarme? ¿Como hacerle para que los ladrillos se mantengan unidos? Ladrillos con tubos al interior. Los cilindros y los agujeros en los bloques funcionan como limitaciones físicas naturales. Hacen que sea prácticamente imposible conectar piezas de manera incorrecta. Estas restricciones incorporadas desde el diseño eliminan la complejidad y los errores. Sistema combinado con modelos. Siempre están creando nuevos modelos. Su importancia se refleja en el paso de un departamento de modelismo a una sala de exhibiciones y luego a un parque de diversiones. Nacía el primer Legoland (los paradigmas como moldes en los sistemas y en los modelos). Lego ha establecido múltiples alianzas con las marcas e instituciones más importantes del planeta: Microsoft, Disney, Nike, Avianca, Wong, la NASA, y con franquicias de películas y videojuegos como *Star Wars*, *Harry Potter*, *Indiana Jones*, *Batman*, *Minecraft* (los paradigmas como acuerdos en las alianzas). Las teorías en que se basa son varias: la "conexión mano-cerebro" que maximiza el uso de todos los sentidos y estilos de aprendizaje; el construccionismo, "cuando construyes en el mundo, construyes en tu mente". La creencia: "aprendemos jugando" (los paradigmas como creencias en las teorías). A los niños sólo se les proporcionan soluciones. Necesitan resolver problemas con creatividad y usando su imaginación. Con la imaginación de un niño Lego podía hacer cualquier cosa, una y otra vez, de ahí que los aliente a expresar, con su imaginación, su propio mundo, un mundo sin límites (los paradigmas como imágenes). Si tuviéramos que seleccionar un valor como el nuclear en el ADN de la empresa desde sus orígenes, sería la calidad de excelencia para crear una buena marca. Estamos convencidos de que sólo lo mejor es suficiente porque los niños merecen lo mejor (los paradigmas como valores). ¿Qué significa el fondo rojo de Lego? Tal como lo vimos en el capítulo anterior, tenemos 60% de conos sensibles al rojo y el naranja, 32% al verde y el amarillo y sólo un pobre 4% para detectar el azul y el violeta (los paradigmas en los colores y sus significados). ¿En qué piensan los adultos cuando les compran juguetes Lego a sus hijos? En educación. ¿En que piensan los niños? En diversión. Una excelente combinación "educación divertida" (una excelente idea que podríamos extrapolar a nuestras escuelas). Cuando los niños juegan, los objetos se convierten en animales, camiones, automóviles, monstruos, y todo tipo de personajes a través de los cuales los niños construyen narraciones en el contexto de su juego. ¿Te acuerdas? ¿Tú también lo hacías? Y si tienes niños cerca, obsérvalos y te darás cuenta a qué me estoy refiriendo. La importancia que Lego le da al poder de los paradigmas como metáforas, en las narrativas y las historias, la podemos ver claramente en una de sus creaciones, el Lego Serious Play (el Juego Serio de Lego). Una de sus principales premisas es que contar historias "storytelling o storymaking" forma parte integral de la experiencia humana como medio para expresar ideales y valores que son importantes para nosotros y forman parte de tu acervo cultural. ¿Cómo enmarcar el caso de Nathan Sawaya, quien estudió derecho y luego abandonó su carrera para dedicar su vida al material que llenó las horas de su infancia en Oregon, Estados Unidos (los paradigmas como recuerdos)? Para Nathan, quien ha expuesto sus obras en los principales museos de varios países, jugar con Lego es un arte, y un estilo de vida (los paradigmas como hábitos).

¿En qué consiste la innovación poderosa de Lego? En "un sistema de construcción —cuyas piezas pueden separarse y recombinarse cuantas veces lo queramos— con posibilidades infinitas". Un sistema conectado a la imaginación, que es la habilidad humana de formar imágenes mentales de lo que todavía no existe. La imaginación es el único límite. En la universidad, Larry Page, el fundador de Google, construyó una impresora hecha con piezas de Lego y lápices. Para celebrar su 80 aniversario la empresa realizó un video que si te interesa puedes verlo en YouTube: la historia de Lego.

Habilidad 4: Experimentar

Un aspecto esencial de la innovación consiste en experimentar y probar alternativas. Algunos de los conceptos relacionados con la habilidad de experimentar son: estudiar, practicar, constatar, examinar, ensayar, verificar, probar. Experimentar nos lleva a probar y examinar, en la práctica; en el mundo real, la eficacia y propiedades de una cosa, nos lleva a conocer algo por la propia práctica.

Podemos experimentar y someter a prueba todas nuestras ideas y proyectos innovadores vinculados con nuevos recuerdos, nuevos moldes, nuevas creencias, nuevos valores, nuevos hábitos, nuevas metáforas, nuevas imágenes, nuevos símbolos, nuevas etiquetas, nuevos acuerdos, nuevas expectativas y nuevas certezas. Así como con

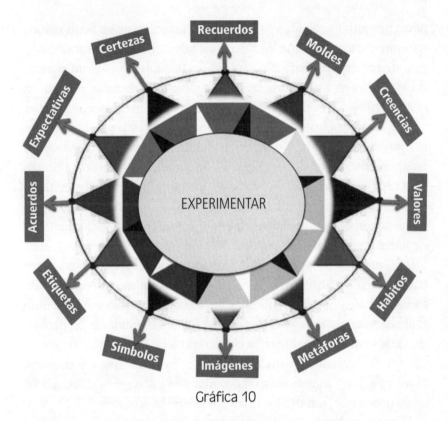

Gráfica 10

todos aquellos conceptos y términos asociados con ellos: nuevas tendencias, nuevas reglas, nuevos productos, nuevos servicios, nuevas fórmulas, nuevos algoritmos, etc. (véase la gráfica 10).

Si alguien ha puesto el énfasis en la importancia de la habilidad de la experimentación es el cofundador de Intuit, David Scott Cook, quien a partir de la observación de los problemas y quejas de su mujer sobre la gestión del pago de sus facturas y las cuestiones tributarias lanzó una compañía que es hoy una de las firmas más populares que ofrecen productos en línea y software que están diseñados para ayudar a las personas y a pequeñas y medianas empresas en la administración eficiente de sus finanzas. Scott Cook considera que es necesario que en esta nueva era de la innovación exista un liderazgo que fomente la experimentación. Tan simple como observar, probar y volver a intentar. Cuando en los grandes grupos de personas es difícil predecir lo que cada una querrá o hará, el rol de la experimentación a corto plazo permitirá probar ideas y acceder al próximo nivel. Scott es muy reiterativo acerca de que los líderes de hoy deben fomentar una cultura de la "experimentación rápida", es decir, promover un espacio donde se lleven a cabo pruebas de las ideas de quienes te rodean, en el corto plazo. Lo importante es probar todo el tiempo. Esto empieza por cambiar el paradigma de la innovación. Dejar de lado el viejo modelo de "opinión o decisión del líder" por el de "probar las ideas en la realidad de los clientes". Se sigue con otorgar la libertad para experimentar. Los miembros de un equipo se ven más motivados cuando pueden experimentar con sus propias ideas. Algo muy importante: no temer a la reacción de la gente ante el fracaso. Los beneficios de hacer pruebas que te pueden llevar al éxito son mucho mayores. Desde luego habrá que medir la reacción de los clientes a estas pruebas. De allí obtendremos resultados buenos o malos, pero valiosos en todos los casos. Si existen fracasos, aun así saldremos ganando debido al aprendizaje. Un tip verdaderamente focal: "Enamórate del problema de los clientes. En lugar de concentrarte en la solución, establece un vínculo cercano con sus necesidades", es decir, busca la empatía. "La empatía no sólo se trata de caminar con los zapatos de otro. Primero tienes que quitarte los tuyos", sostiene Scott Cook.

Empezar y regresar a comprobar si lo que has revisualizado, si las combinaciones que has imaginado, van por el camino de tener éxito. Si apuntan al blanco de las necesidades implícitas o latentes de nuestros clientes, si enriquecen de manera novedosa y única las experiencias de los clientes o, si es el caso, crean nuevas experiencias valiosas. La razón de experimentar lo que estamos pensando y creando es de entrada una vacuna a nuestra tendencia a confundir el mundo con nuestra idea del mundo, es someter a prueba nuestras expectativas y nuestras certezas. No hay proyecto ni idea que no parta de supuestos o de hipótesis. De lo que se trata es de ver si resisten los embates de la realidad. ¿Realmente mi idea es tan buena como la estoy pensando? PayPal es una empresa de comercio electrónico internacional que permite pagos y transferencias de dinero que se realizan a través de internet, y lo que hace para averiguarlo es crear pequeños equipos funcionales que se reúnen a la misma hora y a los que se les dota de autosuficiencia y libertad para experimentar.

Philip Knight, cofundador y presidente de Nike, ha declarado que "el problema en Estados Unidos no es que cometamos demasiados errores, sino que cometemos muy pocos". Nike "experimenta" a través de lo que se conoce como innovación a partir de la observación del usuario: cocreación de valor. La experiencia del usuario como parte del proceso innovador. Pensemos en la experiencia de un corredor. Nike conecta sus procesos con la experiencia de un corredor. Los empleados reciben información continua sobre las experiencias de los corredores para que busquen crear valor. En respuesta el cliente recibe nuevas experiencias. Es así como han surgido proyectos como el Nike ID: la experiencia de crear un zapato personal.

¿Cuándo sabemos que estamos listos para experimentar? Cuando derivado de nuestros ejercicios de revisualización y de combinar ideas hemos sido capaces de construir un prototipo del producto o servicio que tenemos en mente. Los prototipos son la mejor manera de hacer que nuestro pensamiento se haga visible. Y no tenemos que esperar a desarrollar algo sofisticado, por lo menos no en el concepto tradicional. Leonardo Da Vinci llegó a escribir que "la simpleza es la máxima sofisticación". Cuando Bernard Shadow regresó del aeropuerto, cogió una maleta y la puso sobre unas ruedas, tenía ya el primer prototipo de lo que, luego comprobaría, habría de ser una gran innovación, la "maleta con ruedas". La frontera entre el mundo de los paradigmas y el mundo de la innovación son los "prototipos". Los prototipos son el principal conector entre ambos mundos, contrario a lo que muchos piensan, que el primer paso debería ser escribir un plan de negocios o un modelo financiero. Si eres capaz de construir un prototipo y mostrarlo con éxito, puede que nunca tengas necesidad, o el tiempo, para ningún tipo de plan. Guy Kawasaki, ex directivo de Apple, afirma que "un prototipo vale más que mil palabras". Realizar prototipos es una poderosa herramienta para el desarrollo de nuevos modelos de negocio. Al igual que el pensamiento visual hace tangibles los conceptos abstractos y facilita la exploración y experimentación de nuevas ideas.

Para la firma de diseño IDEO "crear prototipos es innovar". Los mejores creativos e innovadores usan prototipos para narrar historias y las historias para desarrollar prototipos. Hacer prototipos comporta llevar las ideas a creaciones físicas, experimentar, dar vueltas, probar, cambiar, equivocarse, rehacer.

Éste es un proceso de cultivo, de explorar el futuro desde la acción, integrando cuerpo, mente, corazón y voluntad para hacer diseños. Hacer prototipos rápidos tiene que ver con aprender haciendo y con emplearlos como un medio práctico para explorar el futuro. Implementar prototipos rápidos es algo más que tener una idea y llevarla a la práctica; es explorar el futuro mediante una acción. A esto se le conoce como "Prototipo mínimo viable". Una de las razones para diseñar prototipos rápidos y confrontarlos con la realidad es reducir y minimizar los riesgos connaturales a toda idea innovadora. En este sentido la metodología conocida como "Lean Startup" favorece la "experimentación" sobre la "planificación".

El autor Stefan Thomke, de la Escuela de Negocios de Harvard, distingue seis aspectos necesarios en el campo de la experimentación: *1)* anticipar y aprovechar la información disponible; *2)* experimentar en forma controlada; *3)* integrar conocimientos previos y conocimientos nuevos; *4)* diseñar experimentos rápidos; *5)* permitirse fallas pequeñas y evitar grandes errores, y *6)* considerar los nuevos proyectos como experimentos.

Experimentar es preguntarte: ¿cómo pongo a prueba mi idea? Si de lo que se trata es de un modelo de negocio, es necesario que valides las hipótesis que están detrás de éste con pruebas y realimentación. ¿Qué pasa si lo que pensabas no tiene futuro? ¿Qué ocurre cuando tus expectativas se rompen como las olas contra las rocas? ¿Qué sucede cuando tus ideas o supuestos no son aceptados por el mercado que habría de rogar y pagar por ellos? Hay quienes ven en esto un obstáculo insuperable y "tiran la toalla". Ya no siguen adelante. Otros no sólo desisten sino que etiquetan la experiencia como un "fracaso", y éste se convierte en una impronta que los marca para siempre. Hay culturas que no perdonan el fracaso. Otras, como en la estadounidense, un individuo puede reinventarse constantemente. Lo importante es revisar nuestros supuestos, ajustar nuestros prototipos y probar de nuevo. Las veces que sea necesario. Hasta que estemos listos y medianamente convencidos de que es hora de persuadir a otros. Sabemos que tenemos una buena idea —producto o servicio— en nuestras manos.

Habilidad 5: Crear redes

El término genérico de *red* hace referencia a un conjunto de entidades (objetos, personas, etc.) conectadas entre sí. La conexión es clave. Por lo tanto, una red permite que circulen elementos materiales o inmateriales entre estas entidades, según reglas bien definidas. Es así que podemos hablar de red de transporte, red telefónica, red neuronal, red criminal, red informática, red social, entre muchas otras más.

> Reid Hoffman, cofundador de Linkedin, considera que es necesario que en esta nueva era de la innovación exista un liderazgo que fomente la creación de redes exitosas.

Podemos crear redes de recuerdos, moldes, creencias, valores, hábitos, metáforas, imágenes, símbolos, etiquetas, acuerdos, expectativas y certezas. Podemos colocarlas todas juntas en una "multirred" (véase la gráfica 11).

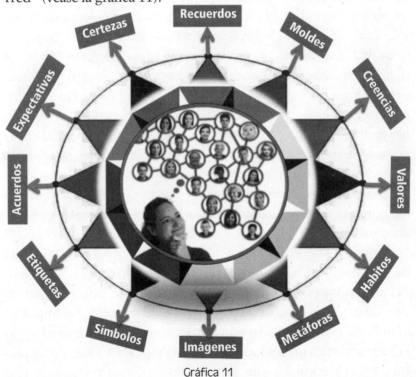

Gráfica 11

El doctor David McClelland, de la Universidad de Harvard, se dedicó durante 24 años a la investigación sobre el éxito y el rendimiento y su conclusión fue la siguiente: tu grupo de referencia, la gente con la que te asocias regularmente, determina ampliamente tu éxito o tu fracaso en la vida. Concluyó que 90% de todo lo que te ocurre en la vida estará determinado por las personas con las que te asocias regularmente. Empiezas a pensar, marchar, actuar, vestir y hablar como ellas y compartes las opiniones de quienes te rodean la mayor parte del tiempo. Así que la asociación con la gente que piensa como tú es vital a la hora de realizar cambios exitosos. Elige tus relaciones cuidadosamente. El hallazgo del doctor McClellan aplica para cualquier aspecto de la vida y, desde luego, especialmente para sacar adelante proyectos o ideas innovadoras.

En las investigaciones del inversionista Robert Kiyosaki hay una constante: los "ricos construyen redes". Si analizamos detenidamente a nuestro alrededor, veremos que todo funciona con base en redes. Hablamos de grupos de personas que trabajan bajo un "sistema" y que comparten utilidades de acuerdo con el crecimiento de la red y de sus "afiliados". De hecho, estés consciente o no, formas parte de una red. Algunos ejemplos: los sistemas de seguros son redes donde cientos o miles de afiliados pagan una prima anual para estar protegidos. Pero cuántos son los beneficiados. Solamente aquellos que tienen algún percance (que es un porcentaje muy bajo) y quienes reciben el pago con el dinero de todos los asegurados. El negocio de los bancos es aceptar dinero. ¿Cuál dinero prestan? Pues el de los ahorradores. Pagan un pequeño interés a sus ahorrantes para que éstos depositen su dinero ahí, y mejor si es por un plazo largo; luego te lo prestan a ti para tus proyectos, desde luego con un interés más alto, quedándose ellos con una suculenta utilidad.

Vamos a detenernos aquí a reflexionar un poco. Las enseñanzas de Hoffman, McClellan y Kiyosaki conducen a lo mismo: "Los grandes profesionales, en especial los creadores e innovadores, construyen redes que los ayudan a abrirse paso en el mundo". Sin importar lo brillante que seas tú o tu proyecto de innovación, trabajando solo perderás frente a un equipo y no llegarás muy lejos. Cuando mi hijo Julio Iván practicaba la gimnasia, que lo llevó a ser campeón nacional en su categoría, necesitó de un entrenador, de auxiliares, de sus padres, de sus amigos. Cuando Vicente Fox ganó la elección de 2000 necesitó de aliados, donantes, promotores y estrategas. Steve Jobs necesitó a Steve Wozniak (a quien tuve la oportunidad de escuchar en el foro de TagDF). Todos necesitamos de otros.

¿Qué hay detrás de la construcción de una red? Todo se reduce a confianza. Confianza en los valores que transmites, en las expectativas que generas, en el proyecto que visualizas, en la calidad del trabajo que realizas, en el historial que te precede. Tanto Daniel Goleman como Richard Boyatzis y Annie McKee consideran como algo elemental, en la construcción de redes de relaciones, lo que llaman "resonancia", la habilidad de un líder para generar empatía, confianza y emociones positivas en los miembros de la red.

La habilidad de crear redes para la innovación está relacionada con la habilidad de gestionar los paradigmas como acuerdos (véase el capítulo anterior) en cualesquiera de sus modalidades: alianzas, compromisos, pactos, contratos, negociaciones, etc., tal como lo saben hacer empresas como Lego, Starbucks, Pepsico, Bimbo, Disney y muchas otras más. En la era de la innovación la colaboración y la cooperación importan. Todos requerimos de interactuar con otras personas. Resulta interesante darse cuenta de que la palabra "compañía" deriva de los términos latinos "cum" y "pane", que significan "compartir el pan". Compartir es también comunicar tu innovación, tus valores, tu pasión, tus sueños. Tenemos que decirles a los demás sobre nuestras metas y sueños y convencerlos de que sean parte de nuestros proyectos. Nada que sea importante lo conseguiremos solos. La magia llega cuando otras personas sienten y ven lo apasionados que estamos por nuestro proyecto, lo que hace que los mismos circuitos en su cerebro sintonicen con el nuestro. Tenemos que conseguir que nuestras metas "resuenen" en los demás, y esto ocurrirá si logramos que sientan cierta "afinidad" con nosotros porque les parecemos que somos "de fiar" y merecemos su respeto. La razón y la investigación soportada en hechos y números apelan a la mente consciente: la resonancia se refiere al componente afectivo y metafórico y apela a la mente inconsciente.

De ahí la importancia de que tu proyecto de innovación "narre una buena historia" si quieres conseguir adeptos. Cabe recordar aquí lo que leímos sobre el poder de los paradigmas como metáforas en el capítulo anterior. Para Howard Peter Guber, productor estadounidense de cine y presidente de Mandalay Entertainment, los tres elementos esenciales de una historia atractiva (*storytelling*) son: el reto, la lucha y la resolución. El reto tiene dos funciones principales: capturar la atención y generar expectativas (recordemos el poder de los paradigmas como expectativas). Para ello debe ser un reto creíble y lo más próximo a nuestro público objetivo, es decir, los que integran las redes que estamos buscando construir o, en su caso, conectar. Narrar el proceso de lucha que el protagonista debe realizar para lograr el reto que hemos planteado con nuestro proyecto de innovación ofrece a quienes nos escuchan una experiencia emocional. Nuestras neuronas espejo nos hacen vivir imaginariamente todos los periplos por los que habremos de pasar. Esta lucha es la que asciende al protagonista a la categoría de héroe, otro punto clave de la *storytelling*. La resolución debe contener el factor sorpresa que genere en nuestros oyentes la dosis de emoción necesaria para llamarles a la acción. Trátese de lograr que se conviertan en socios, en promotores o en patrocinadores de nuestra idea. Un buen ejemplo para recordar los tres elementos de una buena historia para persuadir a nuestras redes (reto-lucha-resolución) es el cubo de Rubik, el rompecabezas de la combinación 3D inventado en 1974 por el escultor húngaro y profesor de arquitectura Erno Rubik.

Otras veces tenemos una buena idea o proyecto innovador pero con un marco inadecuado. Fue lo que le pasó a Marc Cherry, creador y productor ejecutivo de *Esposas desesperadas*. La propuso a seis televisoras y ninguna la quiso. Recurrió a buscar ayuda en sus redes. La opinión con que se encontró fue: "Está muy bien, ¿cómo es posible que no se haya vendido? ¿Cómo lo estaba ofreciendo tu agente?" A lo que Cherry respondió: "Bueno, se lo dimos a la televisión cómica de todas las televisoras y estudios, diciendo que era una sátira, una comedia negra, y ellos dijeron: 'Ése es el problema. Hay que decirles que es una telenovela con un poco de comedia' ". Así que no cambió el guión sino sólo la envoltura y ABC la compró. En abril de 2007 era el programa más visto en su género, con un promedio de 115 millones de espectadores en todo el mundo. Un buen ejemplo de la revisualización como "reenmarcado" para persuadir y conectar con nuevas redes.

¿Te has preguntado de qué tamaño es tu red de contactos actuales? Tu red es más grande y poderosa de lo que crees. Un estudio de miles de mensajes instantáneos en internet parece validar la teoría según la cual existirían "seis grados de separación" entre todos los individuos del mundo. Esta teoría postula que cualquier individuo puede ser vinculado a cualquier otro del mundo mediante una cadena de relaciones individuales de seis personas. El equipo de investigadores, que trabaja para el gigante de la informática Microsoft, estudió 30 000 millones de mensajes instantáneos enviados por 240 millones de personas en junio de 2006 y estableció que, en promedio, dos personas pueden ser vinculadas en 6.6 etapas. "Hemos logrado meternos en el tejido social de la conectividad entre individuos a escala planetaria y hemos confirmado que el mundo es muy pequeño", declaró Eric Horvitz, quien coordinó el trabajo con Jure Leskovec. "Creemos que es la primera vez que una red social a escala planetaria pudo validar el hallazgo conocido como 'seis grados de separación'", destacó. La teoría se apoya en los trabajos de Stanley Milgram y Jeffrey Travers, que habían pedido en 1969 a 300 personas que vivían en Nebraska hacer llegar una carta a alguien de Boston, Massachusetts, mediante conocidos. Un amigo representaba un grado de separación, el amigo del amigo dos grados, y así sucesivamente. Las cartas que llegaron a sus destinatarios franquearon en promedio 6.2 grados de separación. La teoría de los seis grados nunca fue considerada válida científicamente, pero inspiró una pieza de teatro, una película, un juego y dio su nombre a una organización caritativa. Desde 2001 el sociólogo Duncan Watts, mediante otro estudio, había llegado a la misma conclusión: "El mundo es pequeño después de todo. Y es pequeño porque está muy interconectado".

Crear redes es una habilidad fundamental para impulsar nuestras ideas o proyectos de innovación. Y puede ser una palanca muy poderosa para el desarrollo y eficacia de las demás habilidades del innovador. Con ayuda de las redes podemos precisar nuestro enfoque, ampliar nuestra revisualización, multiplicar las alternativas de combinaciones, experimentar y comprobar cuánto va nuestra idea o proyecto contra la corriente observando cómo reacciona nuestra red de contactos ante ellos. Lo que conseguimos cuando escuchamos las ideas de otras personas es lo que se llama "inteligencia en red".

En la opinión de Robin Dunbar, profesor de antropología evolutiva de la Universidad de Oxford, el cerebro evolucionó para permitirnos organizar las relaciones con los demás y está diseñado para poder relacionarse con 150 personas aproximadamente. Esta cifra —conocida como el "número de Dunbar"— se repite a lo largo de la historia y atraviesa todas las culturas. El ser humano no es más que la versión más radical de este fenómeno: tenemos el cerebro más grande y también los grupos más grandes. Nuestros grupos sociales suelen incluir a unas 150 personas. En algunos la cifra es ligeramente menor y en otros mayor, pero por lo general tenemos unos 150 amigos y allegados, incluidos nuestros parientes con los que realmente podemos estar en contacto y saber algo de ellos. No estamos hablando de amigos de Facebook, donde podemos tener varios miles de amigos si queremos. Sin embargo, si tenemos una gran cantidad de amigos en Facebook, a muchos, en realidad, apenas los conocemos. Si les pidiéramos un favor, probablemente no nos lo harían. Comienza por aprovechar tu red de contactos. La habilidad de crear redes se relaciona también con la creación de cualquier organismo vivo, finalmente estamos hablando de personas. De ahí la importancia de cuidarlas, darles mantenimiento, abonarlas, acariciarlas, consentirlas, apapacharlas, echarles porras, estar al pendiente de ellas. No hay nada peor que recibir un correo electrónico de la nada enviado por alguien con quien llevas cinco años sin hablar: "Oye, nos conocimos hace cinco años en aquel congreso de Seattle. Estoy buscando un trabajo relevante en el sector de la innovación". Sin comentarios.

Habilidad 6: Desactivar

Para explicar lo que intento comunicar con la habilidad de desactivar voy a iniciar con el cuento de "Gordon y el yate". Gordon era un joven estudiante cuyo papá era dueño de un yate. Tenía un amigo de nombre Peter, un joven universitario que había tomado clases de pilotaje manual. Se les ocurre organizar una fiesta en el yate con sus amigos.

Llegada la hora, Peter echa a andar el yate, presiona el automático, sin darse cuenta, y libera el timón. Con esta acción el automático guardó el curso en la memoria y respondió con correcciones del timón para mantener el yate en curso. Cuando alguno de ellos se percata de que el yate se está alejando del puerto le notifica a Gordon y éste a Peter. No hay problema, él sabe como hacerlo. Orienta el timón en dirección de regreso al puerto y vuelve con sus amigos, la fiesta está muy buena. Al rato alguien se percata de que el yate sigue navegando pero hacia alta mar. Peter interviene de nuevo... y de nuevo. El yate sólo le obedece por segundos para desacatarlo luego. Los amigos de Gordon lo cuestionan, ¿pues no que Peter sabía pilotar? ¿Quién gobierna? ¿Quién manda en este yate? Es hasta que Gordon hace contacto con el capitán que trabaja en la empresa de su padre y éste le explica que el yate en el que viaja funciona como un módulo de un sistema integrado y complejo, que cuenta con radar, sonar acústico, compás, instrumentos para el viento, navegador Decca, GPS, EPIRB (para emergencias en el mar)... y el piloto automático para rueda de timón (un Navico WP 300 CX). Peter toma nota de las instrucciones y desactiva el piloto automático de la rueda del timón y toma el control manual del yate. Listo, todo ha quedado en un pequeño susto. Lo que ha hecho Peter es "desautomatizar la automatizado". ¿Por qué es tan importante la habilidad de desactivar para innovar? Porque sin este paso permaneceríamos en el orden de siempre, por lo que automáticamente volveríamos a él. Igual que en el cuento del yate de Gordon.

La habilidad de desactivar se relaciona con detener un proceso o una acción o con anular el funcionamiento de una cosa. Algunos de los términos y conceptos relacionados con la habilidad de desactivar son: neutralizar, eliminar, anular, destruir, disminuir, desaparecer, fulminar, inutilizar, impedir, parar, quitar, frenar, detener, remover, romper.

¿Qué es lo que habremos de desactivar? Todos aquellos paradigmas en cualesquiera de sus manifestaciones que estorben, bloqueen o impidan el éxito de nuestras ideas o proyectos creativos e innovadores. Ya se trate de recuerdos, moldes, creencias, valores, hábitos, metáforas, imágenes, símbolos, etiquetas, acuerdos, expectativas o certezas (véase la gráfica 12).

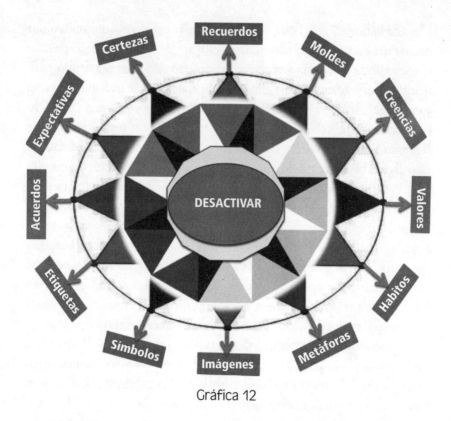

Gráfica 12

Conviene que empecemos por nosotros mismos. ¿Qué paradigmas obstaculizadores podrían impedirnos alcanzar nuestros sueños, hacer realidad nuestra idea innovadora? ¿Qué nos está deteniendo? ¿Qué determina la velocidad a la que alcanzamos nuestras metas? ¿Qué determina cuán rápidamente nos vamos a mover de donde estamos hacia donde queremos ir? Entre el lugar donde estamos hoy y cualquier meta u objetivo que queramos alcanzar existe una limitación importante que debe ser superada antes de que podamos alcanzar ese objetivo. Nuestra tarea es identificar claramente esa limitante y desactivarla.

> Lo fundamental es entender que para resolver un problema o conseguir un resultado deseado debemos reconocer y detener el modo inconsciente en que opera la mente.

En mi experiencia en la mayoría de los procesos de cambio, transformación o innovación, se suele ser omiso en la desactivación de los paradigmas obstructores, por varias razones: ni siquiera nos damos cuenta de su existencia, minimizamos su poder e impacto o por pura pereza y negligencia. La capacidad de la mente consciente de obviar la programación de la mente inconsciente es sorprendente. Pero tenemos que reconocer que la sola fuerza de voluntad es increíblemente débil, lo que explica que aproximadamente 88% de nuestros propósitos terminen en fracasos. Tomar libremente decisiones que nos vinculan con el futuro es lo que los filósofos denominan un "Contrato Ulises". A Ulises se le ocurrió la idea de anticiparse a su futuro "yo" y al embate de los paradigmas limitantes en cualesquiera de sus modalidades. El Ulises juicioso lo preparó todo para evitar hacer algo estúpido cuando pasaran por aquella isla. Fue un trato acordado entre el presente Ulises y el futuro. En la opinión del neurocientífico David Eagleman este mito subraya la manera en que la mente puede desarrollar un metaconocimiento acerca de cómo interactúan la mente a corto plazo y la mente a largo plazo. La asombrosa consecuencia es que la mente puede negociar consigo misma en diferentes puntos del tiempo.

Las mejores ideas fracasan porque nuestras dos mentes no trabajan juntas. Todas las grandes ideas innovadoras fracasan cuando los nuevos modelos mentales chocan con profundas imágenes internas. Un ejemplo dramático del poder de estos modelos lo representó la industria automovilística estadounidense en las décadas sesenta y setenta, cuyos modelos mentales podrían resumirse en la siguiente frase: "El negocio de GM es ganar dinero, no fabricar coches". Imaginemos un iceberg. Sabemos que sólo 10% (o menos) de su tamaño está visible en la superficie y que el restante 90% está por debajo e invisible a simple vista. Si hay vientos que van de izquierda a derecha y corrientes debajo de la superficie que van en sentido opuesto, ¿qué moverá al iceberg, los vientos o las corrientes? En el caso del iceberg la dirección y la fuerza de las corrientes debajo de la superficie, donde se encuentra la mayor masa, es lo que determina hacia dónde se mueve. Ya hemos aprendido sobre el poder de los paradigmas en el capítulo anterior. Pretender ignorar los paradigmas obstaculizadores, o peor aún, someter o doblegar a nuestra mente inconsciente, es una batalla perdida. El cerebro reptiliano, en alianza con el límbico, siempre gana la partida. La mente inconsciente, que como hemos visto reside en los dos cerebros anteriores, no responde bien al intento de forzarla. Así que la mente consciente debe iniciar con ella un diálogo atento, honesto, asertivo y respetuoso. Este proceso se desarrolla en un límite tan fino como el filo de una navaja. Tomaremos decisiones equivocadas si interrumpimos este debate mental, si a esta pelea neural le imponemos un consenso artificial. Lo que nos funciona bien en la vida son esas cosas que la mente inconsciente permite que funcionen, lo que requiere mucho esfuerzo son esas cosas que no apoya.

Algunas propuestas que pueden ayudarnos a facilitar el diálogo de las dos mentes y con ello desactivar las resistencias son: *1)* Analizar nuestros sentimientos. Toda interpretación deriva en un sentimiento y éste se compone de la tríada pensamiento-emoción-sensación. Una vez que conocemos los paradigmas (como modelos, como creencias, como valores, en cualesquiera de sus manifestaciones) que están detrás de la interpretación, comprendemos por qué se produjo tal pensamiento y descubrimos los significados, las emociones y las sensaciones adscritas al mismo. *2)* En este paso puede resultarnos de mucha utilidad lo que se conoce como la escalera de inferencias de Chris Argyris. Nuestros paradigmas influyen en la forma en que seleccionamos datos, interpretamos lo que pasa y decidimos qué hacer. Todos los peldaños de la escalera están en mi cabeza. Todo ocurre muy de prisa. De los hechos pasamos a la interpretación, a la atribución de causas, a la generalización y por último a la acción. La forma más fácil de evitar ascender la escalera es cuestionando nuestras propias conclusiones. En vez de pasar al siguiente nivel, pregúntate si necesitas más información de que estás entendiendo las cosas correctamente; suspende tus juicios haciendo preguntas que exploren el significado de la conducta en lugar de suponer que conoces el significado. La manera de evitar las suposiciones es preguntando. Asegúrate de que las cosas te queden claras, e incluso entonces no supongas que lo sabes todo sobre esa situación en particular. *3)* El diálogo con la mente inconsciente se facilita usando el lenguaje simbólico de los paradigmas: metáforas, narrativas, dibujos e imágenes, etc. Las imágenes dibujadas expresan más de lo que las palabras son capaces de expresar y describir. Esto es lo que los psicólogos sostienen. Cuando imaginamos, es decir, cuando nos valemos de nuestras imágenes internas (visiones o recuerdos) la reacción corporal (sensación) se produce inconscientemente, posibilitando un diálogo con la mente inconsciente. Las imágenes representadas (dibujadas) se experimentan por una parte como mensajes de la mente inconsciente y por otra tienen el efecto de un mensaje a la misma. Una técnica valiosa sería la Gestalt combinada con el uso de neuroimágenes. *4)* Controlar nuestro diálogo interno mediante el poder de las afirmaciones. Una afirmación es una declaración de hecho. Las personas están haciendo declaraciones de hecho todo el tiempo. Hablamos aquí de los paradigmas como autosugestiones. Todos hemos ido grabando en nuestra mente inconsciente una lista de frases negativas ("no lo aprenderé nunca") y positivas (¡amo la vida!) que usamos con frecuencia y que nos roban energía y nos mantienen con un ánimo negativo o, en su defecto, nos motivan, y nos llenan de posibilidades y alternativas, actuando como pilotos automáticos hacia la felicidad y el éxito. Varios estudios demuestran que la mayoría de las personas tiene "consigo" un diálogo interno negativo, al menos 80% del día, que se transforma en autosugestiones negativas. De aquí que sea de especial importancia prestar atención a nuestra conversación interna, es decir, a cómo nos hablamos, a qué frases nos decimos y repetimos continuamente a nosotros mismos. Todo inicia con el diálogo interno. Debemos prestar especial atención al trato que tenemos con nuestros pensamientos, en especial a los dirigidos a nuestra autoimagen. Hay que eliminar todo el sarcasmo, la descalificación y el menosprecio que sucede en nuestra mente, en la mesa del comedor a la hora de los alimentos, en la cancha de juego, en el matrimonio, en la oficina, con nuestras amistades, en el aula escolar. Si queremos volvernos personas de alto rendimiento, y sentirnos mejor con nosotros mismos y con los demás, deberemos eliminar todo el diálogo interno negativo y destructivo y hacer del autodiálogo positivo un hábito. Nuestra mente está estructurada de tal manera que todo se transforma en lenguaje. Cada frase que nos decimos, cada declaración y afirmación que nos hacemos, nuestra mente inconsciente la asimila como si fuese verdad, dado que responde tanto a la experiencia real como a la imaginaria. No la refuta, rechaza o defiende. Cuando tú te dices a ti mismo: "esto yo no lo puedo hacer, soy muy torpe", tu mente inconsciente no dice: "eso no es cierto, sí lo puedes hacer", simplemente dice: "¡de acuerdo!, aquí no se contradice a nadie". Henry Ford acostumbraba decir que "tanto si crees que puedes como si crees que no puedes, tienes razón". Y en la misma línea Facundo Cabral, uno de mis cantautores favoritos, recitaba: "¡pero no digas no puedo ni en broma, porque el inconsciente no tiene sentido del humor, lo tomará en serio, y te lo recordará cada vez que lo intentes!" Podemos aprender a controlar nuestra conversación interna. *5)* La meditación puede servirnos para observar el flujo de la mente (la tríada pensamientos-emociones-sensaciones) y de paso nos ayuda a reducir la reactividad emocional que normalmente gobierna la actividad neuronal del cerebro. Con la meditación podemos identificar los paradigmas obstaculizadores y así podremos estar en condiciones de desactivarlos. En un solo día generamos miles de pensamientos. ¿Cómo podemos parar a nuestra mente para que no siga generando los mismos patrones habituales de pensamiento o de acción? Para los orientales la meditación es la ciencia del pensar. Nos conduce a reconocer y luego a quemar las semillas nocivas y a germinar las semillas generadoras de vida.

Nuestra habilidad de desactivar podría verse potenciada si aprendemos a identificar el estado de los paradigmas obstaculizantes que actúan como "automatismos", los cuales son básicamente cuatro: *1)* Activos o despiertos. Hasta cierto punto son fácilmente reconocibles. *2)* Distantes, separados, aislados. Estos paradigmas si bien permanecen teñidos, ya no están activos (aunque todavía no están atenuados). *3)* Atenuados o debilitados. Su fuerza y sus efectos han aminorado. *4)* Inactivos o latentes. Los paradigmas están en forma latente, como una semilla que por el momento no crece, pero podría hacerlo bajo las condiciones adecuadas.

Es importante que nos planteemos y busquemos responder lo siguiente: ¿cuáles son los paradigmas que podrían obstaculizar, ahora y en un futuro próximo, nuestros proyectos innovadores? ¿Qué paradigmas podrían impedir o inhibir los resultados que buscamos? La gráfica 13 es una representación interesante de este cuestionamiento.

En la mayoría de los casos todas las creaciones e innovaciones surgen de una inconformidad ante los pobres o insuficientes resulta-

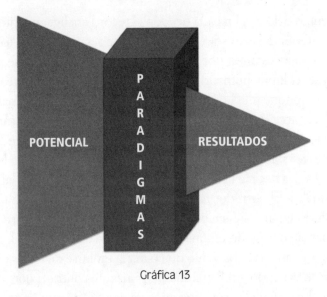

Gráfica 13

dos que tenemos o que hemos conseguido hasta ahora, y de la convicción de que existe o tenemos un potencial mucho mayor que los mismos. La cuestión es que todas las innovaciones (si no serían sólo tradiciones) habrán de superar o remover los paradigmas obstaculizadores, que se interponen como barreras, dado que nos queda claro que, como escribió Ayn Rand: "Puedes ignorar la realidad, pero no puedes ignorar las consecuencias de ignorar la realidad". No podemos perder de vista que así como existen factores facilitadores de nuestras metas, también existen factores obstaculizadores que habrá que desactivar. La identificación precisa del factor limitante en cualquier proceso y el enfoque a ese factor (desactivación) usualmente puede llevarnos a lograr mayores avances en un menor periodo de tiempo que cualquier otra actividad.

Cuando pensamos en los límites, barreras u obstáculos que nos impiden mejorar nuestros resultados y nuestro potencial innovador, surge una pregunta: ¿Dónde están esos límites?, ¿en el mundo o en nuestra idea del mundo? La siguiente historia es interesante para que profundicemos en esta reflexión. Se relaciona con los récords en las carreras de una milla. El 26 de julio de 1852, Charles Westhall estableció la marca de referencia moderna que fue de 4'28. El récord de Westhall se batió al menos 31 veces en la segunda parte del siglo XIX y comienzos del XX, y en cada ocasión el récord era ligeramente mejor que el anterior, a veces sólo por décimas de segundo. Pero todas las marcas seguían estando por arriba de los cuatro minutos: ese tiempo parecía ser el límite humano para recorrer una milla. Durante más de 100 años, aunque muchos lo intentaron, se creía que los humanos no éramos capaces de correr una milla en menos de cuatro minutos… hasta que en 1954 ocurrió lo que parecía imposible. El corredor británico Roger Bannister batió la marca por primera vez en la historia con 3'59.4. La noticia llegó incluso a paralizar la actividad del Parlamento inglés. El corredor australiano John Landy observaba, desde su segundo lugar, este suceso histórico. "La milla en cuatro minutos se había convertido en una especie de Everest. Era un desafío al espíritu humano, un obstáculo que parecía mofarse de todos cuantos intentaban vencerlo, un llamamiento punzante contra el que el hombre luchaba en vano", escribiría años después el propio Bannister en su autobiografía *First Four Minutes* (*Los primeros cuatro minutos*). Se rumora que Bannister, cuando entrenaba, introducía dentro de su zapatilla un pedazo de papel donde tenía escrito el tiempo exacto que quería tardar: 3 minutos y 58 segundos. Y aquí es donde esta historia refleja el poder de los paradigmas: hicieron falta 102 años para que Bannister batiera la marca de los cuatro minutos, pero en menos de ocho semanas otro corredor, John Landy (el del segundo lugar), volvió a rebajar la marca, dejándola en 3'57.9. En cuanto se rompió el límite aparentemente inalcanzable de los cuatro minutos, se rompió el paradigma de que no podía lograrse y se abrió la puerta para que otros corredores hicieran tiempos todavía mejores. ¿Así que dónde estaban los límites? ¿En el mundo o en nuestra idea del mundo?

No todo lo que se nos opone o nos ofrece resistencia debemos etiquetarlo como "paradigma a desactivar". Una de las más sugestivas y bellas frases de la obra de Kant se encuentra en la introducción a la *Crítica de la razón pura*, y dice así: "La ligera paloma, que siente la resistencia del aire que surca al volar libremente, podría imaginarse que volaría mucho mejor aún en un espacio vacío". Kant utiliza la metáfora para refutar a Platón, pero en sí misma tiene alcances que uno puede extender a los más diversos órdenes: políticos, vitales, metafísicos, científicos, artísticos, deportivos. Por ejemplo, en el terreno político podríamos decir que cuando un presidente democrático sueña con gobernar el país suprimiendo lo que le hace resistencia, cae en la ilusión de la paloma kantiana. Tanto cuando pretende carecer de oposición como cuando sueña con silenciar a la prensa, o como cuando el Poder Ejecutivo cree que avanzará más rápido y mejor omitiendo la acción de los otros dos poderes. No se da cuenta, salvo que pretenda descaradamente convertirse en un poder autoritario, de que esa resistencia misma es la que le da vuelo a la democracia, y que de otra manera el sistema entero puede estrellarse, no levantar vuelo hacia ningún destino, o simplemente volar en el vacío institucional. En el campo vital, o de la innovación, se sueña también, muchas veces, con suprimir la resistencia de las cosas a nuestro avance. Sin embargo, lo que sugiere la metáfora kantiana es que gracias a la resistencia de las cosas —y no a pesar de ella— es que se avanza. Una situación libre de riesgo nos colocaría en la posición parecida a la de los animales en cautiverio, que no se alimentan porque no están estimulados a cazar, o que no se reproducen por razones similares. Es la resistencia del aire la que permite a la paloma explorar nuevos horizontes, que de otra manera le estarían vedados. Pero estamos acostumbrados a ver la resistencia del mundo como algo que debe ser suprimido. Llevando esta lectura un poco más al extremo, dice Stravinsky: "Mi libertad será tanto más grande y profunda cuanto más estrictamente limite mi campo de acción y me rodee de obstáculos". En este caso, la paloma busca intencionalmente el roce con el aire, porque no desea sólo liberar fuerzas ya existentes, sino suscitar fuerzas nuevas. En el campo ya no metafísico, también el hombre se siente, como la paloma, tentado, en tanto especie, a suprimir aspectos de la existencia, sin los cuales piensa que "volaría" mejor. En general apenas le tenemos tolerancia a la dualidad de las cosas por argumentos banales: "Si no conociéramos la noche no distinguiríamos el día, si no conociéramos el mal, no distinguiríamos el bien, etc." Pero no consideramos, más allá de este contraste pictórico, que las dualidades sean capaces de propulsarse entre sí, o que tengan algún tipo de alianza profunda, como a veces uno adivina que existe entre la vida y la muerte. En todo caso, ésta parece una de las riquezas de esta metáfora de Kant: la súbita visión que nos permite concebir como aliadas aquellas cosas que siempre hemos pensado como enemigas.

Las ideas innovadoras florecen en los ambientes donde abundan los obstáculos, las barreras, las resistencias. Habremos de aprender a identificar las que nos bloquean (camisas de fuerza) y las que nos impulsan (catalizadores). Cada paradigma a desactivar es de naturaleza diferente, no hay recetas únicas. La habilidad de desactivar está estrechamente vinculada con la habilidad de enfocar. Al mantener nuestra atención enfocada hemos ido creando nuevos circuitos neuronales que, una vez establecidos, automáticamente activarán esas partes del cerebro que se relacionan con la actividad motivacional. Y mientras más repitamos la actividad, más fuertes se volverán esos circuitos neuronales. Esto significa que el anterior piloto automático estará siendo desactivado, que las antiguas conexiones neuronales estarán siendo desmanteladas. La mente consciente ha tomado de nuevo el control y, a través del sistema de activación reticular, se comunica de nuevo con nuestra mente inconsciente y le transmite la nueva decisión-instrucción-orden-mandato (es decir, nuestras metas).

A partir de ese momento nuestra mente inconsciente convierte la orden en el nuevo objetivo y activa el piloto automático, toma el control y nuestras metas se autorregulan en este nivel. La meta de destino, de nuestra idea innovadora, ha sido ingresada en nuestro GPS neuronal. No hay magia ni secreto alguno en esto. Simplemente es el cerebro haciendo lo que millones de años de evolución lo han llevado a lograr: alcanzar metas que nos hemos propuesto, conectando nuestras dos mentes. Todo ser vivo orientado a metas —obtener alimento o pareja sexual, evitar ser presa de otros— debe generar para sobrevivir un cierto modelo de su entorno a partir de la confusa maraña de estímulos entrantes. La mente consciente puede tener acceso a la mayor parte de nuestro banco de memoria a largo plazo. Éste es un rasgo importantísimo, ya que nos permite considerar la historia de nuestra vida cuando planeamos nuestro futuro de forma consciente. Nuestra mente consciente es extremadamente poderosa ya que puede programar y reprogramar (desactivar) nuestros paradigmas en cualesquiera de sus manifestaciones.

Habilidad 7: Actuar

Empezaré por narrar (el poder de los paradigmas como metáforas) el cuento del halcón que no podía volar. Un rey recibió como obsequio dos pichones de halcón y los entregó al maestro de cetrería para que los entrenara. Unos meses después el maestro le comunicó al rey que uno de los halcones estaba perfectamente, pero que no sabía qué le sucedía al otro, ya que no se había movido de la rama donde lo dejó desde el día de su llegada al palacio. El rey mandó llamar a curanderos y sanadores de todo tipo, pero nadie pudo hacer volar al ave. Encargó entonces la misión a miembros de la corte, pero nada sucedió. Desde la ventana de sus habitaciones el monarca podía ver que el ave aún continuaba inmóvil. Publicó entonces un bando entre sus súbditos ofreciendo una recompensa a la persona que lo hiciera volar. A la mañana siguiente vio al halcón volando ágilmente en los jardines. "Traedme al autor de ese milagro", dijo. Enseguida le presentaron a un campesino. El rey le preguntó: "¿Tú hiciste volar al halcón? ¿Cómo lo conseguiste? ¿Acaso eres mago?" Intimidado, el campesino le contestó al rey: "No fue difícil, su alteza... tan sólo corté la rama. El halcón se dio cuenta de que tenía alas y se lanzó a volar".

La habilidad de actuar se relaciona con poner en acto, con la acción. Algunos conceptos y términos asociados con esta palabra son: obrar, proceder, hacer, portarse, comportarse, conducirse, ejecutar, cumplir, trabajar, hacer efecto, operar, efectuar, ejecutar, realizar, llevar a cabo, representar, desempeñarse.

¿Qué es lo que podemos hacer? Como dice el eslogan de Nike: "¡Sólo hazlo!" Deja de hablar de correr, de hacer ejercicio, de jugar. "¡Sólo hazlo!" ¡Haz que las cosas sucedan!, al igual que el campesino del cuento. Crea resultados haciendo cosas nuevas: trátese de recuerdos, moldes, creencias, valores, hábitos, metáforas, imágenes, símbolos, etiquetas, acuerdos, expectativas y certezas, o de los paradigmas en cualesquiera de sus manifestaciones (véase la gráfica 14).

Para convertir nuestro propósito en realidad tenemos que ponernos en acción. No importa por dónde empieces, siempre y cuando empieces. "La mejor manera de empezar algo es dejar de hablar de

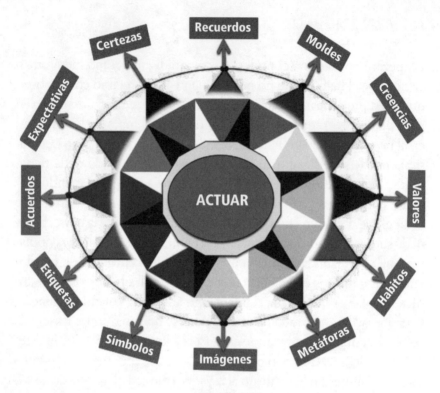

Gráfica 14

ello y empezar a hacerlo" (Walt Disney). Entra en acción de inmediato. La clave para adquirir la disciplina es comenzar inmediatamente con tu primera tarea y luego seguir enfocado en ella hasta que la termines. Usar tu fuerza de voluntad para seguir adelante y enfocado en este único trabajo es la tarea más importante que podrías estar haciendo. Al combinar la atención y la acción, nuestra concentración está enfocada en lo que hacemos, en el "aquí y el ahora" ("hic et nunc" dirían los latinos).

La habilidad de actuar es esencial para innovar. Podrán existir ideas geniales, patentes originales, diseños espectaculares, proyectos grandiosos, pero sin la acción son puras ilusiones, si no es que alucinaciones. Sabemos que estamos innovando cuando estamos creando resultados haciendo cosas nuevas. En la frase anterior hay tres claves: resultados, haciendo y cosas nuevas. No existe innovación sin resultados, sin la acción y sin la novedad.

"Innovar es ver lo que todos ven, pensar lo que algunos piensan y hacer lo que nadie hace" (Hernán Bucarini). Muchas veces es más importante la ejecución que las ideas. Google no fue el primer buscador de contenidos, tampoco Apple II la primera PC, ni Zuckerberg el primero al que se le ocurrió la idea de Facebook... pero sí fueron los primeros que hicieron que las cosas sucedieran. Y es que lo importante no es la idea. La idea no vale (casi) nada. La clave es la ejecución. La mejor estrategia fracasará si la implementación no está a la altura. Planear es fácil. El verdadero desafío es ejecutar con maestría nuestra estrategia.

Algunos tips que en lo personal me han sido de enorme utilidad y que deseo compartir con mis lectores son los siguientes:

- Tú hazlo y ya lo irás mejorando.
- Demasiada gente dedica demasiado tiempo a perfeccionar algo antes de ponerse realmente manos a la obra.
- En vez de aguardar la perfección echa a andar con lo que tienes y ya lo irás mejorando. "Las calabazas se acomodan con la carreta andando."
- "La única parte donde el 'éxito' aparece antes que el 'trabajo' es en el diccionario" (Vidal Sassoon, peluquero legendario que abrió la primera cadena de salones de peluquería de todo el mundo).
- Sólo alcanzaremos nuestras metas si somos capaces de realizar una buena "ejecución" de nuestro plan, mediante la disciplina y la constancia. La ejecución es la pieza clave que une a las decisiones y los planes con los resultados. Deberemos realizar acciones diarias que nos acerquen a nuestra meta.
- Haz primero las cosas importantes, y no hagas las que no tienen importancia. Los "pocos vitales" *vs.* los "muchos triviales".
- La procrastinación creativa es una de las técnicas más efectivas de desempeño personal. Y puede cambiar tu vida. Procrastinar es postergar, demorar o retardar algo. El hecho es que no puedes hacer todo lo que tienes que hacer. Tienes que procrastinar en algo. Por lo tanto, deja para después las tareas pequeñas. Deja de comerte las ranas más pequeñas o menos feas. Cómete las ranas más grandes y feas antes de hacer cualquier

otra cosa. ¡Haz primero lo peor! Todo mundo deja cosas para después. La diferencia entre las personas de gran desempeño y las de bajo rendimiento se determina principalmente por qué es lo que eligen hacer para después. Puesto que de todos modos tienes que procrastinar, decídete hoy mismo a procrastinar con las actividades de bajo valor. Decide si vas a dejar para después, delegar, o eliminar aquellas actividades que no hacen una importante contribución a tu vida. "Deshazte de los renacuajos y enfócate en las ranas" (Brian Tracy).

- Para permanecer enfocado saca esos asuntos pendientes que no están relacionados con tu proyecto y que están dando vueltas en tu cabeza. Dedica un espacio de tu tiempo con lista en mano.

- ¡Sigue adelante! Una vez que empiezas a moverte, sigue moviéndote. No te detengas. Dirige todas tus energías hacia ese punto. Ve directamente hacia ese punto. Sin voltear ni a derecha ni a izquierda. Que nada te distraiga de tus objetivos. Persigue tus metas hasta alcanzarlas, sin importar nada. Lleva tus proyectos hasta el final.

- No renunciarás a tus metas a pesar de los obstáculos y los contratiempos, aunque las cosas se pongan difíciles. Habrás de resistir.

- Persistencia es adherirse a convicciones y no saber qué significa la palabra *no*.

- La gota de agua no perfora la piedra por su fuerza, sino por su constancia. Un pensamiento concentrado en cualquier dirección, si es continuo, puede hacer cosas que parecen imposibles.

- ¡Aguas con el cansancio! La fatiga es ante todo un estado mental y el cansancio es una imposibilidad de seguir adelante. El cansancio es ese relajamiento mismo.

- El esfuerzo no es un conocimiento, es un acontecimiento.

- Hazte cargo: sé tu crítico más implacable. Cuando las cosas van mal entran tentaciones de echarle la culpa a otros. No lo hagas. Asume la responsabilidad. La gente lo apreciará y tú descubrirás de lo que eres capaz.

- Aplica la técnica "salami": una rebanada a la vez. Una tarea a la vez. La terminación de tareas importantes desencadena la liberación de endorfinas en tu cerebro. Estas endorfinas te dan una "elevación" natural. Te sentirás más positivo, creativo y seguro de ti mismo.

- Construye un lento pero seguro impulso o "momentum".
- Noventa y nueve por ciento de tu vida la pasas llegando a tu destino, y pasas muy poco tiempo sosteniendo el premio en tus manos. "Cuando te acercas incluso a las tareas pequeñas y cotidianas con optimismo y creatividad, el viaje es mucho más disfrutable" (Camille McDonald, la brillante y dinámica presidenta de desarrollo de marca para Bath & Body Works).

Enfocar la acción va de la mano de la acción enfocada. Mantener el enfoque significa "perseguir tu objetivo hasta que tengas éxito". Aprendamos de Kerry Strug. Se llevaban a cabo las Olimpiadas de 1996 en Atlanta. Era el turno de una jovencita de 17 años, y como era la última participante estadounidense en las finales de salto de altura, se convertía en la esperanza final del equipo estadounidense de gimnasia femenil de capturar su primera medalla de oro olímpica en la competencia. Antes que ella, sus compañeras de equipo consideradas las favoritas habían fracasado en sus intentos. Kerry sabía que ahora todo dependía de ella. Salta a la pista y al caer se fractura el tobillo izquierdo. Las cosas no podían estar peor. Sus padres, sentados en las gradas, se tapan la cara. Strug se prepara para su segundo y último salto. El dolor la traspasa. Con todo se eleva desde el suelo, se quita el hielo de su tobillo, le reza a Dios y se lanza tras su sueño, el mismo desde que tenía cinco años de edad. La medalla de oro olímpica para los Estados Unidos. El oro era suyo. Y el equipo de los rusos tendría que esperar hasta la próxima competencia.

En uno de los momentos más memorables en la historia olímpica, Strug proporciona un hermoso ejemplo de valentía y de la habilidad de la acción enfocada. "Siempre he sido enfocada", dice Strug, que actualmente tiene 36 años y es una consejera especial en asuntos infantiles para el Departamento de Justicia. El salto de altura de Strug, que en su momento fue presenciado por millones de personas en todo el mundo, es hoy un momento clásico en YouTube. Al ver el video, incluso a través del lente del tiempo, todavía puedes sentir el escalofrío de anticipación cuando Strug corre por la pista.

¿Logrará aterrizar correctamente? ¿Ganará Estados Unidos la medalla de oro? "Me preguntan todo el tiempo qué es lo que estaba pensando en esos segundos antes de hacer mi segundo salto", dice Strug. "La gente quiere saber cómo lidié con el dolor y cómo fue que aún pude saltar." Su explicación es simple: "No hay mucho tiempo entre cada salto, por lo que me dije a mí misma, 'te caíste y te lastimaste el tobillo, pero no importa lo que haya salido mal, porque de todos modos vas a hacerlo'. Entonces, estaba tan bien entrenada que sólo me enfoqué en la tarea que tenía que hacer. No escuché a la multitud ni pensé en mi tobillo o en todo lo que dependía de mi éxito o mi fracaso, sólo me concentré en mi desempeño. Me dije a mí misma: 'Está bien, ¡aquí vamos!', y eso fue todo. Durante ese momento, estaba en piloto automático". Las dos mentes, conectadas, en acción.

El enfoque de Kerry Strug fue constante: había perseguido su objetivo con éxito. Aquí terminaba el show.

Había llegado la hora de celebrar a lo grande. Para luego revisar lo aprendido en el trayecto y en el proyecto; para agradecer a quienes nos ayudaron a hacer posible nuestro éxito, a las redes que nos apoyaron. Nadie logra nada solo. ¡Empieza de nuevo! Es hora de que te propongas nuevos retos, nuevos desafíos, nuevos sueños, de lanzarte en la búsqueda de nuevas ideas aparentemente no relacionadas entre sí para formar algo novedoso, algo que te inspire felicidad y puedas provocarla en los demás. Unas de las frases más famosas del gran Enzo Ferrari han sido: "El automóvil más bello es el que todavía nos queda por hacer" y "la victoria más bella es siempre la próxima".

Alfonso Cuarón, el mexicano que se convirtió en el primer latino en obtener la estatuilla de mejor director, así se expresaba frente a los medios, a unas horas de haberla recibido: "Todo esto, todo lo que está pasando es gracias a Sandra Bullock. Quiero decir que todo lo que hacíamos era para honrar su actuación. Lo cierto es que ni la iluminación ni la magia tienen sentido sin el aporte emocional que ella entregó". En la celebración del éxito lo primero es agradecer y reconocer el aporte de quienes lo hicieron posible. Nadie triunfa solo. Por otra parte, el propio Cuarón manifestó que ya está dispuesto a despedirse de su película (no perdamos de vista que es a unas cuantas horas haber obtenido el Oscar): "Una de las mejores cosas de esta velada es que para mí marca un cierre". Y a lo que sigue…

En la era de la innovación todos nos movemos de un proyecto a otro. Cada uno de ellos es a corto plazo, ninguno garantiza el éxito de por vida. Quienes investigan las condiciones laborales contemporáneas nos advierten que "valemos lo que vale nuestro último éxito", y el recuerdo de nuestro último éxito o de nuestro último proyecto no dura mucho. Los logros no se acumulan. Hay que seguir moviéndose de un proyecto a otro. Como dicen en Netflix: Tenemos que llevar una vida en "beta permanente". La clave es nunca dejar de comenzar, nunca dejar de movernos. El movimiento es una señal de que seguimos vivos. Los muertos, por lo menos hasta donde sabemos, ya dejaron de hacerlo.

CAPÍTULO 5

Innovación a la mexicana

En el primer capítulo leíamos que estamos viviendo un cambio de época. Una nueva época donde los creativos y los innovadores están siendo los protagonistas, y que para ser creativos e innovadores tenemos que aprender a "pensar diferente". Los mexicanos tenemos que "agarrar la onda" de que el mundo está sufriendo trasformaciones radicales y que las fuerzas de la competencia y el cambio que hicieron caer a Petra, a Detroit, a Kodak, a la Enciclopedia Británica, a los CD, a Plutón, son globales y locales, amenazan a cualquier individuo, familia, carrera, negocio, sector o ciudad, sin importar lo seguros que parezcan. Los mexicanos tenemos que prepararnos no sólo porque las "cosas estén del cocol", sino porque sabemos que "la innovación es el motor de la futura prosperidad" y que la innovación y la competitividad son como "uña y mugre". Las dos nuevas revoluciones —la industrial y la del conocimiento— están ayudando a los países emergentes a surgir económicamente y nos están ofreciendo oportunidades sin precedentes. Uno de los sistemas de pago móvil más desarrollados del mundo, M-Pesa, tiene más de 17 millones de clientes en el África subsahariana, especialmente en Kenia y Tanzania. Así, trabajadores que quieren traspasar parte de su sueldo a familiares, pero no viven con ellos ni tienen cuentas bancarias, pueden hacerlo fácilmente a través de sus teléfonos. Y como este ejemplo la lista es interminable.

Estoy convencido, al igual que millones de mexicanos, de que el potencial que tiene México como país es mucho mayor que sus resultados conseguidos hasta ahora. La cuestión es que entre su potencial y los resultados se interponen los paradigmas. ¿Por dónde empezar? ¿Por un diagnóstico nacional de los principales problemas que nos aquejan como país y el estatus de los mismos? En mi calidad de senador de la República asistí a una reunión donde nos presentaron un diagnóstico sobre el estado que guardaba el tema del agua en México. Al término de la presentación, el entonces también senador Francisco Labastida Ochoa (ex candidato a la Presidencia de la República en 2000) me comentó: "Estos estudios los he venido conociendo desde mi paso por Agricultura, Energía y Gobernación. Vivimos en un México sobrediagnosticado". Comparto su opinión. Contamos con una variedad y diversidad de estudios que, a través de una serie de indicadores, nos ayudan a conocer cuál es nuestra situación como país en relación con el mundo en materia de competitividad, desarrollo democrático, educación, transparencia, corrupción, facilidad para abrir negocios, innovación, prospectivas económicas y en otros en temas muy puntuales como el agua, la energía, la migración, el medio ambiente, la salud. Sabemos que tenemos muchos problemas por resolver en todos los campos de la vida nacional: educativo, político, religioso, laboral, familiar. En todos ellos se encuentra una oportunidad escondida esperando "a ver a qué horas" le toca su turno de ser atendida y aprovechada. Basta con que echemos una mirada a "Conociendo México", una selección de datos generada por el Instituto de Estadística y Geografía (INEGI), dirigido por un mexicano brillante y honesto, el doctor Eduardo Sojo, con quien me une la amistad y los proyectos compartidos en torno a la trayectoria política del ex presidente Vicente Fox y de las mejores causas de México. Si nos echamos un clavado en el sitio www.inegi.org.mx nos daremos cuenta de las oportunidades que se abren para innovar en nuestra vida diaria, en el trabajo, los negocios, la construcción o evaluación de políticas públicas, investigaciones académicas o proyectos escolares.

Para liberar nuestro potencial los mexicanos podríamos empezar por revisualizar las imágenes que nos hemos formado como país, esa especie de "autoestima nacional". "México es un país mejor en todos los órdenes al que ha sido antes en su historia. En todo, menos en la opinión que tiene de sí mismo [...] el país de archivo (memoria-paradigmas) que rige nuestro imaginario sobre México es también anacrónico y mide mal el país real [...] México es un país más grande que el que está en la cabeza de la mayoría de los mexicanos. En el libro *Un futuro para México* dijimos que México era preso de su pasado. Añadimos ahora que es preso de la idea pobre que tiene de sí mismo. 'México es un país ballena que se sigue creyendo ajolote'." Así lo escriben Héctor Aguilar Camín y Jorge Castañeda en su libro *Regreso al futuro*. Si además resulta que han desaparecido los ajolotes de Xochimilco, que en 1998 se contaban 6 000 de estos anfibios por kilómetro cuadrado en los canales y en un censo reciente realizado por investigadores de la UNAM no se logró encontrar a ninguno, la cosa se pone peor aún. Para estos autores uno de los paradigmas más obstaculizadores es el la herencia del "nacionalismo revolucionario" que engendró el PRI y que ha sido desplazado a fuego lento por un nuevo paradigma de país que domina incluso al propio PRI. En ese nuevo paradigma, México no huye sino se acerca a Norteamérica, no cierra sino abre sus fronteras, cree tanto en el Estado como en el mercado, ha cambiado el campo por la ciudad, la unanimidad por la pluralidad, la paciencia por la exigencia, el sentido mítico de comunidad nacional solidaria por una diversidad pujante de regiones, costumbres, grupos y personas con diferentes preferencias políticas y morales.

Además de nuestras imágenes internas podríamos revisualizar nuestros modelos de liderazgos. Francisco Sagasti, quien fuera presidente del Consejo de Ciencia y Tecnología para el Desarrollo de la ONU, refiriéndose a América Latina afirma que "buena parte de la generación actual de políticos, profesionales, gerentes, científicos, dirigentes laborales y líderes de organizaciones de la sociedad civil construyó su visión del mundo sobre la base de su experiencia con las ideas y acontecimientos de los últimos 30 o 40 años". Y podríamos revisualizar muchos otros términos y conceptos relacionados con el poder de los paradigmas.

A finales de 2012 se publicó el libro *México 2042*, coordinado principalmente por Harinder Kohli, director ejecutivo del Foro de Mercados Emergentes. El nombre del ex presidente de México, Vicente Fox, no aparece por ningún lado, habiendo sido quien, estando en la India, lo sugirió y lo impulsó en sus primeras etapas.

Invitado por él, participé en varias reuniones y apoyé e involucré a varios de los que luego participaron. En el prólogo a cargo de Héctor Aguilar Camín podemos leer: "México necesita una narrativa creíble de nuestro futuro. Puede montarla sobre los ejes que doce años de democracia han sembrado al fin en la cabeza de la sociedad mexicana, luego de demoler uno a uno todos sus mitos: el mito de la revolución, el mito del presidente, el mito del petróleo, el mito del PRI, el mito del enemigo en la frontera norte y el gran mito del gobierno que da y la sociedad que recibe". Para construir un mejor futuro, precisamos que "nos caiga el veinte" de que México necesita de nuevos recuerdos, nuevos moldes, nuevas creencias, nuevos valores, nuevos hábitos, nuevas metáforas, nuevas imágenes, nuevos símbolos, nuevas etiquetas, nuevos acuerdos, nuevas expectativas y nuevas certezas. Es decir, para detonar la innovación habremos de revisualizar los paradigmas de todos los mexicanos. Sabedores de nuestra tendencia a confirmar los paradigmas en cualesquiera de sus manifestaciones habremos de cuestionarlos, encararlos, retarlos y desafiarlos.

¿Por qué no crear una nueva ola de la innovación? Como la "ola mexicana". La misma que ganó popularidad en 1986 en el mundial de futbol realizado en México, siendo vista masivamente fuera de México por primera vez, de ahí que en algunos países la llamaran ola mexicana. En Brasil, Alemania, Italia y otros países la llaman como en México, "la ola" o simplemente "ola". En alemán existe también el compuesto La-Ola-Welle. Welle significa en alemán precisamente ola y se añade como refuerzo porque el significado de la palabra castellana no resulta evidente para muchos hablantes. Dado que no existe texto sin contexto, voy a describir brevemente una suerte de historia de las seis "olas de la innovación" (el poder de las metáforas) (véase la gráfica 15).

Innovación 1.0: Es la innovación desarrollada por los departamentos de Investigación y Desarrollo (I+D) en el formato clásico de despliegue de nuevas propuestas tecnológicas.

Innovación 2.0: En los entornos más competitivos, a medida que los mercados maduran, al I+D se le suma el *marketing* como fundamento de la innovación (desarrollo tecnológico + necesidades insatisfechas de los clientes como fuente de innovación).

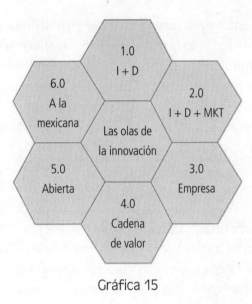

Gráfica 15

Innovación 3.0: La empresa deviene toda ella un sistema innovador. La innovación ya no es exclusiva del departamento de I+D, cualquiera puede aportar sugerencias de innovación, especialmente para buscar la competitividad en la reducción de costos.

Innovación 4.0: La innovación se extiende a la cadena de valor o aprovisionamiento. La fuente de la innovación no se limita a las "cuatro paredes" de la empresa sino que se extiende a lo que se conoce como la gestión de la cadena de suministro, que cubre desde el desarrollo de productos, abastecimiento, producción y logística, así como los flujos de información.

Innovación 5.0: Innovación abierta. Henry Chesbrough, profesor de la Universidad de Berkeley, es considerado el padre de la "innovación abierta". Ahora las capacidades de innovación de las organizaciones de todo el mundo no se detienen en las fronteras de la propia organización. En lugar de ello, las prácticas de innovación de una organización se extienden a los proveedores, clientes, socios, terceros y la comunidad en general en su conjunto. Chesbrough distingue entre dos tipos importantes de la innovación abierta: de afuera hacia adentro y de adentro hacia afuera. Las de afuera hacia adentro implican la apertura de los propios procesos de innovación de una empresa a muchos tipos de aportaciones y contribuciones externas. Este aspecto ha recibido la mayor atención, tanto en la investigación académica como en la práctica de la industria. En cuanto a la de adentro hacia fuera las organizaciones deben permitir que las ideas no utilizadas o subutilizadas puedan salir para ser empleadas en otros negocios. La innovación es lo que le da vida a la empresa Procter & Gamble (P&G), la cual ha estado al frente de sus mercados durante más de 170 años. Lanza nuevos productos con más frecuencia que cualquiera de sus rivales. Cuenta con un modelo de innovación abierta donde 50% de sus innovaciones provienen de ideas externas. Al cliente no le importa de dónde viene la innovación. Algunos de sus socios son: InnoCentive (de la que les comenté en el capítulo anterior), Pepsico, Colgate, Henkel. Por cada científico que tienen dentro de la compañía, cuentan con 200 socios externos. P&G visualiza a las universidades como centros potenciales de innovación. Colaboran con ellas en más de 300 proyectos. En este rubro un caso por demás ilustrativo e interesante es el producto Downy Single Rinse. Una historia que narraré más adelante.

Innovación 6.0: Innovación a la mexicana. La que describiré y trataré de ir explicando en el desarrollo de este capítulo, a partir de la premisa de que México debe seguir por la ruta de la innovación para cambiar su historia de limitaciones y carencias por un presente de logros y prosperidad. No es mi pretensión, sería una utopía, una "innovación a la mexicana" que quiera sacar algo de la nada. Sabemos bien que toda innovación es la combinación de cosas ya existentes.

La nueva ola de "innovación a la mexicana" podría tener, al menos, estas cuatro improntas:

- Una innovación con sabor a México. Innovando nuestra historia, nuestra cultura, nuestras tradiciones y costumbres.
- Una innovación participativa. Democratizar la innovación.
- Una innovación que mire por los pobres. Innovación social, inclusiva y diversificada.
- Una innovación que mejore nuestra calidad de vida. En todos los planos y dimensiones de nuestra vida.

1. Una innovación con sabor a México. Innovando nuestra cultura

Simón Bolívar, que ofrece un raro ejemplo de genio entre los caudillos americanos, decía: "Nosotros no somos europeos ni tampoco indios, sino una especie intermedia entre los aborígenes y los españoles. Americanos de nacimiento, europeos de derecho... así nuestro caso es el más extraordinario y el más complicado". La historia de México abarca diferentes etapas —sin una periodización exacta—, que van desde la llegada del hombre a Mesoamérica: el tiempo mesoamericano con sus etapas olmeca (cultura olmeca y primeros mayas), clásica (Teotihuacán, Tajín, Xochicalco y mayas del clásico) y mexicana (época de los imperios toltecas, chichimecas, tepanecas, mexicas); pasando por la Conquista de México (ocupación militar y evangelización); el Virreinato de la Nueva España (expansión de la Nueva España, etapa barroca y Siglo de las Luces); la Independencia de México; el México independiente (con su República federal, primer imperio, centralismo e intervención americana); la consolidación nacional (la Reforma, Intervención francesa e Imperio, República restaurada); Porfiriato; los años de la Revolución hasta el México contemporáneo.

En el libro por demás interesante *El perfil del hombre y la cultura en México*, publicado por primera vez en 1934 y escrito por el filósofo y ensayista mexicano Samuel Ramos, podemos leer:

> La vida monótona y rutinaria de la Nueva España tendió a perpetuar la inercia de la voluntad y a destruir en el espíritu mexicano todo ímpetu de renovación. Este ritmo se ha conservado en México hasta nuestros días, pudiéndose observar en la vida de los pueblos que se desliza con una lentitud semejante a la inmutabilidad de los pueblos asiáticos. Desde antes de la conquista los indígenas eran reacios a todo cambio, a toda renovación. Vivían apegados a sus tradiciones, eran rutinarios y conservadores. En el estilo de su cultura quedó estampada la voluntad de lo inmutable. En su arte, por ejemplo, se advierte de un modo claro la propensión a repetir las mismas formas, lo que hace pensar en la existencia de un procedimiento académico de producción artística, en lugar de la verdadera actividad creadora. Hoy todavía el arte popular indígena es la reproducción invariable de un mismo modelo, que se

transmite de generación en generación. El indio actual no es un artista; es un artesano que fabrica sus obras mediante una habilidad aprendida por tradición. Es una especie de "Egipticismo" indígena.

Más adelante el propio Samuel Ramos sigue diciendo:

Debemos aceptar que nuestras perspectivas de cultura están encerradas dentro de un marco que es europeo. Una cultura no se elige como la marca de un sombrero. Tenemos sangre europea, nuestra habla es europea, son también europeas nuestras costumbres, nuestra moral y la totalidad de nuestros vicios y virtudes nos fueron legados por la raza española [...] México debe tener en el futuro una cultura mexicana; pero no la concebimos como una cultura original distinta a todas las demás. Entendemos por cultura mexicana la cultura universal hecha nuestra, que viva con nosotros, que sea capaz de expresar nuestra alma.

Si algo tiene sabor a México son nuestras tortillas. Lo bueno para nosotros es que las encontramos en cualquier tortillería, a la vuelta de la esquina. Pero ahora también los sudafricanos podrán echarse un buen taco, aunque no de birria, pero sí de ragout de víbora o de kebab de mono. Esto gracias al mexicano Héctor Agraz, quien reside en Johannesburgo desde hace 18 años y ha instalado la única tortillería que hay en Sudáfrica y en todo el continente africano. Héctor llegó a ese país, situado a casi 15 000 kilómetros de su México natal —"¡Está hasta el quinto infierno!"—, de la mano de la empresa estadounidense Mullins para abrir mercado en el área de las salsas. Tortillas con salsas son una excelente combinación. Los primeros años trabajó para Mullins pero luego compró una máquina de hacer tortillas que llevó la embajada mexicana para un evento, se independizó de los estadounidenses y creó su propia empresa. Poco a poco su negocio, Tortillería Azteca, se extendió. Compró dos máquinas más, contrató más empleados y hoy en día vende no sólo en Johannesburgo, sino también en Mozambique, Botswana, Namibia y en Isla Mauricio. Ahora tiene tres máquinas; dos para hacer tortillas de harina y una de maíz, además de nachos. Y cada día sus 18 empleados —todos sudafricanos, porque "los blancos no quieren hacer este tipo de trabajo"— fabrican unas 25 000 tortillas de harina, 1500 a la semana de maíz y media tonelada de nachos. Héctor Agraz ha comentado que "aquí se conocían las pizzas, las hamburguesas, la lasaña, el chop suey de los chinos, pero antes de que nosotros llegáramos no sabían lo que eran las tortillas, así que se las presentamos a los chefs de los mejores restaurantes para que las probaran y les enseñamos cómo cocinarlas". En aquella época lo que más conocían era la tortilla de harina por la influencia americana, lo que llaman Rab, pero la de maíz no la habían visto nunca en su vida. Ahora le surten a los tres restaurantes mexicanos que hay en la ciudad y a todos lo que sin ser mexicanos tienen comida mexicana, que son muchos, porque "nuestra comida se ha puesto de moda aquí", dice Agraz.

¿Y qué tal si acompañamos las tortillas con un rico chilorio? Hacer productos que cautiven el paladar de los consumidores es sólo el primer paso para conquistar el mercado de alimentos. Esto lo sabe bien Javier Avilés, director general de la empresa sinaloense Avideg de México, que produce y comercializa una línea de deliciosos alimentos procesados como frijoles refritos con elote, chilorio, pimiento morrón, almejas, sardinas y caracoles. A juzgar por las cifras, los productos de Avideg están siendo muy bien recibidos, ya que en 2012 la empresa tuvo un crecimiento de 26% y buenas expectativas para los años siguientes. Avideg sabe que va por buen camino, no sólo porque presenta buenos números, sino también porque sus productos se distribuyen en cadenas nacionales como Walmart, Comercial Mexicana, Soriana, Sam's Club, Chedraui, entre otras. No obstante los 49 empleados de la empresa trabajan día a día para crecer aún más. En 2012 el programa TechPYME de la Fundación México-Estados Unidos para la Ciencia (Fumec) comenzó a asesorar y capacitar al personal de Avideg en inocuidad alimentaria para agilizar su certificación en HACCP. Otro tema crucial para la empresa son los empaques (el poder de los paradigmas como moldes), porque éstos pueden contribuir a alcanzar sus objetivos de venta: "Muchas veces la percepción del consumidor es equivocada, pero acaba siendo real porque determina el impulso de compra. Por ejemplo, la gente cree que la lata dura más que la bolsa, pero duran igual, o la gente cree que la bolsa no trae conservadores, pero la lata tampoco los trae", señala Avilés.

El poder de los paradigmas como creencias en acción. Con ayuda de Fumec esta empresa obtuvo asesoría en empaques, lo que le permitió adecuar los calibres de vida en anaquel de sus productos. Asimismo Avideg adoptó el uso de bolsas retortables (*retort pouch*) para las almejas, siendo los primeros en México en ofrecer ese producto en esa presentación. El sueño de Avilés es llevar el inconfundible sabor de la comida mexicana fuera del país y por ello se entusiasmó pensando que lo mejor está aún por venir. Avideg es un buen ejemplo de "sabor a México innovando nuestras tradiciones culinarias".

Me sorprendió gratamente el hallazgo de las investigaciones antropológicas llevadas a cabo en pueblos y comunidades del Altiplano Central de México (Díaz, Ortiz y Núñez, 2004) que nos muestran que los conocimientos locales de la comunidad campesina tienen un carácter funcional, sistemático e innovador, en cuyo proceso lo simbólico y lo ritual están presentes de modo inherente, y así mismo nos demuestran lo equivocado que el sentido común y la teoría agronómica moderna nos han hecho creer: los conocimientos productivos campesinos son un conjunto de saberes, prácticas y creencias que no cambian, que sólo se transmiten de generación en generación y que el conocimiento producido por la comunidad campesina, por ser tradicional, es estático y por ello estancado. Los investigadores arriba mencionados no están de acuerdo con esa perspectiva. Por el contrario, el trabajo de investigación demuestra que el sistema tradicional de conocimientos tecnoproductivos genera internamente impulsos para la experimentación y búsqueda de mejora en los procesos. *Los campesinos innovan en la tradición*, lo hacen a partir de las condiciones y oportunidades que el contexto local les proporciona con base en relaciones interculturales.

Tal vez esto explique muchos de los proyectos innovadores, unos bastante maduros y muchos otros en ciernes, que entienden la importancia de innovar la tradición y su relación con transformarse o morir. ¿Es posible transformar la artesanía tradicional y al mismo tiempo conservar cierta esencia? Con esta y otras preguntas surgió *Innovando la Tradición* (IT), un proyecto donde artesanos, diseñadores y artistas (Adán Paredes, Eric Mindling, Diego Mier y Terán, Ana Gómez, Claudia Cancino, Claudio López, Francisco Toledo y

Kythzia Barrera) comparten habilidades y conocimientos para dignificar, preservar y a la vez reinventar la tradición cerámica de Oaxaca. El proyecto nació a partir de una investigación que la diseñadora industrial Kythzia Barrera, egresada de la Universidad Iberoamericana y con maestría en el Design Academy Eindhoven, en Holanda, inició hace más de una década y ha contado con el patrocinio de la Fundación Alfredo Harp Helú Oaxaca, entre otras. A la fecha han trabajado en San Bartolo Coyotepec, Santa María Atzompa, San Marcos Tlapazola y San Martín Mexicapan. El trabajo involucra diversas disciplinas "para entendernos mejor y ayudarnos a estar presentes en el mundo global, con toda nuestra identidad y dignidad", apunta Barrera, y prosigue: "La relación horizontal entre los miembros del proyecto ha derivado en una mayor apertura, sobre todo de los artesanos, nos relacionamos para compartir conocimientos, amistad y confianza". En este trabajo colectivo, los artesanos son quienes dictan las soluciones que se pueden dar. La venta de sus productos en el mercado nacional es exitosa, además están vendiendo en las tiendas del Museo de Arte Moderno de Nueva York y en Tokio. ¿El secreto? Diseño, arte y artesanía en constante transformación. De acuerdo con Kythzia "la tradición tiene que innovarse para volver a ser tradición", de esta manera se adapta a su contexto y no muere. Lo que se debe mantener no es tanto la forma de las expresiones sino lo que les da sentido. "Yo veo la tradición como una red donde se soporta la vida de la gente, eso es lo que hay que mantener y reforzar", comenta. El artesano textil Edgardo Villanueva opina al respecto que ninguna tradición es estática, que todo tiene que cambiar. "En el mundo de la artesanía convergen diseñadores, investigadores, artistas, músicos… es indispensable que el mundo de la artesanía se abra a otras disciplinas", dice el originario de San Sebastián Tutla, director y fundador de la Casa de las Artesanías y colaborador de IT. Actualmente las fronteras entre diseño, arte y artesanía son muy difusas, las categorías muchas veces se usan para darle mayor o menor valor comercial a los objetos. Para IT, las diferencias entre procesos creativos son las que importan. "El proceso creativo de una artesanía se distingue por todo lo que hay detrás, todo un mundo, una cosmovisión, una manera de trabajar que es diferente del artista. La autoría es colectiva. Ésa es la principal diferencia." Reconocen y respetan las diferencias entre arte, diseño y artesanía, por ello trabajan a partir de las coincidencias y no de las diferencias. "Lo más importante es hacer entender que la artesanía está en constante cambio porque está generada por las personas y las personas son parte de grupos sociales que están siendo afectados por lo que sucede en todas partes del mundo", expresa Barrera. Villanueva apoya la idea de que los artesanos tienen que educarse para poder competir mejor entre ellos y para poder encontrar un lugar más digno en una sociedad que está cambiando tanto. "Innovar la tradición es cambiar fortaleciendo la identidad, teniendo una mejor calidad de vida. Si nosotros como artesanos estamos conscientes del valor de la artesanía, podemos innovar sin temor a perdernos… de lo que se trata es de compartir, un intercambio en un marco de respeto y equidad es el camino." Ni duda cabe que la artesanía forma parte de la "economía naranja" y debería ser considerada como motor de desarrollo económico. Los productos de IT se pueden comprar en el Museo de Arte Contemporáneo de Oaxaca y en el Hotel Brick (ciudad de México). Se puede conseguir más información de Innovando la Tradición en http://www.innovandolatradicion.org.

Kythzia también echó a andar una vertiente comercial llamada Colectivo 1050° en donde también fluyen artistas, diseñadores, artesanos y voluntarios de todo el mundo con el propósito de crear productos de alto valor estético, funcional, cultural, pero sobre todo, libre de plomo. El cual viene comúnmente en el barniz de la cerámica y es dañino a la salud. Pueden acceder a más información de Colectivo 1050° en www.1050grados.com.

Una de las cosas más importantes y destacables que ha realizado Kythzia es enlazar a quienes realizan las piezas con diversos diseñadores y artistas. Y sigue innovando la tradición: también participa en el Colectivo Hecho a Mano, un grupo de diseñadores que colaboran con artesanos, talleres y comunidades para hacer diseños basados en técnicas y materiales conocidos, creando lecturas y usos nuevos en objetos cotidianos, en el cual participa junto con las diseñadoras Cecilia León de la Barra, Maggie Galton y Sonia Lartigue. Pueden conseguir más información en hechoamano-colectivo.blogspot.mx.

Uno de los ejemplos más emblemáticos es el Taller Leñateros. El primer espacio en producir publicaciones originales, escritas, ilustradas, impresas y encuadernadas por indígenas provenientes de comunidades tzotziles y tzeltales de la zona de los Altos de Chiapas como Chamula, Zinancatán, San Andrés Larráinzar, Magdalena, Santiago El Pinar, Chenalhó, entre otras. Para ello han trabajado de manera colaborativa desde la ciudad de San Cristóbal, para decantar su conocimiento y prácticas ancestrales fomentando la creatividad literaria, buscando favorecer la ecología, reciclando desperdicios agrícolas e industriales para transformarlos en libros de arte mundialmente reconocidos. Este colectivo editorial es operado por artistas mayas contemporáneos en Chiapas y fue fundado en 1975 por la poeta Ámbar Past, una estadounidense que se enamoró de México y que lleva más de 40 años viviendo en Chiapas. El taller ha publicado los primeros libros escritos, ilustrados, impresos y encuadernados (con papel de su propia manufactura) por el pueblo maya en más de 1 000 años, desde que los primeros madres-padres mayas hicieron sus códices sagrados. Dentro de sus múltiples objetivos cabe mencionar los de documentar, enaltecer y difundir los valores culturales autóctonos y populares: la literatura en idiomas indígenas, las artes plásticas, el códice pintado. Los leñateros se dedican a rescatar técnicas antiguas en vías de desaparición como es la extracción de colorantes de frutos, flores y hierbas silvestres y promueven la experimentación de nuevas técnicas de impresión como la serigrafía solar, la "chanclagrafía", la "cebollagrafía" y la "elotegrafía", estas últimas combinando verduras y objetos diversos para imprimir diseños diferentes.

Actualmente los leñateros convocan el trabajo de alrededor de 200 familias que conforman la única editorial bilingüe y miltilingüe en nuestro país integrada por indígenas. El Taller Leñateros ha salido adelante gracias a la venta de libros arte-objeto, tarjetas postales, playeras y carteles. Podemos conseguir más información en www. tallerlenateros.com.

¿Y qué pasa si plegamos las piñatas para exportarlas por el mundo? Con el objetivo de resguardar la tradición mexicana un grupo de artesanos mexicanos ideó una piñata plegable. Estados Unidos, Canadá, Japón, Europa y América Latina son algunos de los terri-

torios por donde han viajado las piñatas plegables. Hablar de tecnología es hablar de innovación y en muchos casos de reinvención, y los artesanos mexicanos han entendido este concepto, saben que "la tradición tiene que ser innovada para seguir siendo tradición". De ahí que convirtieron las piñatas de cinco picos en la esencia de una empresa, MRB Plegamex, con alcances internacionales, dejando atrás las piñatas elaboradas con barro o cartón grueso que requieren de cierto cuidado para su transportación y manejo e inventaron una plegable que se puede llevar a cualquier parte del mundo, incluso en una maleta. El creador de este novedoso concepto es Juan Leonardo Cortés Aguirre, junto con otros 15 compañeros del Instituto Politécnico Nacional (IPN), quienes con apoyo de la Fundación ProEmpleo echaron a andar su proyecto y para 2004 fabricaron sus primeras 600 piñatas. El creador de Plegamex reconoce que el mercado extranjero es el que ha respondido mejor. "La piñata de cinco picos se convirtió en un producto nostálgico —no perdamos de vista el poder de los paradigmas como recuerdos—. Cuando acudimos a ferias o exposiciones los que adquieren el producto son extranjeros que lo llevan como recuerdo a sus países. Hemos detectado que ven nuestro producto más como un adorno (que recuerda) que para darle su uso tradicional (romper la piñata)." No podemos más que desearles suerte y que sigan adelante: "Dale, dale, dale, no pierdas el tino, porque si lo pierdes, pierdes el camino…"

Una innovación que me llamó la atención, cuando fue expuesta en el Centro Fox (de cuyo consejo formo parte), es la de los artesanos de Papalotla, cuya palabra viene del náhuatl "papalotl" (mariposa) y "tla" (abundancia), que significa lugar de mariposas o abundancia de mariposas. Se trata del municipio más pequeño del Estado de México, con sólo 3.59 kilómetros cuadrados de extensión territorial, pero con una grandeza cultural que no por nada le vale su título de pueblo con encanto. Estos artesanos le han dado vida al biombo más grande del mundo, una artesanía creada a iniciativa de la directora de cultura, Edith Serrano Lozano, y que en 2010 obtuvo un récord Guinness por tener una longitud de 61 metros. La obra es un mosaico artesanal conformado por 50 mamparas de madera que miden 1.22 metros de largo por 2.80 metros de alto, formando un mueble de 61 metros de longitud. En él se aplicó una técnica única de Papalotla, el ecoarte, consistente en la reutilización de materiales orgánicos e inorgánicos triturados: hojas deshidratadas, vidrio, pet, piedras, cascarones de huevo, entre otros. Los artesanos mexiquenses plasmaron en la pantalla motivos de los 125 municipios del Estado de México, así como costumbres y tradiciones de cada uno de ellos; también ilustra los pasajes históricos más importantes del país, por lo que es un testimonio geográfico, cultural, histórico y turístico vivo. El biombo, exhibido ya en varias ciudades del país, puede apreciarse actualmente en el museo aviario Dilajesh, en Tepetlaoxtoc, localizado a sólo unos minutos de Papalotla.

Otro proyecto de innovación de las tradiciones es camisas Flor de Mayo. Se trata de un proyecto empresarial de carácter social diseñado para apoyar el trabajo de las artesanas textiles en todas las fases de su proceso de producción. Flor de Mayo es un proyecto que busca retomar la cultura náhuatl mediante la fusión de bordados artesanales con la moda actual. Estas creaciones artesanales son obras únicas, que permitirán a las artesanas conservar su cultura. En opinión de sus creadores buscan combinar el esplendor y la belleza de una tradición de bordado milenaria con el diseño textil moderno y los materiales de la más alta calidad, creando camisas artesanales únicas. Esta fusión les confiere un nuevo valor y representan una evolución en su creación.

Estas creaciones artesanales permiten a las artesanas conservar su cultura y tener una oportunidad de empleo. Al comprar una prenda no sólo se apoya a una empresa social mexicana, también se apoya directamente a las artesanas y a sus familias. Con una inversión inicial de 10 000 pesos, la empresa social Flor de Mayo, iniciada por cuatro estudiantes del Tecnológico de Monterrey, Campus Santa Fe, hoy se encamina a ser una exportadora de camisas bordadas con las manos de 30 mujeres indígenas de Naupan, Puebla. La coordinadora es Fátima Álvarez, quien trabaja junto con José Antonio Nuño, Enrique Rodríguez y José Miguel Cruz. El mayor reto que estos estudiantes enfrentaron (hasta el momento) como emprendedores fue la falta de financiamiento. Si bien en un inicio decidieron solicitar apoyo a través de los diferentes programas de gobierno, declinaron ante la desconfianza que manifestaron las artesanas por "promesas incumplidas en el pasado". Fue por ello que los estudiantes optaron por créditos familiares y personales para arrancar. Decidieron respetar la voluntad de las artesanas, en el sentido de no involucrar a ninguna instancia de gobierno, a fin de mantener su confianza y que quisieran seguir adelante con el proyecto, lo que implica un mayor esfuerzo de su parte dado que hasta el momento todas las utilidades obtenidas de las ventas de sus camisas son reinvertidas. Fátima Álvarez ha expresado en diversos foros que la finalidad principal de Flor de Mayo es ayudar a la comunidad de Naupan y así evitar la escasez de recursos, la falta de vías de comunicación y el desconocimiento de las prácticas comerciales, que amenazan con terminar con una bella tradición artesanal. Con la compra de cada camisa fabricada por ellas, apoyamos directamente a las familias indígenas; no solamente para que alcancen una vida digna, sino para que, innovando, conserven su identidad cultural, preservando con ellos sus valores artísticos y comunitarios. La empresa tiene una lista de espera de decenas de mujeres indígenas que quieren integrarse al proyecto, sin embargo las camisas que hoy se producen llevan un estricto control de calidad, por lo que las mujeres requieren de cierta capacitación con todo y que el bordado es una actividad tradicional en su comunidad. Esto obedece a la necesidad de darle un valor agregado al producto que pretenden comercializar en tiendas de Estados Unidos, Singapur y Australia. Un reto monumental si consideramos que las 30 mujeres indígenas del estado de Puebla producen 90 camisas bordadas al mes, utilizando más de 100 metros de hilo de alta calidad bordados manualmente en cada prenda y cuya etiqueta es hecha a mano con el nombre de la artesana beneficiada con la compra del producto. Así empezaron muchas empresas que hoy figuran entre las más cotizadas y admiradas en el mundo. Habrá que seguir "haciendo la talacha". Podemos contactarlos en www.flordemayomx.com.

Un proyecto que entiende el poder de los paradigmas como creencias en los mitos y desde ahí busca innovarlos es Mongo. Su creadora es Adriana Higuera Ruy-Sánchez, quien estudió ciencias y técnicas de la comunicación en la Universidad Iberoamericana y su equipo asociado lo componen Sandra Villar Rodríguez (diseño)

y Esperanza Villar Rodríguez (producción), ambas estudiaron diseño gráfico en la Universidad Iberoamericana. Mongo es un proyecto
comercial de fomento cultural que busca el rescate del patrimonio de
los pueblos indígenas de México mediante el desarrollo de productos que conserven técnicas y materiales de estos grupos e incorpo-
ren elementos de diseño contemporáneo, respetando y difundiendo
la propia tradición. He aquí su propia concepción sobre los mitos:
los mitos sirven para explicarnos la realidad. Todas las culturas del
mundo han dado origen a muchos de ellos. En México, en la época
prehispánica, se creía que cada persona poseía desde su nacimiento
el espíritu de un animal que lo protegía y aconsejaba, principalmente durante el sueño. Esta creencia aún forma parte de nuestra cultura. A estos espíritus se les conoce como nahuales, cuyo significado
en náhuatl es doble o proyectado. Mongo es un proyecto mítico que
busca transmitir valores y tradiciones de México a través del desarrollo de productos diseñados en talleres de mitos y sueños, con diferentes comunidades indígenas, a las cuales apoya con el producto de
su venta. Mongo hace alusión al nahual, al *alter ego*, a nuestro doble,
que busca recordarnos lo artesanal que es la propia vida: un producto hecho a mano. Mongo tiene dos líneas de producto y cada uno
es representativo de un proceso cultural: productos textiles para la
casa y productos y accesorios personales. Para su elaboración, Mongo funciona como una plataforma de proyección, invitando y acredi-
tando a diferentes artistas invitados, tanto emergentes como aquellos
que ya se encuentran en el circuito artístico, a participar mediante
una edición especial y limitada de sus productos, con la única finalidad de difundir sus actividades y ser un mecanismo que concentre
esfuerzos que deriven en el desarrollo de los grupos indígenas del
país. El espíritu de Mongo se encuentra fundamentado en la copar-
ticipación, transformación, valoración, desarrollo y generación de
empleo, así como en la combinación de elementos de diseño contemporáneo con las técnicas y materiales tradicionales. Podemos conocer
más acerca de este proyecto en www.mongo.com.mx.

    ¿Y qué pasa si le metemos innovación a un ícono religioso tan
sagrado para los mexicanos como es la Virgen de Guadalupe? No
había más que arriesgarse para ver las reacciones. Amparo Serrano,

la diseñadora gráfica de la Universidad Anáhuac, se lanzó al ruedo y fundó Distroller, creadora de la nueva imagen, folclórica e infantil, de la Guadalupana, que actualmente se encuentra en todas partes, en pañuelos, libretas, pósters, estampas. Es todo un *boom* en tiendas, centros comerciales y almacenes de prestigio. Lo mismo se encuentra en anaqueles de Estados Unidos, Europa y Latinoamérica. Existen muchos personajes más que han sido creados por esta diseñadora mexicana. Quienes no la conocen pueden ingresar a www.distroller.com.

¿Y por qué no huitlacoche y setas para el mercado gourmet? Endotzi es una empresa mexicana que produce huitlacoche (un hongo derivado del maíz) y setas, y los está comercializando con éxito como productos gourmet en España, Canadá y México. "Nuestra visión es reposicionar al huitlacoche como un alimento para la élite, como lo era en el México prehispánico, cuando sólo los tlatoanis o gobernantes podían comerlo", explica Mariano Jacinto, director ejecutivo de esta empresa. Endotzi, una marca de origen otomí, busca cristalizar una historia fantástica de innovación de la trufa mexicana. Endotzi ofrece setas en escabeche, al chipotle, en aceite de oliva y para condimentar. Vende huitlacoche en tarro y produce nueces de la India y arándanos cubiertos de chocolate. Todos son considerados productos gourmet y los comercializa en tiendas como Chedraui, City Market de Comercial Mexicana, así como en Liverpool y en otras de alta especialidad. Desde 2012 iniciaron trámites para la exportación a Canadá y España. El crecimiento exitoso de Endotzi se debe al trabajo conjunto de los socios provenientes de cinco sociedades de productores locales del llamado hongo seta y al apoyo del programa de aceleración de empresas TechBA Vancouver, de Fumec. El éxito alcanzado por Endotzi está comenzando a ser reconocido por la prensa mexicana, ya que recientemente la revista *Entrepreneur* le dedicó un artículo a esta empresa, destacando el liderazgo de Mariano Jacinto y los obstáculos que ha superado para posicionar sus productos.

¿Y qué pasa cuando naces en una familia que se dedica a un oficio que es una especie en extinción? El mexicano José Cruz Guillén Peña, que abandonó de muy joven sus estudios de filosofía, apostó por preservar la tradición de los grabadores de vidrio con la técnica de la pepita. Se trata de una artesanía que tiene sus raíces en la época colonial y que conoció sus mejores años a mediados del siglo pasado —era la favorita de los gobernadores—, pero que cada vez se hace menos; los maestros se van muriendo, los jóvenes la abandonan pronto, el vidrio industrial se vende más y el regateo la denigra aún más. Al parecer este grabado tiene su origen en el siglo XV, en Holanda; de ahí pasó a Alemania, luego lo adoptan los españoles, quienes lo introducen a México en la época de la Colonia. En 1524, el señor Rodrigo de Espinoza funda la primera fábrica de vidrio soplado en Puebla. Lo que hace es traer un grupo de artesanos de España, quienes enseñan a los indígenas mexicanos. Cuando ellos aprenden a soplar el vidrio comienzan a imprimirle su talento y huella a cada uno de los artículos. A partir de ese momento surge el grabado de pepita en México. José Cruz, por pura intuición, sabía que "la tradición tiene que ser innovada para volver a ser tradición". Desde sus 16 años fue a contracorriente de todos, haciendo círculos y curvas. Él entendió muy temprano que si no hacía algo más que líneas, que si no evolucionaba de manera notable, dejando atrás formas y diseños que ahora resultan agrestes y simples, esa artesanía estaba condenada a morir. Había que revolucionar el diseño con figuras garigoleadas y otras múltiples formas. Sobre la piedra talla la exquisita pepita, un nombre que viene por su similitud con las semillas de calabaza, de ahí que al hablar de su chamba diga que "no son cacahuates". "¡Fabricar no me interesa, crear sí!"

Un caso de "innovación a la mexicana", con sabor a México y que "va que vuela" para convertirse en ícono, es Pineda Covalin. Se trata de una casa de moda que utiliza patrones tradicionales, figuras e imágenes de las culturas mexicanas nativas como la maya, la huichol, la zapoteca y la azteca. Esta empresa fue creada en 1995 por dos jóvenes diseñadores, Cristina Pineda y Ricardo Covalin, quienes empezaron haciendo corbatas para empresas como Volkswagen y Coca-Cola. Se caracteriza por su moda fresca llena de colores y con alusión a la flora, la fauna y lo mexicano. El secreto de esta firma ha sido "innovar la tradición prehispánica", combinando en su ropa y accesorios, los elementos antiguos con innovadores diseños y buscando representar la transmutación de las antiguas expresiones culturales resurgiendo a la vida moderna. La marca busca globalizar la cultura mexicana, primero viajando por los caminos de Latinoamérica que mira al mundo moderno a través de los ojos de su historia, de sus tradiciones, de su pluralidad cultural, de su multiplicidad étnica y de su fértil imaginación, para luego seguir viajando por los caminos del mundo. Sus modelos se venden en las tiendas de propiedad de la marca, tiendas departamentales y en las áreas comerciales de los aeropuertos y museos de México, Estados Unidos, Canadá, Francia, España, Japón, República Dominicana y El Salvador. En este último país estuve a finales de 2012, con motivo de una conferencia a la que fui invitado, acompañado de mi hija Ana Claudia, y al visitar el Museo de Arte Moderno de El Salvador (Marte) pude constatar, con orgullo, que en la tienda del mismo estaban las prestigiadas corbatas. "Se venden muy bien", me comentó la encargada. Conocí a Cristina Pineda en noviembre de 2011 —siendo secretario de la Comisión de Comercio y Fomento Industrial en el Senado de la República— en un evento organizado por la Cámara Franco-Mexicana de Comercio e Industria (CFMCI) para fomentar la cultura mexicana en Francia y presentar a México como una tierra de oportunidad para el turismo y los negocios. En dicho evento 33 bellas señoritas francesas, que visitaban nuestro país, buscaban ser las sucesoras de Laury Thillman, Miss Francia 2012. Y para el cierre de estas actividades las chicas pasaron de ser reinas de belleza a modelos de pasarela, todas ellas lucieron exquisitas creaciones de reconocidos diseñadores mexicanos como Alejandro Carlín, JI+B, Paulina y Malinali y, desde luego, Pineda Covalin. Sin duda, estas modernas piezas con toques étnicos y confeccionadas en textiles de Chiapas y Oaxaca lograron despertar en cada una de ellas el espíritu mexicano.

En enero de 2014, cuando presenté mi proyecto de "Innovación a la mexicana" en un hotel de Polanco, en el arranque de la instalación de la Comisión Nacional de Innovación de la Coparmex, se presentó conmigo Tanya Moss: "Hola, Ramón, felicidades por la presentación. Tienes que conocer mi obra. Yo también soy parte de las innovaciones a la mexicana, y estoy al nivel de los casos exitosos que has presentado". Tanya es la diseñadora mexicana más importante de joyería y accesorios. Su proyecto y su sueño empezaron desde que diseñó una marca con su nombre como parte de su tesis en la Universidad Iberoamericana. Su idea siempre fue hacer una firma que lleve a México en la sangre y con un concepto de vida. "Todos los diseños salen de mi mente, y las colecciones, de la compañía", afirma. Sus colecciones son siempre novedosas. Por ejemplo la Tanya Musgo incorpora un estilo fresco e innovador que combina la herencia mexicana con la sofisticación y versatilidad de sus propias ideas de diseño. Ella no sigue las tendencias, crea su propia tendencia a través de colecciones sólidas que buscan trascender el tiempo. El poder de los paradigmas como símbolos es explotado por Tanya. Su símbolo es la mariposa, el ícono de la marca, y representa la libertad, la evolución, el desarrollo, el contraste y la fuerza que intenta plasmar en sus exclusivos diseños en su joyería de oro y plata, los cuales se venden tanto en sus propias boutiques como en las tiendas y en los centros comerciales más prestigiados de México. También sabe del poder de los paradigmas en las tecnologías; combina lo mismo técnicas de joyería tradicional con nuevas tecnologías, como la posibilidad de diseñar una pieza en 3D en una computadora. Pueden contactarla en www.tanyamoss.com.

Es indiscutible que si de lo que se trata es de joyas de oro o plata que combinen el lujo con diseños prehispánicos, la marca TANE —fundada en 1942— se cuece aparte. Lo mismo trabajan con diseñadores mexicanos de los más creativos y lanzan colecciones muy exclusivas, que con las mujeres de Isla Mujeres, proporcionando empleo a la comunidad y manteniendo viva la tradición creando joyas muy flexibles tejidas de cuentas de plata. El estilo de TANE es una combinación de lo clásico y conservador con propuestas atrevidas y vanguardistas. Desde hace más de medio siglo se ha caracterizado por su inigualable pasión por el diseño en plata, la exigencia de alta calidad, la innovación del uso de plata vermeil (baño de oro de 23 quilates sobre la plata) y por realizar cada una de sus piezas a mano. En TANE la plata se trabaja manualmente; el repujado, cincelado, forjado y otras técnicas, son ejecutadas de la misma forma que siglos atrás y se han conservado a través de generaciones con el fin de enriquecer la tradición orfebre. Sus diseñadores podrían ser catalogados como "cazadores de paradigmas" en sus manifestaciones de moldes, formas, recuerdos, herramientas, símbolos, expectativas, hábitos, tradiciones. Siempre están al acecho de todo aquello que pueda ser convertido en una joya o pieza de orfebrería. Sus fuentes de inspiración son la naturaleza, la arquitectura, el arte clásico, el arte popular o simplemente objetos de la realidad cotidiana que puedan ser redescubiertos y revalorados en su particular belleza.

¿Y por qué no subsistir de la venta de velas artesanales? Eso fue lo que pensó Marcela Saviñón hace 16 años en Querétaro, cuando lanzó su negocio de velas artesanales. "Empecé en mi casa, en mi cocina chiquita, daba clases y vendía materia prima. Después me invitaron a un programa de televisión y ahí fue donde conocieron mis productos", comentó la empresaria. En medio de un difícil momento familiar, inició su empresa Velas Saviñón, con una pequeña inversión; unas latas de leche y una significativa cantidad de parafina. Eso fue sólo el comienzo. Si se hubiera limitado a lo de siempre no habría llegado muy lejos. Marcela hizo de la innovación la clave de su emprendimiento. A partir de 2000 comenzó a tener ventas en diferentes puntos del país y de inmediato en otros países como Arabia Saudita, Alemania y Canadá, porque ofrecía una línea de productos diferentes. "Constantemente hay que renovar, crear novedades atractivas para los clientes; hacer nuevos moldes con diseños propios, tanto para eventos sociales como para empresariales", sostiene la señora Saviñón, sabedora del poder de los paradigmas como moldes.

> "La tradición tiene que ser innovada para seguir siendo tradición."

¿Y qué pasa si combinamos la moda con la tradición y el corazón? Transcribo una parte del reportaje que la periodista argentina Ágata Székely hizo sobre Claudia Muñoz, para la revista *Entrepreneur*. Un buen día, Claudia Muñoz, diseñadora textil, decidió darle un giro a su vida. Aunque le gustaba su trabajo —dirigía el área de moda de Fashion Week México, daba clases en la Universidad Iberoamericana, era investigadora y asesora de tendencias en la empresa Cotton Incorporated y además colaboraba en algunas revistas—, sentía que el ambiente laboral que la rodeaba era muy superficial. "Sé que suena a cliché —cuenta—, pero era cierto que trabajar con diseñadores, publicidad y moda de alto nivel resultaba muy desgastante y al final siempre me quedaba una sensación de vacío." En busca de un cambio tanto personal como profesional hacia actividades con un sentido más profundo, Claudia dejó el Distrito Federal para establecerse en la colorida ciudad chiapaneca de San Cristóbal de las Casas. El lugar, donde viven varios grupos étnicos que trabajan con tejidos tradicionales, la inspiró y en poco tiempo creó Chamuchic, una marca de indumentarias y accesorios que rescata, revalora y moderniza la artesanía textil tradicional y la acerca al mercado contemporáneo. "Mi interés por los textiles me llevó a hacer esto", dice Claudia. "Yo no estaba muy en contacto con esta parte de nuestras raíces y nuestra cultura, lo veía como algo muy lejano. Cuando empecé a acercarme, me enamoré y también me hice muy sensible a la situación de esas personas. Las artesanas compartían conmigo sus inquietudes. Ellas tenían y tienen en sus manos un oficio milenario que vale fortunas, pero no están ganando fortunas, y al contrario, cada día tienen que abaratarlo más para poder sobrevivir vendiendo en las calles. Toda esa dinámica me partió el alma y me dio el coraje para poder hacer algo que revalorizara el trabajo artesanal y a ellas mismas." Y aquí es donde surge Chamuchic, una empresa que celebra la belleza de las artesanías de los Altos de Chiapas y encuentra un balance armonioso entre lo tradicional y lo contemporáneo. Las manos de las artesanas trabajan el telar de cintura y los bordados, moldean el barro y dibujan antiguos motivos mayas con tintes naturales. Chamuchic orienta su creatividad y destreza con los conocimientos de un mercado ajeno a ellas pero del cual depende la supervivencia de sus antiguos conocimientos. "La tradición tiene que innovarse para volver a ser tradición." De lo que se trata es de crear valor, no de vender un *souvenir*. Los textiles de su colección son creados en las comunidades de San Andrés Larráinzar, Zinacantán y San Juan Chamula. El nombre "Chamuchic" surgió de una broma de un amigo de Claudia cuando ella usaba una blusa tradicional chamula con una falda globo de satín negro y tacones altos. Para conocer más podemos accesar a www.chamuchic.com.

Si hay un lugar que puedes visitar y llevarte el sabor de México en la boca y añorar poder regresar por otra probadita es Xcaret. Un majestuoso parque arqueológico ubicado en la Riviera Maya, Cancún, en el Caribe mexicano, que atesora lo mejor de las tradiciones y la cultura de México, un paraíso que combina la belleza natural y la riqueza cultural del país y la región. En 1984 el arquitecto Miguel Quintana Pali compró 12 hectáreas en la Riviera Maya, en Quintana Roo, con la idea de construir su casa de ensueño. Sin embargo cuando empezó a limpiar la tierra descubrió antiguos cenotes mayas y hermosos ríos subterráneos. Impresionado por esta magnífica vista le pareció que no debía ser accesible sólo para unos cuantos privilegiados y comenzó a visualizar en su mente y a formular la idea de un parque abierto al público. Junto con los hermanos Óscar, Marcos y Carlos Constandse, el arquitecto Quintana trajo a la vida el Parque Xcaret. Desde su apertura en diciembre de 1990, es una de las atracciones más famosas de México. El principal sello de Xcaret es "la creación de experiencias mágicas, los 365 días del año". Para lograr lo anterior en Xcaret saben bien que "la magia tiene que innovarse para volver a ser magia". Los mexicanos hasta de la muerte hemos hecho una fiesta… Una de las celebraciones más impactantes de todo México se celebra en el panteón de Xcaret, una pirámide circular de 365 tumbas, una por cada día del año, distribuidas en dos costados por un camino que sube siete niveles en espiral, simbolizando los días de la semana, que se recorren al subir 52 escalones, por el número de semanas del año. Cada noche el espectáculo es magnificente, 300 artistas se preparan para un viaje musical, un festival de luz y color, a través de la historia de México, desde la época prehispánica hasta nuestros días, con su fantástica indumentaria, folclor, cantos y danzas. Se inspiran en la madre naturaleza para crear atuendos y formas de expresión. Xcaret es una exitosa e innovadora combinación de tradiciones, ambientes naturales, espectáculos culturales en vivo y actividades emocionantes. Imaginemos la recreación de un juego de pelota prehispánico, una celebración charra, un acuario de arrecife de coral, un vivero para la fauna regional, un pabellón de mariposas, ríos subterráneos, playas y piscinas naturales, nado con delfines… toda una "innovación de nuestras tradiciones". También recrean las fiestas y ceremonias que han sido declaradas Patrimonio Cultural Inmaterial de la Humanidad por la UNESCO, como la ceremonia de los Voladores de Papantla (Veracruz), el Día de Muertos y el mariachi, donde la música de México luce con tremenda algarabía, y desde luego interpretando las canciones más mexicanas, como "Cielito lindo" y "México lindo y querido", sin faltar la deliciosa comida mexicana (chiles en nogada, mole poblano, un buen guacamole y unas tortillas hechas a mano). En Grupo Xcaret saben también del poder de los paradigmas como acuerdos. En 2010 fusionó sus operaciones de negocios comerciales con sus parques socios, como el acuario natural más grande del mundo y donde se puede bucear junto a cientos de peces, el Xel-Há, y el parque de aventura Xplor. Este acuerdo de colaboración significa crear una empresa en el turismo sostenible, la recreación y la responsabilidad social, capaz de responder a las necesidades de más de seis millones de turistas que visitan el Caribe mexicano cada año.

Nací en un pueblo llamado Lagos de Moreno, municipio de Jalisco. En noviembre de 2012 fue declarado por el gobierno federal como "pueblo mágico". El programa Pueblos Mágicos fue desarrollado por la Secretaría de Turismo en 2001 —en el gobierno del presidente Fox— en conjunto con diversas instancias gubernamentales y gobiernos estatales y municipales. Un "pueblo mágico" es una localidad que tiene atributos simbólicos, leyendas, historia, hechos trascendentes, cotidianidad, en fin, magia que emana en cada una de sus manifestaciones socioculturales y que significan hoy día una gran oportunidad para el aprovechamiento turístico. Pueblos mágicos con tradiciones mágicas como la fiesta de La Candelaria en Tlacotalpan, Veracruz; el año nuevo de los seris en Sonora; la Semana Santa Rarámuri en Chihuahua; la fiesta del Señor del Cerrito en Jiquipilco, Estado de México; la fiesta de la Virgen del Rosario en Talpa de Allende, Jalisco; la Danza de los Guerreros del pueblo Kikapú en Coahuila, y la Guelaguetza ("El don de la fraternidad") en Oaxaca. Mi reflexión es la siguiente: ¿en la era de la innovación es posible vivir de la magia y las tradiciones del pasado? Las tradiciones son los ecos de nuestros antepasados, son los cantos de esperanza, son las prácticas que han pasado de generación en generación, negándose a morir. Es la celebración de la vida. Es la forma en la que damos las gracias por nuestra tierra, por nuestra gente, por la forma en que somos los mexicanos. Es sentirnos orgullosos de lo que somos como país. Con todo y todo, "la magia y las tradiciones tienen que innovarse para volver a ser tradiciones y magia". Como lo saben y hacen bien en Xcaret y los que, como mi familia y yo, hemos disfrutado de experiencias mágicas en ese paraíso terrenal.

¿Y por qué no revitalizamos nuestros mercados con un poco de arte? La competencia contra los supermercados "está cañona" y nuestros mercados cada vez lucen más descuidados. En enero de 2012 surge una propuesta, que se desarrolla frente a la creciente invasión de los supermercados y centros comerciales, para que los locatarios, los usuarios y la población flotante compartan sus historias de vida, reflexiones y anécdotas para que puedan quedar plasmadas en un mural. El poder de los paradigmas como metáforas en las historias y las anécdotas. Así nace el proyecto Marchante, cuya responsable es la museógrafa Syrel Jiménez Lobato, quien cuenta haberse inspirado en el mercado Abelardo Rodríguez, que posee unos maravillosos murales. Syrel visualizó, de entrada, a 10 de los más de 300 mercados del Distrito Federal como lugares de identidad y de resignificación del espacio, donde artistas como el Dr. Lakra y grafiteros de la ciudad los intervinieran pintando aquellos elementos que distinguen a cada recinto, utilizando técnicas como el grafitti, el muralismo, la instalación, el esténcil y el diseño digital. Para concretar su idea, Syrel convocó también a un grupo de especialistas de la Universidad Nacional Autónoma de México (UNAM) y de la Escuela Nacional de Artes Plásticas (ENAP) para que hicieran un estudio histórico, antropológico, social urbano y arquitectónico, para que, cada uno desde su disciplina, se diera a la tarea de conocer personajes, festividades y leyendas urbanas. Me parece por demás interesante el proceso que siguieron de realizar primero un estudio dentro del espacio, trabajando con la gente para que les compartiera sus historias y vivencias, para que éstas pudieran ser luego reflejadas en las obras. "Pásele, marchante, le ofrecemos fruta acompañada de arte." En el proyecto "Marchante, un trueque con el arte" se vinculan los ciudadanos, los artistas, y el gobiernos federal (a través del Conaculta y el INBA) y locales. Se trata de un proyecto donde colaboran muchas manos juntas que, dejando a un lado sus diferencias, cooperan para rescatar y dignificar el espacio público. Este proyecto inició con el mercado de Medellín, que está lleno de comida latinoamericana, espacio que fue pintado por Christian Pineda; continuó con el mercado de La Bola, donde Carlos Cons y el Dr. Lakra pintaron la Mona Lisa, con delantal y vendiendo chiles. Los mercados tienen que ser innovados para seguir siendo mercados. Y si quieren ir más lejos aún habría que seguir los pasos de Tony Goldman, el renombrado revitalizador de barrios y comunidades. Cuestión de ver lo que hizo en Miami, Florida, en las muy conocidas Wynwood Walls, donde le dio al movimiento grafitero una mayor reputación y relevancia. Tan sólo en 2010 abrió las puertas de Wynwood con 176 metros cuadrados de arte callejero en cuyo proyecto participaron artistas mexicanos y de otras partes del mundo como Estados Unidos, Alemania, Brasil, Portugal, Bélgica, Ucrania, Francia y Japón. Los murales de clase mundial y el espíritu del proyecto siguen atrayendo a miles de personas a Wynwood cada año. Entre otras cosas, es un modelo inspirador e innovador para la revitalización de las decadentes y abandonadas comunidades históricas. Del mismo modo podemos aprender del grafitero ROA, que vive en la ciudad de Ghent, Bélgica, que convierte edificios abandonados en espacios de reflexión con animales inmensos.

¿Por qué no fabricar bolsos de mano con materiales reciclados, hechos por presidiarios, y venderlos en exclusivas boutiques? La empresa Nahui Ollin, fundada por la diseñadora mexicana Olga Abadi, utiliza la antigua técnica maya de la unión de materiales cotidianos en bolsos de mano. Cada bolso es hecho de materiales reciclados de envoltorios de dulces, galletas, caramelos, golosinas y las etiquetas de refresco recogidas en pequeñas fábricas independientes. Esta marca es el último *hit* en etiquetas bio-*chic* elaboradas siguiendo una antigua técnica de costura de la artesanía maya. Se comercializan en boutiques y tiendas de prestigio en varias partes del mundo. Celebridades como la actriz estadounidense Drew Barrymore ya se han hecho fans de estos bolsos reciclados respetuosos con el medio ambiente. Este caso ya de por sí interesante se hace aún más atractivo cuando vemos la participación de reclusos en la elaboración de sus productos. El Centro de Reinserción Social (Cereso) en San José el Alto maquila semanalmente 12 500 bolsas que son exportadas principalmente a Estados Unidos y Europa. Una nave industrial donde se confeccionan bolsas, carteras y accesorios de exportación opera en el interior del Cereso de San José el Alto, en la ciudad de Querétaro. Cada semana llega al penal una tonelada de rollos de plástico de etiquetas que las empresas locales desperdician porque no pasan los controles de calidad. Cerca de 900 internos de un total de 1 527 procesados y sentenciados por los delitos de robo, homicidio, secuestro y delincuencia organizada que se encuentran ahí trabajan para la maquila de bolsas para dama fabricadas de pequeñas piezas de papel plastificado ensamblado a través de la técnica de papiroflexia para la marca Nahui Ollin. Actualmente los internos elaboran 130 modelos diferentes de bolsas para dama y trabajan con 150 combinaciones distintas de colores e imágenes que imprimen en una rotativa Hildenberg que les permite diseñar sus propias propuestas. Por este trabajo, cada recluso tiene un salario semanal que va de 100 a 800 pesos. En este taller se manufacturan hasta 14 000 bolsas por temporada de moda que exportan a Estados Unidos y Europa, en donde ese producto es comercializado desde 100 hasta 300 dólares.

"El teatro tiene que ser innovado para seguir siendo teatro." Esto es lo que están haciendo los protagonistas y actores en *La Improlucha*. Un espectáculo muy exitoso en el país, con una puesta en escena original, un oído atento al mercado y el patrocinio de una marca que le dio estabilidad al negocio. El escenario del Polyforum Siqueiros se viste cada jueves de Coliseo en miniatura. Las luces descienden sobre el cuadrilátero y una melodía del grupo Los Sin Cara prepara el ambiente. Un taxista tuerto invita al público al espectáculo de teatro y lucha libre con actuación, música y acrobacias. Los actores sólo cuentan con su ingenio y técnica histriónica como únicas armas. Esto es *La Improlucha*, un espectáculo que combina varias disciplinas escénicas para brindar una nueva alternativa en entretenimiento. Un proyecto que estuvo pensado en sus inicios para generar mercado. Como lo ha expresado la actriz y directora de teatro Lourdes Pérez: "México se ha transformado en el ámbito teatral en los últimos 20 años. Los artistas han entendido, poco a poco, que no basta con una puesta en escena tradicional para ganar a los consumidores ante la creciente oferta de entretenimiento en internet, televisión, salas de cine y parques de diversiones. Hoy se hace necesario recurrir a formas multidisciplinarias donde la danza o la música no sólo acompañen a la obra, sino que formen parte de ella". En 2005 el director de la compañía, José Luis Saldaña, asistió a un festival de improvisación en España, donde descubrió que estos espectáculos generan un público cautivo y recurrente. Al llegar a México decidieron llevar este asunto más allá de la improvisación y se dieron a la tarea de crear un show que combinara música, lucha libre e improvisación teatral. Hoy su emprendimiento muestra buenos números que confirman que el performance, como parte de la "economía naranja", aún es arte redituable. De hecho ahora las marcas buscan posicionarse a través de este tipo de eventos. Algunas pagan la nómina de las 20 personas (entre actores y creativos) de la temporada completa. El artista en el mundo de hoy debe verse como parte de la economía creativa y revisualizar la forma como tradicionalmente se mira. Tal como lo aconseja Gabriela Vieyra, directora de la carrera de emprendimiento cultural en el Tec de Monterrey: "El artista de teatro hoy debe ser multidisciplinario, saber desde el inicio qué recursos necesita para comunicar su discurso y buscarlos. En ese sentido, el creativo debe dejar de tenerle miedo al mercado y dejar de pensar: si soy artista estoy condenado a morir de hambre".

Un proyecto al que hice mención en el primer capítulo es el de "Guadalajara: Ciudad Creativa Digital". Una de sus líneas estratégicas es la referida a la "Experiencia Social": vivir, respirar y comer conocimiento. Y consideran un rubro relacionado con la comida mexicana. La comida no sólo es la columna vertebral de nuestra economía, es parte de su tradición e historia; desde la producción para el cultivo del maíz, tomate y agave. La comida forma parte de una importante tradición cultural y social mexicana: es un sistema tan importante que debe de tomarse en cuenta para la planificación de GDL CCD. Se debe de considerar un grupo importante de negocios que enmarquen los sabores y olores mexicanos, y se conviertan en el foco de una nueva intervención.

Una mexicana que se ha preocupado por innovar y globalizar nuestras tradiciones es la diseñadora coahuilense Carla Fernández, reconocida en Holanda a finales de 2013 con el premio Príncipe Claus por su trabajo en conservar y difundir el trabajo textil de diversas comunidades indígenas de nuestro país, mediante su laboratorio de diseño móvil Taller Flora, en el cual las prendas son fabricadas por técnicas que le son familiares a los artesanos y que son utilizadas como un camino para llegar a nuevos diseños. Carla busca que las artesanas puedan vivir de su producción y que, en consecuencia, no tengan que migrar hacia las ciudades. También pretende evitar la extinción de las artesanías mexicanas. El Taller Flora produce una colección de moda de alta calidad con un diseño moderno, singular y refinado. También coleccionan ropa práctica para la comunidad de creadores que incluye mezclilla teñida de índigo y tejida a mano que se ha hecho popular entre la población juvenil de los poblados. Su gama de atractivos, cómodos y resistentes uniformes escolares para el estado de Oaxaca ha conseguido que fábricas que estaban abandonadas vuelvan a ser productivamente activas. Fernández promueve procesos de producción responsables con el medio ambiente, al igual que el desarrollo económico de los artesanos indígenas y sus comunidades, asegurándose de que los trabajadores sean reconocidos y se les pague su propiedad intelectual. Ella comparte su metodología y combina sus facetas tanto de diseñadora como de antropóloga por medio de charlas, exposiciones y publicaciones.

¿Qué pasa si pintamos tus pasos con arte mixteco en los tenis Converse? El sueño de los grabadores mixtecos era construir un Centro Cultural Mixteco en Pinotepa de Don Luis, en la Sierra de Oaxaca. Llevaban muchos años intentándolo sin éxito. Las puertas que buscaban abrir para financiarlo habían sido las gubernamentales. En todos los niveles no se les abrieron. Idelfonso López, quien representaba a la Asociación de Grabadores Mixtecos Unidos, conocía de memoria esos caminos que no conducen a nada. Pero el proyecto habría de encontrar la oportunidad de plasmar su arte en los icónicos tenis All Star de Converse, en 2005, bajo la batuta del maestro Juan Alcázar, quien fuera fundador y director del Museo de los Pintores en la Ciudad de Oaxaca por más de 30 años, logrando captar la atención y admiración de todo el mundo gracias a la riqueza de colores y texturas con las que retrataron la fauna y la flora de su comunidad. Así es como nace Pintando Pasos, un programa de apoyo social y cultural que genera empleos y activa la economía de los pobladores de la región, rescatando de esta manera creativa una tradición estatal y nacional. Gracias a esta alianza entre los mixtecos y Converse, concretada en Pintando Pasos, es que ellos reciben los tenis y un grupo integrado por 13 artistas jóvenes se dedica a pintarlos con el único objetivo de hablar de sus tradiciones, mitos y leyendas. Dado que no es lo mismo pintar jícaras —la flor típica de la región— que pintar tenis de lona, hubo que experimentar y hacer pruebas durante un año con pinturas para ver cuál era la correcta. La pintura, a prueba de agua, se le encarga a un laboratorio de México y es exclusiva para este proyecto. Los fines de este proyecto son muy claros y transparentes. Cada mes se producen en promedio 60 pares de tenis pintados a mano y firmados por el artista, cada uno irrepetible, mismos que se distribuyen en diferentes puntos para su venta y exposición tanto en México como en el extranjero, bajo la coordinación de Converse México. Cada par de tenis se vende en 250 dólares y el cien por ciento de los recursos que se recaudan se envían a la Asociación de Grabadores Mixtecos. Así, de manera regular reciben el pago por su trabajo. El 70% lo destinan a la manutención de las 13 familias y el 30% restante a la construcción del primer centro cultural en su comunidad de Pinotepa de Don Luis. Lo que persigue la Asociación de Grabadores Mixtecos con esta obra es crear un espacio donde se impartan talleres de arte para niños y niñas y que las mujeres de la comunidad tengan un espacio digno donde exponer y vender sus trabajos de telar de cintura, y también para que ellos tengan un lugar donde puedan seguir grabando y pintando en diferentes materiales como son tenis y jícaras, entre otros. Este espacio le dará impulso al arte, a las tradiciones y al desarrollo humano. Este proyecto ha sido reconocido en México y en todo el mundo por su belleza e innovación, pero también por su valor antropológico, al unir dos ámbitos, aparentemente opuestos. Estos tenis representan una historia que se originó con una jícara, grabada en un objeto contemporáneo. En 2005 obtuvo el Premio Internacional de Diseño Latinoamericano en Ámsterdam, Holanda. Algunos famosos han querido pintar sus pasos y caminar de la mano con los grabadores mixtecos como embajadores sociales, entre los que se encuentran los cantantes Juanes, de Colombia, y los mexicanos Ely Guerra y Benny Ibarra, quienes de manera gratuita y generosa apoyan el programa. Los famosos tenis se distribuyen con éxito en países como Francia, Alemania, Estados Unidos y Japón. Podemos conocer más de este proyecto visitando www.responsabilidadsocial.com.mx.

Pintando Pasos es, en resumen, un proyecto con sabor a México, que innova nuestras costumbres y tradiciones y que mira por los pobres al evitar la migración de los hombres de estas comunidades marginadas.

2. *Una innovación participativa: Democratizar la innovación*

Cuando menciono esta idea en mis conferencias la gente suele reaccionar con cierto escepticismo. ¿Se puede democratizar la innovación? ¿Qué no es asunto de los genios, de los investigadores o de los científicos? Es posible hablar de "democratizar la innovación" porque en esta nueva época el conocimiento es colaborativo, ya no se entiende la innovación como el resultado de las ideas de grandes mentes o de momentos individuales de lucidez. Sin duda de esos momentos surgen grandes innovaciones, pero la mayor parte de la innovación procede de la inteligencia grupal. Ahí tenemos el ejemplo de Facebook, la idea surgió en un momento de lucidez de Mark Zuckerberg, su fundador, pero lo que Facebook es actualmente se ha generado gracias a la contribución de miles de usuarios que utilizan esta plataforma para crear nuevas aplicaciones. (Observen la gráfica 2 del primer capítulo.) La mayoría de las innovaciones en el mundo están surgiendo de la combinación de la ciencia, la tecnología y el arte. Y las tres comparten una plataforma sustentada en la educación. Los países democráticos de todo el orbe invierten esfuerzos y recursos enormes para "democratizar la educación", con independencia de que unos tienen mejores resultados que otros. Como es el caso de Finlandia —un país con 5.3 millones de habitantes—, que era el más pobre del norte de Europa y ahora figura en los primeros lugares del *ranking* de competitividad internacional del Foro Económico Mundial: está en el primer puesto del *ranking* de los países más democráticos del mundo de la organización Freedom House, es el país menos corrupto (según el índice anual de Transparencia Internacional, que mide la percepción de la corrupción en todo el mundo), ocupa el primer lugar en los resultados de los exámenes internacionales PISA (que miden los conocimientos de estudiantes de 15 años en matemáticas, ciencias y lenguaje) y es el país con mayor número de investigadores científicos per cápita en el Índice de Desarrollo Humano de las Naciones Unidas. Nos queda claro que su prioridad es educación, educación y educación. Pero una educación conectada con la ciencia, la tecnología y el arte, para que luego de la combinación de éstas surja la innovación. Finlandia es el país de Nokia y del videojuego Angry Birds. La democratización de la innovación pasa por democratizar la educación y el conocimiento científico, tecnológico y artístico.

El economista Eric von Hippel, profesor de la Sloan School of Management del MIT, afirma en su libro *Democratizando la innovación* que hay dos tipos de innovación: la realizada por los fabricantes y la llevada a cabo por los propios usuarios. En oposición a la innovación convencional, realizada por los especialistas en innovación de las empresas o entidades productoras de bienes o servicios, cada vez son más los usuarios que innovan en esos productos o servicios. En su opinión, los consumidores estadounidenses comunes gastan 20 000 millones de dólares en tiempo y dinero tratando de mejorar productos domésticos que usan a diario. Esta inversión colectiva supone, a pequeña escala, más de lo que invierten en I+D muchas de las corporaciones más grandes del mundo.

Como un ejemplo sobre la innovación realizada por usuarios, tenemos el desarrollo de anclajes para los pies en las tablas de windsurfing, que permitían mejorar los saltos, y que fue perfeccionándose de forma colaborativa entre todos los aficionados a ese deporte. El windsurf es un deporte de agua superficial que combina elementos del surf y la vela. Este tipo de innovación tiene una serie de ventajas sobre la convencional. La principal diferencia entre ambos tipos de innovación es la siguiente: mientras que en la innovación del usuario es él quien se beneficia directamente de la innovación, en la otra tiene que haber un proceso comercial, una oferta y demanda, una venta del producto, que a su vez lleva implicada la gestión de patentes o derechos de propiedad industrial asociados a la innovación. Por otro lado la innovación es mucho más personalizada.

Compañías como P&G han descubierto que este esfuerzo de la comunidad no debe de tener un impacto pobre y puede ser aprovechado por las empresas. Ethan Mollick, profesor en la Escuela Wharton, complementa la explicación anterior sobre la democratización de la innovación argumentando que las apuestas en innovación son cada vez más pequeñas, pero más dispersas y numerosas, gracias a movimientos como el *crowdsourcing* y el *crowdfounding*, que consisten en el proceso de conseguir ideas, trabajo o financiación, por lo general en línea, a partir de una multitud de personas. Un ejemplo famoso es Wikipedia —esta empresa se lanzó en 2001 y ocho años después ya tenía 13 millones de artículos en 200 idiomas distintos—. Gracias a procesos como éste el ser humano ha entendido que la innovación no tiene dueño, ni es exclusiva; hoy, en cualquier rincón del planeta, cualquier humano de cualquier edad, condición social y credo puede crear, innovar, y lo más importante, puede compartirlo con el mundo. Y esto es algo muy positivo porque contribuye a hacer más atractiva la innovación y a crear un entorno más favorable para ella.

Los llamados a democratizar la innovación, y la ampliación de los alcances de la misma, se están extendiendo poco a poco. Michael Schrage, investigador del MIT, opina que "una diferencia fundamental entre Estados Unidos y la Unión Europea es que en ésta se cree que los expertos están en mejor posición que los consumidores para saber cómo debe ser la innovación en nuevas tecnologías. En Estados Unidos se impulsa el mercado de abajo hacia arriba. La innovación es una función que los consumidores deciden usar, independientemente si lo hacen de forma lógica o ilógica; por eso hay que poner los prototipos, aunque sean inacabados y rápidos, en sus manos, para que los experimenten, y a través de esa experimentación innoven junto con los expertos". En su opinión, hay que dar por terminado el tiempo en que "los especialistas deciden qué debe usar la gente" y dar paso a la "democratización de la innovación".

Uno de los grandes mitos de la innovación es que se trata de una actividad que sólo le pertenece a seres especiales. Sin embargo, muchos innovadores en la historia han sido simplemente personas tratando de ganarse la vida, o simplemente tratando de mejorar los productos domésticos que usan a diario. El consultor Bruce Ackman considera que la sociedad y los emprendedores de todos los tiempos siempre han innovado. La innovación se puede ver desde la agricultura hasta el arte, irónicamente la innovación no es nada nuevo, hasta hace algún tiempo se seguía entendiendo como un asunto académico. El punto es que siempre vamos a innovar y siempre vamos a innovar la forma en que innovamos. Después de todo, Ray Kroc, de McDonald's, no inventó las hamburguesas, y Howard Schultz, de Starbucks, no inventó el café; ellos inventaron la manera de vender más y cómo vender mejor.

La innovación es parte de la naturaleza humana, es el deseo natural de crear algo nuevo, de inventar un mejor futuro, pero hubo un tiempo en el que el proceso de creación estuvo monopolizado por magos, académicos, científicos y expertos. Si bien es cierto que la educación es el igualador social por excelencia, la educación combinada con ciencia, tecnología y arte lo es aún más. Con el desarrollo tecnológico y la creación de internet el conocimiento se globalizó, y ahora la innovación puede estar al alcance de todos.

Soy un partidario de que en la era de la innovación deberemos revisualizar el concepto "democratizar la innovación" y expandir aún más sus horizontes. Más allá de los planteamientos de Eric von Hippel y de Ethan Mollick. Mi propuesta es revisualizar el rol de todos los mexicanos más como creadores e innovadores que como usuarios. Para ello habremos de revisualizar nuestros paradigmas como creencias. El mayor secreto de la innovación es que cualquiera puede llevarla a cabo. La razón es simple. No es tan difícil como parece. Busquemos la palabra *innovar* en cualquier diccionario, y veremos lo que realmente significa. En lugar de lo que creemos que significa, encontraremos algo similar a esto: innovar es "introducir novedades". La creatividad puede parecer cuestión de magia. Nos fijamos en personajes como Steve Jobs y Bob Dylan y concluimos que tienen poderes sobrenaturales que nos fueron denegados al resto de los mortales, un don que les permite imaginar lo que nunca existió. La creatividad, sin embargo, no es magia y no existen los tipos creativos. En lo personal me gusta ponerle salsa Valentina a muchos de mis platillos favoritos, pero ¿qué pasa si la usamos para limpiar nuestros monumentos? Eso fue justo lo que el personal de la Dirección de Cultura del municipio de Ciudad Juárez hizo. Dado que los monumentos necesitan mantenimiento constante, pues son vulnerables a los actos vandálicos y a las inclemencias del tiempo, para ahorrar costos, esfuerzo y tiempo, se dieron a la tarea de limpiar con salsa Valentina las más de 100 esculturas de bronce que adornan Ciudad Juárez, logrando un brillo espectacular y protegiéndolas de la corrosión. La creatividad no es un rasgo que heredamos en nuestros genes, ni una bendición concedida por los ángeles. Es una habilidad. En el capítulo anterior vimos "las siete habilidades del innovador". Cualquiera puede aprender a desarrollarlas, cualquiera puede aprender a ser creativo y a innovar. El modelo de crecimiento económico de Michael Kremer, economista y profesor de Harvard, sostiene que "cualquier persona, en igualdad de condiciones, tiene las mismas posibilidades de idear un invento útil para la sociedad, es decir, de innovar".

Hace poco tiempo conocí a Pedro Galván, un mexicano talentoso y educado que reside en Austin y quien dirige la empresa Software Gurú. Él considera que la innovación del futuro no es la de los centros de investigación, sino la participación masiva. "El futuro de la innovación en México radica en nuestra capacidad para lograr que cualquier ciudadano pueda generar innovaciones de alto impacto. Para que en México haya innovación, lo primero que debemos hacer es bajarla de su pedestal y hacerla accesible a todos no como usuarios sino como creadores. Los ingredientes de la innovación en el siglo XX eran centros de investigación especializados, investigadores con posgrado, laboratorios de prueba, patentes, entre otros." Y lo que está ocurriendo en el mundo parece darle la razón. El caso de la industria farmacéutica es muy ilustrativo. En 2010, la mitad de las 10 mayores cifras de gasto corporativo en I+D, entre ellas las tres primeras, fueron de compañías farmacéuticas. Sin embargo, a pesar de los grandes presupuestos (en algunos casos hasta 9 000 millones de dólares) la industria sigue hambrienta de nuevos productos. No logra conseguir que la I+D amortice la inversión —recordarán que mencioné, en capítulos anteriores, que invertimos dinero en la investigación para obtener conocimientos y en la innovación buscamos convertir esos conocimientos en dinero—. En fecha reciente el jefe de estrategia del fabricante de medicamentos Glaxo, Smith Kline, advirtió que si los problemas de innovación no se solucionan, esto podría marcar "la última generación de I+D" para las grandes compañías farmacéuticas. En otras palabras, las gigantescas divisiones de investigación farmacéutica están en peligro de ser recortadas y fracturadas porque pierden de vista que investigar es buscar y que innovar es recoger los frutos de la investigación, ponerlos en el mercado y que generen dinero.

El mundo de hoy es diferente, está quedando atrás la innovación excluyente, la que sólo es realizable por una élite de personas e instituciones. En palabras de Pedro Galván, nos dirigimos a un mundo donde la posibilidad de innovar está al alcance de todos, y los productos y servicios más exitosos son aquellos que habilitan a sus clientes no sólo como usuarios sino como creadores. Ésa es la innovación del siglo XXI, la de la participación. Así que si queremos hacer de México un país innovador —sigue diciendo Pedro Galván— no deberíamos de preocuparnos por establecer más centros de investigación, o aumentar el presupuesto para fondos de innovación, sino por capacitar y habilitar a los ciudadanos comunes y corrientes para innovar. Esto requiere un cambio de mentalidad, debemos convertirnos en una nación con mentalidad creadora. Una nación con mentalidad creadora es aquella en donde sus ciudadanos se consideran capaces de desarrollar productos y servicios que resuelvan necesidades reales. En México somos excelentes consumidores, pero nos falta darnos cuenta de que también podemos ser creadores.

Democratizar la innovación es poner, en condiciones y en igualdad de oportunidades, a TODOS A INNOVAR: trabajadores, profesionistas, niños, estudiantes, amas de casa, campesinos. Para que lo anterior ocurra, habremos de reflexionar en lo que Sam Pitroda, presidente del Consejo Nacional de Innovación de la India, enfatiza: "Si bien observamos un enorme desarrollo tecnológico, sus beneficios siguen concentrándose en manos de muy pocos". En la era de la información —cosa paradójica—, la información es un poder que la gente no quiere compartir. Los promotores de la innovación lo son porque disponen de capital y además se enriquecen con ella. Por ello es un reto que se democratice la tecnología y la información. No podemos permitir que las minorías que han estado innovando hasta la fecha sigan suplantando la iniciativa de las mayorías. Konrad Adenauer (1876-1967), el gran estadista alemán, solía decir que "la política es demasiado importante como para dejársela a los políticos". De igual modo pienso que "la innovación es demasiado importante como para dejársela a los científicos y los investigadores".

Ana María Llopis, fundadora de Ideas4all y doctora por la Universidad de Berkeley, considera que en la actualidad el verdadero valor se crea compartiendo las ideas. Hay que empezar a hablar de interconectividad. Ideas4all es una red de ideas. ¡Tenemos más de 120 000! El objetivo es modificar el comportamiento más que la innovación en sí misma. Se trata de democratizar el proceso de generación de ideas, tomar en cuenta el talento de todos, el talento colectivo, y democratizar la innovación.

> Democratizar la innovación podría conducirnos a democratizar la riqueza, porque hasta ahora el principal problema es que la riqueza sigue cayendo en muy pocas manos.

3. Una innovación que mire por los pobres

"La innovación puede ser un factor clave no sólo para aumentar la productividad y la competitividad, sino también para reducir la desigualdad y la pobreza" (Hamid Alavi, especialista superior en desarrollo del sector privado del Banco Mundial). El Banco Mundial, a comienzos de 2014, ha presentado los resultados de su último estudio y las conclusiones son desafiantes: "A diferencia de otras regiones

y países de América Latina, en México la pobreza persiste y la desigualdad no ha logrado reducirse". De ahí la necesidad imperiosa e
impostergable de promover una "innovación que mire los pobres".

Para intentar explicar esta idea voy a narrarles la historia de Carlos y Marta: A través de una puerta en un callejón de la ciudad de
México, después de un patio, y luego de subir por unas escaleras está
el modesto departamento de dos cuartos de Marta y Carlos. Marta,
de 32 años, es un ama de casa madre de dos niñas locas por el bas-
quetbol; Carlos es contador en un taller automotriz. Su hogar no es
más grande que un cuarto de hotel de regular tamaño, con una diminuta cocina y un comedor apenas grande para que quepan una mesa
y cuatro sillas. No hay clósets, así que la pareja ha colocado repisas
de madera para su ropa. Las paredes están llenas de fotos familiares, en la puerta está una oración impresa y dos cruces. Este hogar
es verdaderamente su castillo. Ahorraron durante 12 años, viviendo
con los padres de Marta, para comprarlo. Marta cuida meticulosa-
mente cada pulgada; incluso los cepillos dentales de la familia están
en orden, colgados en un portacepillos pegado a la pared arriba del
lavabo. Marta es el tipo de consumidor de Procter & Gamble (P&G).
Y, de hecho, ella es un consumidor de P&G —detergente Ariel, suavizante Downy, y protección femenina Naturella—. Carlos gana el
equivalente de aproximadamente 600 dólares al mes, casi exactamente el promedio en el país. En los términos de P&G, la familia es parte del mercado de consumidores de bajos recursos de México, que
es definido como hogares con un ingreso de entre 215 y 970 dólares
al mes. Estas familias son aproximadamente 60% en un país de 106
millones de personas. El 25% más pobre de las personas de México no dispone del ingreso necesario para estar muy interesado en lo
que P&G tiene que ofrecer, mientras que con el 15% de hasta arriba,
desde que P&G entró al país en 1948, le ha ido bastante bien. Pero
por un tiempo no era muy exitoso con el 60% de en medio, que también es donde se da el mayor crecimiento poblacional. "Tenemos que
ganar en este segmento hoy, ya que la proporción del segmento de
bajos recursos no va a disminuir en los próximos años", determinó
la oficina de P&G en México en un estudio interno. "¿Cuáles son las
oportunidades de negocio que tenemos con ellos y por qué?", son

las preguntas correctas, y fallar en pensarlas a fondo fue costoso para "ellos". En un caso, la innovación sí creó un mejor producto —pero aun así falló debido a un pobre entendimiento de las creencias y los hábitos. A finales de los años ochenta fue lanzado al mercado el detergente Ariel Utra. Tuvo un mejor desempeño de limpieza usando sólo la mitad. P&G vio este beneficio como importante debido a que la mayoría de los hogares del mercado de bajos recursos tienen poco espacio de almacenamiento —sólo una repisa, como la cocina de Marta y Carlos—. Ultra también tenía enzimas que daban una mejor limpieza. Tan convencido estaba P&G de que tenía un gran ganador que casi toda la producción se cambió a Ultra y se inició una gran campaña. Las mujeres mexicanas le dijeron a P&G lo contrario. Para empezar, ellas no creían que realmente pudieran lavar con tan poco. Además, Ariel Ultra no generaba espuma. Muchos miembros de los hogares de bajos recursos hacen labor manual y son muy consientes del olor, ellos consideraban a la espuma como una señal de que el sudor estaba siendo removido. "No nos dimos cuenta de lo importantes que son las señales estéticas y visuales del desempeño para el consumidor de bajos recursos", dice Herrera Moro, de P&G. En sólo unos meses, Ariel Ultra fue descontinuado del mercado. Lo dijo así: "Pudimos haber entendido. Debimos haber entendido. No lo hicimos y fallamos." Y ésta no fue la única vez que P&G fracasó con el consumidor de bajos recursos. Por el año 2001, P&G cambió de rumbo. Para llegar al 60% medio, tenían que conocerlo mejor. Ya sabían que había una brecha entre lo que estaban ofreciendo y lo que la mayoría de los mexicanos querían. Recordemos aquí lo que leímos en el tercer capítulo sobre el poder de los paradigmas en las expectativas y que nos enseña Karl Popper: "nunca va a haber una correspondencia del cien por ciento entre el mundo y nuestra idea del mundo". Es inevitable la existencia de una brecha entre la interpretación y la realidad, lo que provoca una diferencia entre los resultados y las expectativas. Lo que importa es su magnitud. La brecha de P&G era enorme, por lo que se apostó a reducirla. El "programa de acercamiento al cliente" desarrolló formas para que literalmente los empleados se acercaran al consumidor. Living It (Viviéndolo) es un programa en el que empleados de P&G viven por algunos días con familias de bajos recursos.

Downy Single Rinse (DSR) (Downy Enjuague Único) es un ejemplo altamente exitoso de cómo convertir el conocimiento (*insights*) de tales experiencias en productos rentables. A inicios de la década de 2000 la cuota del mercado mexicano para el suavizante Downy era baja y estancada. P&G no estaba seguro de qué se podía hacer acerca de esto, pues se asumía que la gente que no tenía lavadoras no usaba suavizante. Debido a que no se quería comprometer a la marca Downy bajando demasiado el precio, la decisión fue ver si podía ser diseñado algo específico para las necesidades del consumidor de bajos recursos.

Otra de las cosas de las que la gente de P&G se dio cuenta —generalmente para su sorpresa— a través de Living It y por experiencias similares era el problema del agua. La carencia de agua potable es alta; Carlos y Marta compran agua embotellada, como una gran cantidad de familias que ganan mucho menos que ellos. Millones de mujeres de provincia aún cargan cubetas desde los pozos o las bombas comerciales; en las ciudades, muchos tienen agua por sólo unas horas al día. La mayoría de los hogares no tienen lavadoras automáticas, y mucho menos secadoras. Todo esto hace que lavar sea una tarea realmente agotadora. Al mismo tiempo, las mujeres mexicanas de bajos recursos toman el lavado muy, muy en serio. Ellas no pueden comprar ropa nueva con frecuencia, pero es motivo de orgullo que su familia se vea bien. Enviar a tus hijos a la escuela en ropa limpia y planchada es un símbolo de ser una buena madre. En las repisas de madera y los ganchos de Marta, cada artículo, desde los pantalones de mezclilla y las playeras hasta los trajes de Carlos, todo está cuidadosamente planchado —y ello es la regla, no la excepción—. P&G descubrió que las mujeres mexicanas dedican más tiempo al lavado de la ropa que al resto de sus labores combinadas. Más de 90% usa algún tipo de suavizante, incluso las mujeres que hacen algo o todo el lavado a mano.

"Al pasar el tiempo con las mujeres, aprendimos que el proceso de suavizado es realmente demandante; requería mucha energía y tiempo", recuerda Antonio Hidalgo, gerente de marca de P&G al momento de la salida al mercado de DSR en marzo de 2004. Una carga normal de lavado pasaba por el siguiente proceso de seis pasos: lavado, enjuagado, enjuagado, agregar suavizante, enjuagado, enjuagado. No es un problema si sólo se trata de apretar un botón de vez en cuando. Pero no es ningún juego si tienes que caminar una milla o más para obtener agua. Incluso las lavadoras semiautomáticas requieren que el agua sea añadida y extraída manualmente. Y si tu tiempo falla, el agua se puede acabar a la mitad. "¡El gran 'ajá'!", dice Carlos Paz Soldán, vicepresidente de P&G en México y Centroamérica, fue descubrir lo valiosa que es el agua para los mexicanos de bajos recursos. "Y sólo lo descubrimos al experimentar cómo viven su vida." Juntándolo todo, esto es lo que se sabía. Las mujeres mexicanas de bajos recursos gustaban de usar suavizante, tenían altos estándares de desempeño, y lavar la ropa era duro, consumía tiempo y requería mucha agua para los múltiples pasos de lavado y enjuagado. Estas ideas fueron puestas a prueba, haciendo el tipo de investigación cuantitativa a gran escala por el que P&G es conocido. Una vez identificado el problema a resolver (hacer el lavado más fácil y con menos agua) y convertirlo un beneficio para el consumidor, todo lo que quedaba era pensar qué producto ofrecer. Las especificaciones de los costos de desempeño y objetivo fueron enviadas a los laboratorios, y éstos llegaron con una respuesta: DSR. En lugar de un proceso de seis pasos, DSR lo reducía a tres —lavar, agregar suavizante, enjuagar—. Reducir el número de enjuagues ahorraba una enorme cantidad de tiempo, esfuerzo y agua. Había muchas demostraciones en las tiendas para que las mujeres pudieran ver cómo funcionaba. DSR fue un éxito desde el principio. Hidalgo recuerda que cuando le dijo a una madre que él había trabajado en DSR, su cara se iluminó. "Ella me agradeció —dice él, con satisfacción—, y me pidió que por favor trajera más productos de éstos a su vida." Hidalgo está, por supuesto, tratando de hacer justo eso. Cuando se está innovando particularmente en mercados de bajos recursos, es más importante pensar en la asequibilidad, no en el precio. Los consumidores de bajos recursos son sensibles al precio, por supuesto, pero la mejor manera de pensar es que son sensibles al valor.

Escuchando a mujeres como Marta, una marca confiable y un producto rentable fueron creados. Marta se emociona cuando sus sobrinas le dicen: "Tu ropa huele muy rico".

Esta historia ha sido narrada en el libro *The game-changer: How every leader can drive everyday innovation*, cuyos autores son Alan G. Lafley y Ram Charan. Lo que no mencionan y le escuché decir a un alto ejecutivo de P&G es que el Downy Single Rinse fue elaborado por investigadores de P&G en colaboración con el Instituto Politécnico Nacional, el Instituto Mexicano de Dermatología y la Secretaría de Medio Ambiente y Recursos Naturales. Otro de sus productos, Naturella, también surgió en México. Así que digamos ¡salud! Y qué mejor que con una "chela bien Elodia".

Una innovación que mire por los pobres desde luego que puede ser filantrópica, pero no en el mundo de los negocios. Significa que de algún modo los beneficia, los incluye, los toma en cuenta, les mejora la vida. Hay quienes han integrado en el corazón de su modelo de negocio innovador la ayuda a las personas más necesitadas, combinando con un *"marketing* con causa", como Tom's Shoes, de Blake Mycoskie, de quien ya comenté en el capítulo anterior, o Mapache Studios, la empresa colombiana que crea videojuegos educativos para ayudar a los niños a mejorar sus habilidades comunicativas en inglés, uno de los proyectos seleccionados que participó en la cuarta versión del Web Summit Dublín 2013, el evento europeo que reúne a los principales actores del entorno tecnológico como Google, Facebook, Microsoft y Amazon, entre otros. Esta *startup* educativa presentó sus productos para dispositivos móviles que han beneficiado a más de dos millones de niños, enseñándoles de una manera diferente y divertida. "En Mapache Studios creemos que la educación debe ser un derecho y no un privilegio. Por esta razón hemos creado un modelo de negocio que nos permite donar nuestros productos educativos a los niños que cuentan con menores oportunidades para salir adelante", afirma Ricardo Jiménez, CEO de la empresa. La meta de estos emprendedores colombianos es expandirse por toda Latinoamérica para llevar estos videojuegos cada vez a más niños. En la misma línea tenemos a VisionSpring, fundada por Jordan Kassalow, una empresa social innovadora dedicada a la reducción de la pobreza y la creación de oportunidades en las comunidades más pobres del mundo a través de la venta de anteojos asequibles. Mediante la capacitación de los pobladores locales para llevar a cabo exámenes de la visión y venta de gafas de alta calidad y bajo costo, VisionSpring pretende lograr un impacto económico que mejore la productividad y la calidad de vida de los menos favorecidos en el mundo en desarrollo. Los beneficiarios son tanto los clientes, quienes con la visión restaurada pueden trabajar y vivir mejor, como los microempresarios locales, cuya venta de los bienes y servicios les proporciona un medio de vida sostenible. Podemos conseguir más información en www.visionspring.org.

Vencer la pobreza a golpe de innovación: "Un dispositivo lo suficientemente resistente como para sobrevivir a un monzón (viento estacional que sopla regularmente en diferentes regiones del mundo) sin duda puede sobrevivir a un café derramado en Boston o en San Diego". La idea esbozada hace años por el profesor Coimbatore K. Prahalad, padre del concepto "la fortuna en la base de la pirámide", es una de las claves de la llamada "innovación inversa". Casi siempre que hablamos de innovación acostumbramos pensar en términos de tecnología, equipos y procesos ideados por y para los países ricos, que más adelante son exportados a los más pobres. Sin embargo, cada vez hay más novedades que llegan al mundo desarrollado procedentes de los países más pobres.

El "salto de rana" hace que muchos países tengan dispositivos móviles sin pasar por la computadora personal. Ignasi Carreras, director del Instituto de Innovación Social de una de las mejores escuelas de negocios del mundo, el ESADE, con sede en Barcelona, cita como ejemplo el acuerdo al que llegaron el banco social de microcréditos Grameen Bank y la empresa Danone para desarrollar un producto con alto poder nutritivo a un precio bajo (el poder de los paradigmas como acuerdos). Este acuerdo dio como resultado la creación de un yogur que contiene 30% de las necesidades de vitamina A, cinc y sodio por persona al día y que se vende en las zonas rurales de Bangladesh por 0.06 euros. En ese país hay más de 160 millones de habitantes y 56% de la población está mal nutrida, según datos de la ONU. Se trata de aportar a las familias algo que genera un cambio radical. Además, utiliza plantas de la zona y la comercialización la hacen mujeres que han recibido ayuda para crear una empresa. Al desarrollar la tecnología para crear este producto, Danone vio que había creado una nueva gama que podía comercializar en otros países, como India o Polonia, donde ya se vende una barra de cereales barata y de alto poder nutritivo. La innovación se ha convertido en uno de los motores de transformación más poderosos en muchos países en desarrollo, que están incorporando nuevas tecnologías móviles (teléfonos, tabletas…) sin haber pasado previamente por la fase de la computadora personal conectada a una red.

Uno de mis ejemplos favoritos de una "una innovación a la mexicana que mira por los pobres" son las Clínicas del Azúcar. Una historia cuyo protagonista es Javier Lozano, quien nació y se crió en México y estudió la licenciatura en ingeniería física en el Tecnológico de Monterrey. Durante su etapa de universitario Javier fue el cofundador y director general de Sierra Tarahumara, una organización sin fines de lucro que promueve la agricultura, la educación y la comercialización de proyectos en comunidades rurales de México. Esta experiencia representó una impronta en su vida y lo animó a revisualizar sus horizontes. La pobreza de la Sierra Tarahumara es sólo una muestra de la que existe en el mundo. Cifras del Banco Mundial señalan que alrededor de 1 300 millones de personas en el mundo viven con sólo 1.25 dólares diarios (aproximadamente 17 pesos mexicanos). Si tomamos en cuenta que la ONU contabilizó 7 000 millones de habitantes en el planeta a principios de 2013, la conclusión es que 18.5% vive en condiciones de extrema pobreza. En México, el Consejo Nacional de Evaluación de la Política de Desarrollo Social (Coneval) contabilizó 52 millones de habitantes en situación de pobreza. Hay quienes ven esta situación como un problema social monumental y se conforman con estudiarlo, diagnosticarlo y criticarlo. Otros, como Javier Lozano, lo visualizan desde la perspectiva de la inversión de impacto social que se traduce en múltiples oportunidades. Y surge el cuestionamiento: ¿Por qué no crear un modelo de negocio que sea a la vez rentable y de alto impacto social? Para crearlo había que aprender nuevos conocimientos. "En México no había más que hacer, por eso me fui a estudiar al MIT en 2008, ahí me enteré de que existía el concepto que buscaba, y lo mejor: que había gente dispuesta a invertir en él", refiere Javier Lozano. Durante su estancia en el MIT entró en contacto con Iqbal Z. Quadir, director de The Legatum Center for Development and Entrepreneurship —centro dedicado al apoyo económico e intelectual de emprendedores de impacto social—. Quadir es un empresario consumado que desde hace 20 años vio el potencial de la tecnología móvil para transformar los países de bajos ingresos. Es el fundador del Grameenphone, el cual es ahora el principal operador de telecomunicaciones de Bangladesh que proporciona acceso a más de 50 millones de suscriptores, independientemente de su ubicación geográfica o de su situación económica. Quadir habría de convertirse en el primer asesor para el modelo de negocio de la primera clínica mexicana especializada en el tratamiento de la diabetes para personas de bajos recursos. Javier Lozano habría de completar luego su formación con una especialidad en tecnologías de la salud en la Escuela de Salud Pública de Harvard. Para su fortuna, el decano de esa institución era ni más ni menos que un ilustre mexicano, el doctor Julio Frenk, quien había sido secretario de Salud en el gobierno del presidente Vicente Fox, y con quien me une una amistad y el privilegio de haber compartido muchas de las batallas que libró por innovar el sistema de salud. Durante el periodo del doctor Frenk ocurrieron muchas cosas significativas en el ámbito de la salud en nuestro país: hubo una reforma estructural que cambió de fondo el sistema de salud y millones de familias se afiliaron al Seguro Popular. Hubo algo tal vez menos tangible pero igualmente importante: la salud dejó de ser un coto especializado para colocarse en el centro mismo de la agenda del desarrollo nacional. Ahora el doctor Frenk apoyaría el sueño de Javier Lozano para convertirlo en realidad. ¿Habría sido posible que Javier se hubiera desarrollado como emprendedor social desde el inicio en México? En la opinión de Rich Leimsider, mentor y director del área de alumnos de Echoing Green, lo más probable es que no. "En Estados Unidos, el emprendimiento social está tan desarrollado que hoy es un campo de estudio impartido en el nivel superior y posgrado, y que además ha generado una red de contactos dispuestos a asesorar o a invertir."

Javier Lozano volvió a México a finales de 2010 con el firme propósito de arrancar Clínicas del Azúcar. Junto con Fernanda Zorrilla, colaboradora y amiga, realizó un estudio de mercado durante 2011 para conocer las necesidades básicas y los *insights* (es decir, lo que experimenta la gente al enfrentarse con el padecimiento) de quienes sufren y conviven con la diabetes. El hallazgo: los mexicanos no sienten apoyo o comprensión por parte de las instituciones de salud y prefieren vivir solos o no atenderse, sin importar las consecuencias. En México, según cifras de la Federación Mexicana de Diabetes, 75 de cada 100 muertes son consecuencia de la diabetes, enfermedad que ataca a 10.1% de la población. A nivel mundial 372 millones de personas padecen diabetes y se espera que la cifra se incremente a 552 millones en 2030. Las Clínicas del Azúcar nacen con el propósito de "revolucionar" el cuidado de la diabetes en México mediante el establecimiento de una importante cadena de clínicas de tratamiento de bajo costo, que utilizan algoritmos innovadores, basados en la experiencia, para el diagnóstico y manejo de las enfermedades. La diabetes es un grave y costoso problema de salud pública en México y no es una enfermedad desconocida para Lozano. Debido a que varios miembros de su familia la padecen, sabe el gasto económico y personal que implica su tratamiento. La diabetes en México se conoce como "la enfermedad de los ricos" porque las alternativas de atención actuales son caras y están fuera del alcance de 90% de la población. Este mal representa un gasto de 5% del presupuesto anual de cualquier gobierno, según la Organización Mundial de la Salud.

De nada sirve si detectas una necesidad en el mercado (la diabetes esclaviza a 6.4 millones de mexicanos y el problema crece) y que sueñes con hacer algo al respecto (Clínicas del Azúcar es una empresa con ideas innovadoras que lucha por revertir el problema), hay que construir un modelo de negocio sustentable y rentable. Con las Clínicas del Azúcar, Javier Lozano desarrolló un modelo de negocio enfocado en la atención de los 10 millones de mexicanos con diabetes y con la rentabilidad necesaria para atraer inversionistas. Para abrir una unidad de Clínicas del Azúcar es necesaria una inversión de entre 1.5 y tres millones de pesos. El modelo funciona porque permite a personas de bajos ingresos acceder a un servicio de alta calidad a un precio asequible, y debido al gran número de individuos en esta categoría, el negocio asegura el volumen, sostenibilidad y buenos rendimientos. Las personas con diabetes encuentran en un mismo lugar servicios médicos, atención psicológica y seguimiento personalizado. El gancho de venta lo da el paquete gratuito denominado "Valoración exprés", que incluye monitoreo y consulta. Un paciente compra una póliza anual de 30 000 pesos y tiene derecho al servicio en la clínica, en donde se revisa la dieta, el tratamiento médico, el cuidado de los pies y los ojos. Todo en un mismo lugar para que el usuario no tenga que acudir con distintos especialistas. Mediante el uso de un software la clínica da un seguimiento sobre la condición de cada paciente y los diagnósticos son inmediatos. Aunque un negocio como éste ofrece retornos menores a 30% y tarda cinco años o más en consolidarse, existen fondos de inversión dispuestos a sacrificar una ganancia inmediata a favor de las comunidades. "Esto es lo que tienen que ver los inversionistas mexicanos. No se trata de atender gratuitamente a los pobres, sino de hacer negocio en un mercado de gran volumen y ávido de productos y servicios de calidad", concluye Iqbal Quadir. Para conocer más sobre este proyecto innovador podemos accesar a www.clinicasdelazucar.com.

¿Y por qué no luchar por un mundo más equitativo? Para financiar proyectos de innovación que miren por los pobres tenemos en Monterrey a IGNIA, una firma de capital de riesgo que apoya la fundación y expansión de empresas sociales que atienden a la base de la pirámide socioeconómica en México. IGNIA se centra en áreas con un impacto desproporcionado en la vida de las familias de bajos ingresos, como la sanidad, la vivienda, la educación, los servicios básicos (agua, energía, comunicaciones) y las actividades de ingreso multiplicadoras. Al proveer respuestas efectivas a las enormes necesidades de las poblaciones de bajos ingresos, motiva el emprendimiento y genera impacto social logrando retornos financieros para sus inversionistas. Sus fundadores son Álvaro Rodríguez Arregui y Michael Chu, ambos son pioneros en el campo de las microfinanzas —la actividad de prestación de servicios financieros a los sectores de bajos ingresos de la población— y la inversión de impacto, y aportan más de 50 años de experiencia colectiva en la aplicación de soluciones basadas en el mercado a las restricciones que limitan el potencial de la mayoría marginada de la población. Podemos conocer más sobre esta empresa en www.ignia.com.mx.

¿Y por qué no prestarles dinero a los pobres? Indiscutiblemente (lo que no significa que no se pueda discutir), un extraordinario caso de "una innovación que mira por los pobres" es el programa de microcréditos, conocido como Microcréditos Santa Fe, cuya historia se inició cuando el entonces gobernador de Guanajuato, Vicente Fox, acudió al primer State of the World Forum, celebrado en San Francisco, California, en octubre de 1995, bajo los auspicios de Mikhail Gorbachev (ex líder de la Unión Soviética y Premio Nobel de la Paz). Ahí, entre los 600 líderes de opinión que acudieron de 60 países, conoció a Muhammad Yunus, fundador del Grameen Bank (Banco del Pueblo) de Bangladesh. Yunus había revolucionado las estrategias tradicionales de financiamiento al desarrollo popular mediante créditos de unos pocos dólares por persona, sobre todo a mujeres emprendedoras. En una conferencia en la que tuve la oportunidad de escucharlo y saludarlo, Yunus expresó que lo más difícil a lo que se había enfrentado en este proyecto era al cambio de mentalidad y a la creencia arraigada de que "a los pobres no se les presta dinero". El gobernador Fox se entusiasmó con el resultado del foro global y propuso la realización de una siguiente edición regional en Guanajuato, en noviembre de 1996, con el tema "América Latina: enfrentando los retos globales del nuevo milenio". En este foro, que congregó a 700 líderes del mundo y de Latinoamérica, se concretó el acuerdo para la creación del Banco Santa Fe de Guanajuato, bajo el modelo del Grameen Bank y de otras experiencias similares en el mundo, con un fondo inicial de 10 millones de pesos. El programa estaba bajo el mando de mi amigo Norberto Roque y se inició el 13 de noviembre con una prueba piloto con 40 créditos individuales de 500 pesos otorgados a mujeres de colonias populares de León. El éxito de la experiencia fue completo, con recuperación de 100% de los créditos y de los intereses. El traspaso formal del programa a la iniciativa privada se concretó en mayo de 1997 mediante la integración de una asociación civil, cuyo consejo directivo fue presidido por mi amigo Alejandro Arena Torres Landa, un prominente empresario con

un gran reconocimiento en la sociedad. A casi 17 años de su funda-ción los fondos crediticios alcanzan los 1 500 millones de pesos. En julio de 2013 Muhammad Yunus, ahora Premio Nobel de la Paz, fue reconocido por el Centro Fox por sus aportaciones en el campo de la innovación, el pensamiento creativo y su compromiso por cons-truir un mundo mejor.

¿Por qué no usamos muebles de cartón reciclado y luego los donamos en las zonas marginadas? Esta pregunta se la plantearon los organizadores de los XVI Juegos Panamericanos en Guadalaja-ra en 2011, encabezados por mi amigo y paisano el gobernador Emi-lio González Márquez. Fue así como seleccionaron a la empresa E3 (Estrategia, Equilibrio y Evolución) para que amueblara, con 13 000 piezas, la Villa Panamericana. Previo a la inauguración de este mag-no evento que reunió a más de 1 300 deportistas de 24 naciones, en 13 disciplinas, fui invitado, junto con mi familia, a conocer *in situ* la Villa Panamericana. Un impresionante despliegue de logística. Ahí fue donde llamó mi atención la "innovación" que realizaron. Los atletas que habitarían la Villa habrían de utilizar muebles ecológicos fabricados con una base de cartón reciclado y pintura biodegrada-ble que serían instalados tanto en sus apartamentos como en algunas áreas de servicio y para el público en general. Cuando bajé al sóta-no de la Villa, donde estaban trabajando en el armado de las piezas, el creador y diseñador del proyecto, Jorge Torres, me explicaba que para la fabricación de estos muebles no había necesidad de talar ni un solo árbol. Además de ecológicos eran plegables y más ligeros y económicos (hasta cinco veces más baratos que los hechos con made-ra) y su tiempo de vida puede ser de uno a tres años. Una vez que cumplieran su función en los juegos, serían donados a personas de bajos recursos. La historia de la empresa mexicana E3 es interesante porque surge de la casualidad, al igual que la historia de la cerveza, la penicilina y el marcapasos. Luis Barragán empezó a fabricar muebles de cartón por casualidad. Antes del hallazgo él se dedicaba a la pro-ducción de exhibidores de cartón para punto de venta. Necesitaba una mesa para trabajar, y como en ese momento no tenía dinero para comprarla, se le ocurrió utilizar el material sobrante de sus exhibido-res para construir una. La mesa funcionó a la perfección. Entonces

Luis le dio vuelo a su imaginación y fabricó sillas, bancos y archiveros. El principal reto era lograr diseños resistentes, así que desarrolló una mezcla de cartón corrugado y laminado y una técnica de ensamble para garantizar el mayor aguante. Finalmente lo consiguió. Una silla de cartón como las que se usaron en los Juegos Panamericanos —y luego se regalaron en las zonas marginadas de la ciudad— soporta hasta 200 kilos. Hoy la empresa E3 surte con sus materiales reciclables y de diseños versátiles a marcas como P&G, Nestlé, Liverpool, Johnson & Johnson, Alpura, entre otros. Para seguir innovando piensan hasta construir ataúdes. Una opción bastante ecológica para quienes decidan no ser cremados.

A las innovaciones que miran por los pobres (los marginados, los de las periferias, los excluidos, los de la base de la pirámide) se les empieza a etiquetar como "innovaciones sociales" o "innovaciones inclusivas". La Comunidad Europea está basando toda su estrategia de crecimiento para los emprendedores 2025 en la "innovación social", usando como plataforma base el uso de la tecnología y de las herramientas colaborativas que se generan de manera abierta en internet. Uno de los caminos desarrollados en este tipo de proyectos son las aplicaciones web que ayudan a la transparencia. La India creó el concepto de innovación inclusiva. En la India la innovación no puede limitarse al desarrollo de nuevas tecnologías o de nuevos procesos empresariales por dos razones: es el segundo país con mayor población en el mundo, al sumar 1 236 millones de habitantes, y el de mayor concentración de pobres, calculada en 46% de su población. En este escenario, el país asiático creó el concepto de "innovación inclusiva" para tratar de que los beneficios de su vigorosa economía, que crece entre 5 y 7% cada año, se dispersen y beneficien a las personas que están en la base de la pirámide económica creando nuevas soluciones, modelos y herramientas para llevar salud, alimentación y educación a más de 500 millones de personas que padecen desnutrición y marginación. Esta característica particular del modelo de innovación en la India no ha frenado el apoyo a otras áreas donde son líderes en Asia y en el mundo, como ingeniería, tecnologías de la información, farmacéutica e industria aeroespacial. Por ello en 2010 el gobierno de ese país creó su Consejo Nacional de

Innovación y decidió varias acciones que forman parte del concepto de innovación inclusiva: se creó un fondo de 1 000 millones de dólares para financiar el proyecto; se estableció una lista de necesidades de innovación en los campos de educación, salud y alimentación y se dio un fuerte impulso a la participación a través de la organización de grupos sociales. También pusieron en marcha un programa intensivo de comunicación llamado el Plan Hackathon. La palabra *Hackathon* es un acrónimo de las palabras *hackear* y *marathón*, donde "hack" se utiliza en el sentido de la programación lúdica, exploratoria, no en su significado alternativo, como una referencia a los delitos informáticos. En muchos lugares de Estados Unidos frecuentemente organizan este tipo de concursos donde cientos y hasta miles de programadores se dan cita para, durante 36 horas, producir sitios web, aplicaciones o hardware utilizando las bibliotecas de código abierto. En el caso de la India convocan a especialistas en comunicación (diseñadores, publicistas y productores de radio, cine y televisión) para crear campañas educativas que lleven el concepto de innovación a todos los grupos étnicos y religiosos de ese país multicultural. Uno de los objetivos más ambiciosos que tiene la India, y en el que se podrá medir el éxito o el fracaso de su modelo de innovación inclusiva, es el esfuerzo para aprovechar el bono demográfico mediante la creación de un territorio totalmente conectado a través de internet, para lo cual se han comprometido a construir la mayor red de banda ancha rural del mundo, en un periodo de dos años.

Como lo expresa Bill Drayton, fundador y presidente de Ashoka: "Los emprendedores sociales no se conforman con dar un pescado o enseñar a pescar a la gente. Ellos no descansarán hasta que hayan revolucionado la industria pesquera".

En el primer capítulo mencioné que en esta nueva época el éxito seguiría basado en la gestión del conocimiento. Pero no de cualquier tipo de conocimiento. Aquí hablamos de la importancia de un conocimiento tanto diversificado como productivo. Este tipo de conocimiento no surge necesariamente de las escuelas, surge de hacer cosas (hacer unos lentes, una aplicación para un dispositivo, unos zapatos…). De ahí que las empresas soliciten no sólo años de escolaridad, sino de experiencia (saber hacer cosas). Traigo aquí de nuevo a

Ricardo Hausmann: "La diferencia entre los países pobres y los ricos es cuántas cosas saben hacer. Los países pobres saben hacer pocas cosas. Los países ricos saben hacer muchas cosas. En el fondo se trata de cuánto saben". México es un país muy diverso. En cierto sentido somos "muchos Méxicos". Con cifras del propio Hausmann, vemos que tenemos estados muy pobres como Guerrero, donde la productividad por trabajador, medida en dólares, es de 5281, equiparable a un país sumamente pobre como Honduras. Si esta cifra la multiplicamos por dos llegaríamos a 10562, y así Sinaloa podría equipararse a Jamaica. Si la multiplicamos de nuevo por dos llegaríamos a 21124, y con ello el estado de Guanajuato estaría en el rango que tiene Malasia, y por último, si la multiplicamos otra vez por dos, alcanzaríamos la cifra de 42248, Nuevo León estaría al nivel de Corea del Sur. Así que es necesario hacer muchas cosas. Consideremos el caso de estos tres países con más o menos la misma población: Holanda, Chile y Ghana. Ghana exporta 8% de sus productos; Chile exporta 28%, y Holanda 92%. Los holandeses hacen de todo. La prosperidad se genera con hacer más cosas y cada vez más complejas y sofisticadas. Es en la diversidad donde radica el secreto de la innovación.

> El gran desafío es cómo conectar toda esta diversidad y entender que los países no se especializan, los países se diversifican. Las personas sí se especializan, y esto es lo que permite la diversificación de los países.

El desafío de la innovación en México pasa por comprender la realidad tan compleja que vivimos como país. México somos muchos Méxicos. Basta con echar un vistazo al reporte sobre el Índice Nacional de Innovación (2013) generado por Venture Institute (una empresa dedicada a desarrollar el ecosistema emprendedor y la innovación en México) para darnos cuenta de las brechas tan abismales y los contrastes tan marcados entre los distintos estados y municipios de nuestro país. Lo pueden descargar en index.institute.vc/reporteINI.pdf.

Una idea clave para una estrategia nacional es comprender la ley de la "innovación", la que podemos visualizar como una especie de curva de distribución normal: en 2.5% están los "Primeros innovadores"; en el siguiente 13.5% están los "Adaptadores tempranos"; en 34% la "Mayoría temprana"; en el siguiente 34% están los de la "Mayoría tardía" (aquí estuvo Kodak y la Enciclopedia Británica), y en el último 16% están los "Rezagados". En términos generales, no es así de simple, la clave es identificar en qué estados, municipios o sectores podemos ser "Primeros innovadores", en cuáles apostar con todo a la "Adaptación temprana", y por último, en cuáles irnos por la "Mayoría temprana". Donde definitivamente no queremos estar es en la "Mayoría tardía" y en los "Rezagados". En ese umbral lo que abunda es la pobreza y la miseria.

En nuestro México seguimos con niveles vergonzantes de pobreza, que a todos deben preocuparnos y ocuparnos, las desigualdades de oportunidades siguen siendo enormes. Las consecuencias de esta realidad lacerante se traducen en un malestar social y económico que está dando pauta para nuevas formas de protesta social que amenazan la institucionalidad democrática. El estudio impulsado por la Fundación Konrad Adenauer Stiftung, en coordinación con la Coparmex, la consultora Polilat y con la colaboración de El Colegio de México, que se conoce como Índice de Desarrollo Democrático de México (IDD-Mex 2013), nos advierte de un retroceso significativo en el desarrollo democrático en los estados, sin que existan causas exógenas que puedan explicarlo. Si deseamos profundizar en este estudio podemos accesar al sitio www.idd-mex.org. Una condición necesaria para generar crecimiento sostenido en el marco de sociedades abiertas es la calidad de institucionalidad democrática. "La democracia tiene que innovarse para seguir siendo democracia". De otro modo seguiremos retrocediendo. Y esto pasa por la construcción de liderazgos "antifrágiles" que combinen los valores, la flexibilidad y la pasión por una innovación a la mexicana; una innovación que surja de comprender que somos un país heterogéneo, con historias y realidades diferentes. Lo importante es promover, en mi opinión, una innovación que mire por los pobres, con independencia de la etiqueta que le queramos poner. Me refiero a "crear resultados, haciendo cosas nuevas, que beneficien a los que menos tienen". Una impronta que habrá de tener cualquier "innovación a la mexicana". No me cabe la menor duda de que para reducir los niveles de pobreza los mexicanos habremos de considerar a "la innovación como el principal motor de nuestra futura prosperidad".

4. Una innovación que mejore nuestra calidad de vida

La esencia de la innovación es la novedad, y hemos leído que en el mundo de los negocios estas "novedades" tienen que encontrar aplicaciones comerciales, es decir, tienen que convertirse en "valor", tienen que ser introducidas con éxito en el mercado. Por muy innovador que seas, la clave de todo está en que el producto se venda. Cosa de recordar aquí la experiencia de la compañía israelí Better Place y sus "autos eléctricos". Sabemos que estamos innovando cuando estamos "creando resultados haciendo cosas nuevas". El planteamiento que hago aquí es que estando de acuerdo con lo anterior, habremos de revisualizar y expandir el horizonte de su aplicación, es decir, la innovación no debe ser reducida al ámbito empresarial o comercial. Desde luego que la incluye, eso lo doy por descontado. Sin embargo la innovación podría estar dirigida a "mejorar la calidad en todas las dimensiones de nuestra vida": la espiritual, la mental, la física, y a todas las esferas en que nos desenvolvemos: la familia, el barrio, la colonia, la ciudad, el trabajo, la escuela, el deporte, el esparcimiento… Innovar en un sentido amplio podría relacionarse con mayor competitividad, desempeño superior, satisfacciones profundas, dolor suprimido, experiencias memorables, ambientes saludables, comunidades conectadas, paz interior. Desde esta perspectiva ampliada podríamos decir que "innovar es dejar un mundo mejor que como lo encontramos". Empezando por nuestro mundo interior, el microcosmos y el macrocosmos.

¿Qué tiene de novedoso que una mujer culmine su primaria y se gradúe? En general podría tratarse de una noticia de rutina, pero si quien lo hace es Manuela Hernández Velázquez a la edad de 100 años, la cosa cambia. Estas innovaciones se dan cada 100 años. Y no siempre ocurren. Por lo pronto sucedió en Oaxaca en junio de 2013. Y doña Manuela merece un doble reconocimiento, pues además de enfrentar el reto de los prejuicios de la edad ("chango viejo no aprende maroma nueva") lo hizo también con las broncas de salud propias de la edad. Si a uno con muchos años menos ya le anda "rechinando" todo.

¿Qué pasa si bajamos los escritorios de todos los funcionarios, incluyendo el del presidente municipal, al patio del palacio, para que atiendan cara a cara a los ciudadanos? Lo primero que pasará es que piensen que estás loco. Mi trayectoria profesional ha estado vinculada con los procesos de cambio y de transformación organizacional. La innovación ha sido siempre mi pasión. En 1995 el Centro de Investigación y Docencia Económicas (CIDE) publicó un libro, con el apoyo de la Fundación Ford, titulado *La nueva gestión municipal en México: análisis de experiencias innovadoras en gobiernos locales*, realizado por mi buen amigo el doctor Enrique Cabrero (director general del Conacyt). Una de sus conclusiones fue que el caso del gobierno de León puede ser claramente catalogado como una experiencia innovadora altamente exitosa. Tuve la fortuna de ser el responsable, en esos momentos, de conducir la estrategia de transformación de la administración municipal, misma que documenté en mi libro *La voluntad de servir*. Habría de seguir con una idea de alto impacto: "Miércoles Ciudadano". A partir de mi observación de cómo los ciudadanos batallaban para poder ser recibidos por cualquier funcionario de gobierno y de verlos deambular por todos lados y a mi regreso de un viaje que organicé a Curitiba, Brasil —donde entre muchos otros aprendizajes conocí la llamada "Rúa del Ciudadano"—, reuní a mi equipo y juntos diseñamos un nuevo modelo de atención ciudadana. Dicho modelo lo documenté en otros de mis libros *La ciudad motor del desarrollo*. El CIDE, en su revista *Gestión y Política Pública* (vol. XIV, núm. 2, segundo semestre de 2005), en seguimiento a este proyecto, escribiría: "Lo que fue una novedad en su momento es ahora un programa-sello. Los programas-sello son aquellos a través de los cuales se identifica a un partido. Normalmente son programas que han resultado exitosos y que son copiados por otros gobiernos del mismo partido; el caso por ejemplo del 'Miércoles Ciudadano', que tiene su origen en el segundo gobierno panista de León, Guanajato, funciona hoy en muchos municipios, aunque en algunos casos con pequeñas variaciones".

A 18 años de su puesta en marcha, el "Miércoles Ciudadano" ha sido adoptado y adaptado por numerosos gobiernos municipales en México, en prácticamente todos los estados del país. Municipios como el de Tehuacán, Puebla (administración 2011-2014), los siguen aplicando. Y muchos otros más los siguen impulsando o relanzando. En enero de 2014 la nueva administración municipal de Aguascalientes, presidida por Juan Antonio Martín del Campo, lo volvió a retomar —ya había sido utilizado en dos administraciones pasadas—, con el objetivo de atender las demandas de la ciudadanía en forma directa. De igual modo el presidente municipal de Mexicali, mi estimado amigo y ex compañero en el Senado de la República Jaime Rafael Díaz Ochoa, reinició el programa "Miércoles Ciudadano" para recrear un espacio donde la comunidad y su gobierno trabajen juntos en la costrucción de una mejor ciudad. Y en Miahuatlán de Porfirio Díaz no se quedan atrás. Su presidente muncipal Medardo Ramírez acaba de celebrar su primer "Miércoles Ciudadano" en donde los funcionarios municipales pudieron escuchar las demandas de la población miahuateca. "Los programas-sellos tienen que innovarse para volver a ser programas-sellos".

¿Y por qué no canjeamos las armas por equipos de cómputo y luego las usamos para hacer música? En 2013 la Secretaría de la Defensa Nacional echó a andar un novedoso programa de canje de armas. Los ciudadanos podían acudir a los módulos instalados por el Ejército Mexicano y, sin necesitar de dar explicaciones, cambiar sus armas por equipos de cómputo, tabletas electrónicas, despensas o dinero en efectivo. ¿Qué hacer con las armas canjeadas a los ciudadanos y con las decomisadas al crimen organizado? El artista chihuahuense Pedro Reyes revisualizó el poder de los paradigmas como moldes en las herramientas y el resultado ha sido algo verdaderamente sorprendente. Las armas que en los últimos años causaron miles de muertos en México cobran nueva vida en sus manos, al convertirlas en instrumentos musicales para concientizar sobre la paz a través de sus sonidos. "La idea es transformar un agente de muerte en un agente de vida. Si las armas hacen que ciudades enteras vivan bajo el miedo y que nadie quiera salir de su casa, la música hace exactamente lo opuesto, que la gente recupere el espacio público y que todas las personas tengan un espacio para la convivencia", expresó el innovador artista. Reyes trabaja con las armas como materia prima desde que en 2007 organizó una campaña de donación voluntaria en el municipio de Culiacán (Sinaloa), uno de los más afectados por la ola de violencia. Las armas donadas durante esa campaña fueron fundidas y después convertidas en palas para plantar árboles. A raíz de ese proyecto ("Tú eres tan bueno como tu último proyecto") le ofrecieron un arsenal de armas que fueron destruidas en Ciudad Juárez y se le ocurrió ("se le prendió el foco") ir más allá con lanzagranadas, ametralladoras, cañones de rifles o escopetas que en su momento fueron decomisadas a grupos criminales en el norte del país. Recibió unas 500 cajas con más de 6700 armas, las cuales fueron abiertas y exploradas por el músico Edi Kistler, quien asesoró al escultor sobre las posibilidades musicales de las piezas y ha expresado que "abrir estas cajas fue muy fuerte porque además conocemos lo que los criminales han podido hacer con ellas en este país. Ha habido muchísima violencia con el uso de estas armas. Después de superar este shock emocional, me di a la tarea de ver qué se podía hacer con esto y nos dimos cuenta de que se pueden desarrollar mil cosas". Lo que habría de surgir sería el proyecto "Imagina", que fusiona el arte del reciclado con el tema de la conciencia de las armas. Además de Reyes participaron seis músicos para crear los instrumentos inusuales. A las piezas se les dotó de cuerdas y muchas fueron soldadas entre sí para hacer una variedad de instrumentos de cuerda, viento y percusión, capaces de producir música hermosa, a pesar de su pasado destructivo. Luego seguiría el proyecto "Desarmar", la segunda generación de instrumentos construidos con los restos de las armas que el Ejército Mexicano había decomisado. La segunda serie se compone de ocho instrumentos que creó en colaboración con un equipo de músicos y Cocolab, un estudio de los medios de comunicación. Estás máquinas son instrumentos musicales mecánicos, ya que pueden ser programados y operados a través de las computadoras. Se trata de una orquesta automatizada capaz de llevar a cabo conciertos de música con composiciones preparadas de antemano. Así, los cargadores de un fusil AK-47 se transforman en el cuerpo de una guitarra eléctrica, los tambores de un revólver en los potenciómetros y varias partes de una ametralladora hacen de mango de este instrumento. Reyes considera que de lo que se trata es de "convertir todo lo negativo que tienen las armas en algo positivo. Esa transformación que está sufriendo la materia física nos gustaría verla en la sociedad. Creemos que la mejor forma de cambiar el mundos es a través del arte y la creatividad". En lo personal tuve la oportunidad de admirar de cerca algunos de sus instrumentos musicales creados con armas en la feria de Arte Contemporáneo Zona Maco, que se ha venido celebrando desde hace más de 10 años en la ciudad de México.

¿Y por qué no crear en la azotea un pequeño huerto que ayude a generar una comunidad con mejor calidad de vida? La idea surgió en 2008, cuando el director del INFONAVIT, Víctor Manuel Borrás Setién —un mexicano honesto y talentoso que revolucionó el modelo de la vivienda en México con múltiples innovaciones como las hipotecas verdes, las viviendas con ecotecnologías—, propuso crear un pequeño huerto en las instalaciones del edificio como símbolo de la nueva política de sostenibilidad emprendida y con el ánimo de generar una comunidad con mejor calidad de vida. Ese pequeño huerto se convirtió en la azotea verde más grande de Latinoamérica y desde junio de 2011, se ha transformado en la azotea verde con certificación de edificio sustentable y grado de excelencia, reconocimiento entregado por el Gobierno del Distrito Federal. Esta azotea se ubica en el edificio del INFONAVIT, ubicado en Barranca del Muerto, en el sur de la ciudad de México. Se trata de una superficie verde de 5 265 metros cuadrados, de los cuales 2 012 metros cuadrados son áreas de vegetación y el resto se reparte en zonas de esparcimiento, andadores, una pista para correr semiolímpica, un huerto de hortalizas, baños con regaderas y vestidores y espacios para meditación. Ni duda cabe de que constituye un "pequeño paraíso" donde se combinan plantas y flores de los tres ecosistemas de México: el de los bosques altos, la zona desértica y el trópico. Quien lo desee puede ir a visitarla dado que existen programas que fomentan las visitas escolares y sociales. Yo tuve la oportunidad de recorrerla teniendo como guía a mi buen amigo Víctor Borrás. Pocos pueden presumir de ese "plus".

¿Por qué no crear un telescopio de primer mundo que nos revele los secretos del universo? Conocer y explicar el origen del universo ha ocupado a la humanidad en todos los tiempos, desde la cosmogonía hasta la cosmología moderna. La fuerte tradición astronómica que ha caracterizado a México desde la época prehispánica continúa prosperando, y ahora los nuevos observadores escudriñarán las estrellas a una profundidad sin precedentes a través del telescopio más grande del mundo en su tipo, el Gran Telescopio Milimétrico de Puebla (GTM). Desde sus inicios erigirlo supuso muchos retos, el primero tuvo que ver con la forma de pensar del mexicano: ¿No sería el GTM acaso un desperdicio de dinero? "Al contrario —respondió con firmeza José Guichard Romero, ex director del Instituto Nacional de Astrofísica, Óptica y Electrónica (INAOE)— si queremos que deje de haber pobreza, marginación y todo ese tipo de problemas en un país en desarrollo, hay que sacarlo del Tercer Mundo, y una manera fundamental de hacerlo es formando cuadros altamente especializados en lo que domina al mundo ahora: ciencia y tecnología." La gran idea se convertía en reto y dos institutos de investigación astronómica, el INAOE, en México, y la Universidad de Massachusetts, en Amherst, Estados Unidos, se unieron en este ambicioso proyecto de innovación. La edificación del GTM comenzaba. Recibí en Los Pinos, en varias ocasiones, al doctor Alfonso Serrano Pérez-Grovás, el principal impulsor del proyecto y coordinador general del GTM. Sin duda un científico brillante y una persona afable y entusiasta. Me convenció de interceder ante el presidente Fox para apoyarlo en ese gran sueño que compartía con muchos otros científicos mexicanos. Más adelante me invitó a conocer los avances *in situ*. Junto con mi familia, el 29 de octubre de 2005, ascendí el Cerro de Tliltépetl, también conocido como Sierra Negra, cuya altitud es de 4580 metros sobre el nivel del mar. Una experiencia por demás maravillosa y memorable. La elección del lugar fue la primera tarea para la construcción de esta herramienta astronómica, ya que debía de reunir una serie de características idóneas para su ubicación. Luego de medir alrededor de 180 montañas, la elegida fue la de Sierra Negra. Al iniciar la construcción del GTM se contemplaba que sólo 15% fuera hecho por empresas mexicanas, al final, y para orgullo nacional, más de 85% fue ejecutada por compañías del país. Actualmente la parábola del telescopio es de 32 metros, pero buscan acrecentar su circunferencia

a 50 metros. La antena del GTM pesa 500 toneladas y está conforma-
da por 180 paneles distribuidos en cinco anillos y puede captar las
radiaciones generadas por el nacimiento de estrellas, galaxias y pla-
netas hace más de 13 000 millones de años.

Promover el deporte es contribuir a mejorar la calidad de vida.
Y aquí entra en escena mi buen amigo el profesor Nelson Vargas
Basáñez. Un hombre que suele repetir por todos lados, como si se
tratara de un mantra: "Para mí, el deporte no es trabajo, no es un
negocio, y no es parte de mi vida, es mi vida". Como podemos infe-
rir, el deporte no es para él un medio para mejorar la calidad de vida
sino la vida misma. He sido testigo de su "pasión incansable". Mi
relación con Nelson se remonta al año 2000, cuando triunfó el PAN
y ganó Vicente Fox. El propio Nelson narra en su libro titulado *Más
aciertos que errores* su versión de la historia cuando lo contacté para
dirigir los destinos de la Comisión Nacional del Deporte (Conade).
Cargo que desempeñó con un alto grado de profesionalismo, hono-
rabilidad intachable, entrega generosa, vocación de servicio y sobre
todo innovando, es decir, "creando resultados haciendo cosas nuevas", como la creación del Centro Nacional de Alto Rendimiento,
entre otras muchas infraestructuras deportivas en México. Lo que
pretendo destacar aquí es la fundación del corporativo más importante de escuelas de natación en México: la organización Acuática
Nelson Vargas. A partir de un sueño que comenzó con el alquiler de
una casa en Lindavista para echar a andar una escuela propia, que
habría de convertirse luego en su primera "acuática". Le seguirían la
ANV Coapa, la ANV Centro de Entrenamiento, la ANV San Jerónimo,
la ANV Del Valle, la ANV Satélite, la ANV Interlomas (que es donde mi
familia disfruta y convive), la ANV Querétaro, la ANV Aguascalientes,
la ANV Coyoacán, la ANV Puebla. Hoy la organización ANV ha cambiado de nombre por Nelson Vargas Family Fitness. En esta revisualización de paradigmas fue clave la participación de su hijo Nelson
Vargas Escalera, quien asumió la dirección de la empresa cuando
su padre partió para dirigir la Conade. Al igual que Ikea o Philips,
con Family Fitness se trataba de integrar "más que un concepto". El
profesor Nelson siempre pensó que el deporte podía servir como un
medio para unificar a la familia en un mismo objetivo. De esta forma

mientras los padres están en el gimnasio, los niños pueden estar en la alberca o en taekwondo, o viceversa. Y para ello se dieron a la tarea de construir nuevas y modernas instalaciones. La visión era que las familias no pasen el día como en un club, en forma recreativa, sino que la familia haga ejercicio con un método (el poder de los paradigmas como moldes en los métodos), tomando como base el sistema de natación de niveles. Con todo, las clases de natación seguirían siendo la prioridad. Fue así que en la búsqueda constante de la diversificación de actividades deportivas y ante las necesidades de la población de encontrar una forma de hacer ejercicio, para obtener una mejor calidad de vida, en actividades diferentes a la natación, la organización ANV se dio a la tarea de crear un nuevo concepto deportivo, único en México: Nelson Vargas Family Fitness, "Ejercicio para toda la familia". Family Fitness es el desarrollo del Centro de Acondicionamiento Físico Integral que cuenta con un ambiente confortable y equipos de alta tecnología. En él se pueden realizar actividades de lo más variado y para todas las edades —desde bebés hasta adultos mayores—, como spinning, tae boo, steps, aquaeróbics, Lift training, hip hop y programas de entrenamiento especializados en acondicionamiento físico, tenis y taekwondo. Con este nuevo enfoque seguirían la ANV Family Fitness San Jerónimo y la ANV Family Fitness Guadalajara, recién inaugurada en 2013. El profesor sigue "echando la casa y los sueños por la ventana". Sin duda un liderazgo innovador con una "pasión incansable".

¿Periodismo a la mexicana? Twitter salva vidas en México. Jack Dorsey, cofundador de Twitter y presidente ejecutivo de Square, estuvo en México, en el Auditorio Nacional, en un evento conmemorativo por el 70 aniversario del Instituto Tecnológico y de Estudios Superiores de Monterrey (ITESM). Además de sus consejos a la comunidad educativa y empresarial que estuvo presente —tales como la importancia del enfoque en el cliente, la pasión, el poder de las narrativas, las decisiones participativas, las reflexiones conjuntas, la visualización de las ideas creativas, entre otros— hizo un reconocimiento de los aciertos que se han logrado con Twitter, destacando el uso como "periodismo ciudadano" que se le está dando en ciudades como Monterrey, y aseguró que tratará de llevar este ejemplo mexicano a otros países donde puede funcionar de la misma forma. Con independencia del debate acerca de si realmente se le puede o no llamar "periodismo ciudadano", dado que para los convencionalistas el periodismo ha de ser sistemático y periódico, lo cierto es que en Monterrey y a través de Twitter, esta sistematicidad ha estado presente desde hace varios meses. Usuarios anónimos de manera regular recuperan y validan vía otros usuarios igualmente anónimos, y otros no tan anónimos, información sobre seguridad. Lo que hacen es tuitear todos los días las balaceras, levantones, autos sospechosos con gente armada, congestionamientos, sobrevuelos de helicópteros, robo de vehículos, zonas de asalto, y otros eventos similares. Estos usuarios se han convertido en fuentes fundamentales para salvar vidas. La radio y la televisión son medios del pasado para informarse. Hoy nos creemos unos a otros vía Twitter. Ahí se mide la credibilidad. Una comunicación de ciudadanos con ciudadanos, que nos dan ejemplo de civilidad y solidaridad. Por contribuir a mejorar nuestra calidad de vida sólo les podemos reconocer y dar las gracias. Arjan Shahani-Moreno, egresado del Tec de Monterrey, nos ha traído esta innovación a nuestro radar. Si visitan Monterrey, pueden seguir las cuentas @TrackMty, @SPSeguro, @lacandanosa… y otros muchos ciudadanos más que con los apropiados hashtags (una convención impulsada por la comunidad para agregar contexto y metadatos adicionales a sus tuits) han hecho posible una comunidad más segura.

Además de extirpar tumores cerebrales para poder seguir viviendo y viviendo bien, ¿por qué no ayudar a otros a luchar por sus sueños? Conocí al doctor Alfredo Quiñones-Hinojosa —conocido como el Dr. "Q"— en el foro "El futuro se decide en México", organizado por Universal Thinking Forum. Ambos participamos como ponentes —con compañeros de lujo como el Premio Nobel mexicano Mario Molina, el filósofo Fernando Savater y el prestigiado abogado Baltazar Garzón—. Además de haber compartido con él "ideas para cambiar al mundo", compartimos el gusto por las historietas de Kalimán. Aunque su historia es aún más interesante: de ser un jornalero migrante se convirtió en neurocirujano. Se graduó con honores de medicina por la Universidad de Harvard y ahora es director del Programa de cirugía de tumores cerebrales en el célebre hospital-escuela Johns Hopkins. El doctor Quiñones, nacido en un pequeñísimo pueblo de Baja California, es un convencido de que si alguien tiene un sueño no hay límites que le impidan conseguirlo, de ahí que ahora esté tratando de inspirar a los jóvenes y niños mexicanos para que busquen superarse en cualquier esfera de su vida. No cabe duda de que con su jovialidad, simpatía y talento habrá de afectar, para bien, muchas vidas. Por lo pronto él sigue obsesionado con la investigación del cáncer cerebral, y por el bien de la humanidad le deseamos éxito.

¿Qué significa para ti una innovación que mejore tu calidad de vida? Sólo para profundizar la reflexión comparto esta historia de un "Pescador y un analista de Wall Street". La historia se desarrolla en Costa Rica. Un analista de bolsa estadounidense estaba en el malecón de un pequeño pueblo de ese país, cuando una barca pequeña con un solo pescador atracó en el muelle. Dentro de la barca había varios atunes muy grandes. El estadounidense felicitó al pescador por lo espectacular de su pesca y le preguntó cuánto había tardado en pescarlos. El pescador respondió: "sólo un ratito". El estadounidense le preguntó a continuación por qué no se había quedado más tiempo para pescar más. El pescador le explicó que ya tenía suficiente para mantener las necesidades inmediatas de su familia. Entonces el estadounidense preguntó: "¿Y qué hace con el resto de su tiempo?" El "tico" dijo: "Me levanto tarde, pesco un poco, juego con mis hijos, me echo la siesta con mi mujer María, doy un paseo por el pueblo cada noche, donde bebo vino y toco la guitarra con mis amigos. Tengo una vida llena y ocupada, señor". El estadounidense se burló de él: "Yo soy un ejecutivo de Wall Street y le podría ayudar, debería dedicar más tiempo a pescar y con las ganancias comprarse un barco más grande y crear una página web. Un plan de viabilidad razonable le ayudaría a conseguir capital para comprar varios barcos nuevos. Al final tendría una flota pesquera. En vez de vender lo que pesca a un intermediario, lo vendería directamente al procesador, y acabaría abriendo su propia planta de envasado. Controlaría el producto, el proceso y la distribución. Tendría que dejar este pueblo costero dedicado a la pesca para mudarse a San José, Costa Rica, después a Los Ángeles y finalmente a la ciudad de Nueva York, donde delegaría tareas a terceros para ayudarse a expandir aún más su empresa.

El pescador preguntó: "Pero, señor, ¿y esto cuánto tiempo tardaría?" El estadounidense respondió: "Entre 15 y 20 años". "¿Y luego qué, señor?" El estadounidense se rió y dijo: "Ésa es la mejor parte. Cuando sea el momento oportuno, anunciaría una OPV, su empresa se cotizaría en la bolsa y se haría muy rico. Ganaría millones". "¿Millones, señor? ¿Y qué podría hacer con ellos?" El estadounidense le explicó muy satisfecho de su elucubración: "Entonces se jubilaría, se mudaría a un pueblo pesquero donde se podría levantar tarde, pasear un poco, jugar con sus hijos, echar la siesta con su mujer, dar paseos por el pueblo por las noches, donde bebería vino y tocaría la guitarra con sus amigos".

LAS BUENAS NOTICIAS SÍ SON NOTICIA

En 2001, en mi calidad y responsabilidad de jefe de la Oficina de la Presidencia de la República, sostuve una conversación con un par de ejecutivos que ostentaban el más alto rango en una de las televisoras más importantes del país y me expresaron lo siguiente: "Para nosotros las buenas noticias no son noticia, son comerciales, y si ustedes quieren que se difundan deberán pagar por ellas. Las malas noticias sí son noticia, y éstas se las publicaremos gratis". No estoy revelando ningún secreto de Estado; es más, si me apuran un poco, ni siquiera es un secreto. Todos sabemos que los medios, en general, prefieren las noticias negativas porque venden más que las noticias buenas. Les interesa hacer énfasis en lo malo. Esto nos lleva a creer que no estamos avanzando ni como humanidad ni como país. Si a esto le agregamos que vivimos en la era de la saturación y del exceso y que cualquier persona está expuesta, hoy en día, en una semana a más información de la que recibía una persona del siglo XVII en un año, se hace más difícil darle sentido a tanta información. Todos coincidimos, por experiencia propia, que en general los pesimistas reciben más publicidad que los optimistas. En lo personal considero que todos los que pretendemos hacer de México un mejor lugar para vivir habremos de revisualizar este paradigma y adoptar uno nuevo: "Las buenas noticias sí son noticia y habremos de difundirlas, 'darles cuerda' y compartirlas con todo el mundo (hoy las redes y el internet nos posibilitan para esto), y las malas noticias son hechos y eventos que si los revisualizamos podremos construir maravillosas oportunidades de innovación".

Un mexicano que comparte esta opinión y que se ha dado a la tarea de motivar gente común y pequeños empresarios a tener éxito en Estados Unidos y el extranjero es Mario César Ramírez, quien busca inspirarnos con dos casos de mexicanos cuyas historias son muy buenas noticias: Juvenal Chávez, presidente ejecutivo de Mi Pueblo Foods Center, y Rolando Herrera, presidente ejecutivo de Mi Sueño Winery. Juvenal llegó en 1984 a Los Ángeles, California, trabajó como empleado de limpieza hasta que se decidió a emprender su propio mini supermercado en 1991 en San José, California. Es originario de Aguililla, Michoacán. El municipio considerado el bastión del grupo criminal conocido como Los Caballeros Templarios. Actualmente Mi Pueblo Foods cuenta con más de 20 supermercados en el área de la bahía y área central de California y con más de 3 000 empleados. Factura más de 500 millones de dólares. La facturación aumentará al doble ahora que es propietario de todos los centros comerciales y está manufacturando sus propios abarrotes. Mi Pueblo Foods celebra las tradiciones mexicanas para mantenerlas vigentes como el día de los Santos Reyes, el día de las madres, el día de la Virgen de Guadalupe y muchas más. Rolando Herrera es originario del Llano, Michoacán. Llegó en la década de los ochenta al área vitícola del Napa Valley, en los Estados Unidos, siguiendo a su padre, que era bracero. Trabajó como lavaplatos en un famoso restaurante de Napa y durante el inicio del verano de 1985 lo invitan a participar como albañil en la construcción de una barda del viñedo del famoso y legendario Joseph Phelps, quien lo veía como un jovencito muy trabajador. Luego le ofrecieron un trabajo de velador en la bodega, y lo único que podía hacer era dormir junto a lo que le apasionaba: hacer algún día su propio vino. Trabajó para una pareja de franceses que le enseñaron los secretos del cultivo de la vid. Después de más de una década de aprendizajes decide pedir un préstamo de 10 000 dólares para comprar una tonelada de uva y rentar las prensas y barricas. Así nace Mi Sueño Winery. Actualmente sus vinos son parte del menú de la Casa Blanca y de los menús de los restaurantes más sofisticados de los Estados Unidos. Rolando, ahora propietario y enólogo de su propia bodega boutique, de gran prestigio en el Napa Valley, pretende que sus vinos también se disfruten en México. Para mayor información de estos y otros inspiradores casos podemos ir a www.paisanologiaempresarial.com.

¿Y por qué no un auto deportivo mexicano? En enero de 2011, durante una emisión del programa radiofónico *Top Gear*, de la BBC de Londres, los conductores criticaron la idea del Mastretta MXT —el primer auto diseñado y construido en México—, al que sugirieron denominar "Tortilla", argumentando que México en lo que tiene liderazgo es en los campos de la cocina de los frijoles fritos, el alto nivel de corrupción y los sombreros gigantes. La reacción de los medios de comunicación y del embajador de México en Inglaterra, mi amigo Eduardo Medina Mora —quien había dirigido el Centro de Investigación y Seguridad Nacional y la Secretaría de Seguridad Pública en el gobierno de Fox, no se hizo esperar—, no se hizo esperar, calificando de "vergonzosos, inaceptables e incomprensibles" las alusiones hechas a los mexicanos, la cultura gastronómica y la creatividad de sus emprendedores. Pero los hermanos Mastretta, quienes hace 24 años habían fundado Tecnoidea, una empresa dedicada al diseño de autobuses y vehículos especiales para el transporte público y privado, no se amilanaron. El auto Mastretta MXT no sólo se vende en México, sino que sus primeras exportaciones han sido apartadas en Inglaterra. Así es que el auto de la polémica ya tiene pedidos en el Reino Unido. Por ahora este modelo deportivo es de edición limitada, pero la empresa espera tener pronto "un Mastretta MXT para todos", dado que piensan extender el diseño y la creación a otros segmentos de mercado. El Mastretta MXT es un modelo que los hermanos Mastretta decidieron crear porque "además de la pasión por los autos en la familia, desde hace varias generaciones, Tecnoidea adquirió las capacidades técnicas y de conocimiento. Es un sueño de mucho tiempo llevado a la realidad". Las siglas *MX* en el nombre del vehículo refieren a México y la *T* al motor transversal. ¿Es el Mastretta MXT el nuevo Lotus mexicano? Por lo pronto el productor de automóviles a escala Hot Wheels ya lo incorporó a su colección global, siendo la primera vez que un auto completamente concebido y diseñado en América Latina es incorporado a su surtido. Y también una buena noticia es que Mastretta Cars inauguró su primera agencia automotriz a escala mundial en Toluca, Estado de México.

¿Y por qué no construyen cubiertas de asientos para que millones de pasajeros que viajan por todo el mundo se sienten en las nubes? Así desafiaron a los hermanos Mesta. Conocí a Jesús Mesta Delgado, siendo él subsecretario de la Función Pública, en el gobierno del presidente Fox. Compartimos el reto de promover la Agenda de Buen Gobierno y nos divertimos con la campaña de "Los gatos negros", paradigmas de signo negativo que se traducían en normas obsoletas o reglas sin sentido, como la relacionada con la vinculación de la cartilla militar y el pasaporte: durante muchos años los funcionarios de la Secretaría de Relaciones Exteriores exigían la presentación de la cartilla liberada como requisito para expedir el pasaporte. Además, en caso de renovación del pasaporte, se exigía que la cartilla fuera presentada nuevamente y se observara si contaba con las siguientes anotaciones, visas o resellos exigidos por la ley. En caso de que no tuviera los resellos, no era posible obtener la renovación del pasaporte. Me llevó dos años persuadir al entonces secretario de la Defensa Nacional, el general Clemente Vega, de esta práctica absurda. Esta situación cambió a partir de 2002, cuando por decreto presidencial se eliminó la presentación de la cartilla militar liberada como requisito para obtener el pasaporte. Cuando Jesús Mesta concluye su aventura por la administración pública y regresa al sector privado en 2006, se encuentra con que la empresa que les heredó su padre estaba a punto de quebrar debido a la invasión de textiles provenientes de Asia. Ellos elaboraban pantalones de mezclilla en su natal Chihuahua, pero cuando las ventas empezaron a caer supieron que debían buscar nuevos horizontes. "Empezamos a analizar en qué invertir y vimos que la industria aeroespacial estaba comenzando a aterrizar en México", comenta Jesús Mesta, director ejecutivo de Soisa. Hoy la empresa manufactura más de 40 productos aeroespaciales y provee a empresas como Boeing, Airbus y Bombardier y a aerolíneas como United, Easyjet y Shangai Airlines, entre otras. Pero el cambio estuvo lejos de ser sencillo. Lo primero que hicieron los hermanos Mesta fue certificarse en AS9100, pues sin esto sería imposible entrar a la industria aeroespacial —nada que ver con los ISO 9000 que juntos promovimos en el gobierno federal—. Este hecho los convirtió en la primera Pyme mexicana en obtener una certificación aeroespacial. Luego se enteraron de que TechBA podía apoyarlos y solicitaron ir a Montreal, donde comenzaron a trabajar con consultores que cuentan con experiencia en importantes firmas aeroespaciales. Antes de ir a Tech-BA, al decir de Jesús, no tenían una idea clara del futuro, luego de tres años en el programa, han desarrollado una visión "bien definida y estructurada" con objetivos y acciones muy claras. El crecimiento de la empresa ha sido exponencial y, por lo tanto, excepcional. De apenas siete empleados que tenía en 2007, la empresa incrementó su plantilla a 190 en 2012. En cuanto a ventas, de 2008 a 2009 la empresa cuadruplicó su volumen; en 2010 y 2011 lo duplicó… y las buenas noticias siguieron. De 216 000 asientos de avión que se fabrican anualmente en promedio a nivel mundial, 43 200 los recubre Soisa, una empresa mexicana que actualmente es el proveedor de confianza de productos de alta calidad para 70 aerolíneas internacionales. Tiene dos mercados principales: uno de ellos es el suministro de fundas para asientos de líneas aéreas y fabricantes de equipos originales, como Boeing y Airbus —Mesta es categórico al afirmar que tienen 20% del mercado mundial de asientos de aviones—, el otro mercado es el rediseño. Soisa ayuda a las aerolíneas a reinventar la imagen de sus asientos del avión, desde el diseño hasta la fabricación del amortiguador y la cubierta. A decir de mi amigo, la empresa Soisa quiere ser reconocida no sólo por su volumen de producción, sino por su innovación, diseño y patentes. Soisa es una empresa mexicana que vuela por las nubes de la innovación y que se sigue esforzando por mejorar los aviones y hacerlos más ligeros y cómodos. "Es un ejemplo claro de saber reinventarse", señala Juan Manuel Alvarado, director de Founders into Funders, un fondo de capital emprendedor enfocado en *startups* y en empresas en fase de escalamiento. "Fueron receptivos y entendieron el mercado." A veces me siento mal, entonces me acomodo en el asiento —hecho por Soisa— y me siento bien.

La gran ventaja de México es que es uno de los países con la mayor inversión en el sector aeroespacial. El mercado aeroespacial crece anualmente 5.5%, impulsado por dos variables: el aumento en el número de pasajeros que necesitan viajar por el mundo y la necesidad de reemplazar los aviones viejos por otros nuevos. Un mexicano que ha impulsado este sector estratégico es mi amigo Carlos Eduardo Represas. Lo conocí cuando Vicente Fox ganó las elecciones en 2000. Sabiendo que era uno de los ejecutivos más exitosos por su talento, visión de negocios y honestidad probada, lo entrevisté para considerar la posibilidad de que se integrara al nuevo gobierno democrático como secretario de Estado. El licenciado Represas era en esos momentos vicepresidente ejecutivo de Nestlé mundial y director general para la zona de las Américas, radicaba en Suiza y acababa de ser nombrado "Ejecutivo del año 2000" por la industria alimenticia de América Latina. Le faltaban aún cuatro años para concluir su ciclo con la multinacional Nestlé. No cabe duda de que la mayoría de las veces "las oportunidades son inoportunas". Más adelante volveríamos a encontrarnos. Esta vez el licenciado Represas buscaba para México la instalación de Bombardier Aerospace. Lo que habría de conseguir. El 26 de octubre de 2005 (durante el mandato del presidente Fox), esta empresa de origen canadiense anunció una primera inversión en Querétaro, México, con lo que se habría de detonar una industria hasta entonces inexistente en México, ya que con su llegada Bombardier Aerospace impulsó la formación de un clúster especializado en la industria, que ha derivado en la llegada de otras empresas del sector y, con ello, en la necesidad de un crecimiento de instituciones educativas que den soporte a esta pujante industria, incluso con el nacimiento de una universidad especializada como lo es la Universidad Nacional Aeronáutica de Querétaro (UNAQ). Hoy en día, Bombardier Aerospace cuenta en Querétaro con 1 800 empleados a tiempo completo y trabaja con ocho compañías mexicanas que se han convertido en proveedores de ciertas partes y México se ha convertido en el país con mayor inversión en manufacturas aeroespaciales en el mundo, con alrededor de 33 000 millones de dólares, lo que ha permitido el desarrollo del sector en el país, con planes específicos planteados en el Programa Estratégico Nacional de la Industria Aeroespacial (Pro-Aéreo) 2012-2020, con el que se busca ubicar a México dentro de las primeras 10 naciones a nivel mundial en la venta de artículos aeroespaciales y generar 110 000 empleos directos altamente calificados. Carlos Eduardo Represas sigue más activo que nunca. En enero de 2014 me comentó que ahora es el presidente de Bombardier para América Latina. En su más reciente intervención en el panel México y Latinoamérica, realizado en el marco de la Cumbre de Negocios, afirmó que la única manera de generar empleo y bienestar para las familias es con inversión productiva:

> Tenemos que dejar de habar de la creación de un millón de empleos y comenzar a hablar mejor de la creación de un millón de empresas, porque es en ellas donde se dará la oportunidad de generar el millón de puestos de trabajo. El facilitar el establecimiento de empresas innovadoras, de emprendedores, va a ayudar automáticamente para que se dé algo que nos ha hecho una gran falta en América Latina, que son los fondos de capital semilla —venture capital—, fundamentales para el desarrollo emprendedor. También se requiere del compromiso de los gobiernos para combatir los monopolios, tanto públicos como privados, mediante el estímulo de la competencia. El gobierno tiene una gran responsabilidad en crear las condiciones para que los emprendedores se desarrollen. El capital existe y las ideas existen, lo que tenemos que preguntarnos es cómo vamos a desarrollar y abrirles espacios a estas empresas.

En todas sus intervenciones el licenciado Represas es reiterativo: "La innovación y la creatividad fueron claves en el origen tanto de Nestlé como de Bombardier. Debido al crecimiento de la población y la necesidad de crecimiento de la productividad que implica la optimización de la mano de obra, ya no será posible crear los empleos suficientes para cubrir todas las necesidades. El gran desafío que tenemos por delante es la innovación, porque ahora cada quien se deberá crear su propio empleo".

¿Y por qué no un té a la mexicana? El restaurante de la familia Fong-Payán, que ofrecía té de jazmín para refrescar a sus comensales, marcó el inicio de una travesía que concluiría en la creación del Grupo Jaztea, empresa de Sinaloa que produce el único té helado del mundo sin conservadores ni saborizantes artificiales. Tras estudiar arquitectura y trabajar en Arca Continental (una embotelladora de Coca-Cola), Edna Fong, hija de los fundadores del restaurante y actual directora de la empresa, convenció a su madre de que debían concentrarse en producir té y distribuirlo como agua embotellada. Esta sencilla idea la convertiría en la primera mujer reconocida por la revista *Expansión* como "Emprendedora de Alto Crecimiento" en 2012. "Desde el inicio supe que Jaztea no sólo se posicionaría en México sino también en el extranjero. Esa visión es la que me ha llevado a hurgar en diferentes lugares", comenta Fong. Uno de los sitios donde la empresaria buscó oportunidades fue TechBA Vancouver, donde ingresó en 2010 con la idea de ir al mercado de Norteamérica. Una característica del Grupo Jaztea es que busca innovar en todos sus procesos. Por ejemplo, al ver que no existía en el mercado ninguna máquina exprimidora de limones, la empresa desarrolló una propia. En 2011 Jaztea generó 147 millones de pesos y en 2012 logró crecer 12%, alcanzando una producción de 50 000 litros de té al día, lo que le ha permitido extender su presencia a Nuevo León y Coahuila a través de la cadena OXXO y a Puebla, Michoacán y Jalisco a través de Soriana y Walmart. Fong es consciente de que está peleando un mercado muy competido y dominado por empresas como Coca-Cola, Nestlé y Pepsico, pero no se amedrenta. "Jaztea tiene que seguir innovando para posicionarse como el té a la mexicana."

¿Por qué no una tienda en forma de lata de cerveza? Después de varios años de no vernos, coincidí con José Acevedo Arjona en el XX Congreso del Comercio Exterior Mexicano (Comce), que preside mi amigo Valentín Díaz Morodo —un reconocido empresario mexicano y dueño del equipo de futbol Toluca, quien me llegó a invitar a jugar en la mismísima Bombonera—. El lema del congreso no podía ser más actual y más sugestivo: "Innovación, factor para un comercio exterior más competitivo". José Acevedo me invitó a comer en un restaurante de lo más selecto en la ciudad de Querétaro y me contó la historia de su creación Autolata Modelo, de ahí que sea más conocido como *Pepe Latas*. Autolata Modelo nace el 21 de diciembre de 1995 en la ciudad de Celaya, Guanajuato, en el apogeo de la devaluación económica. Con ello iniciaría un concepto innovador en tiendas de conveniencia en México, que desde 1996 se ha posicionado como el primer negocio de compras desde su auto gracias a la comodidad y seguridad que eso implica. Esta idea tenía como antecedentes las Farm Store (tiendas de la granja), luego vendría su primer uso registrado en 1930 por un Banco en St. Louis Missouri, le seguirían tiendas como Wendy's y McDonald's. Como toda idea creativa, los comienzos no son nada fáciles. Persuadir a Sergio González García, director regional de la Cervecería Corona —nueve de cada 10 cervezas que se vendían en el mercado eran de esta empresa—, estaba "muy cañón". José Acevedo se presentó dispuesto a dar la batalla; con un estudio "rústico" del mercado, una lata de cerveza partida a la mitad como su primer "prototipo", una idea "loca", pero novedosa, de comprar cervezas (y abarrotes) sin bajar del auto, una historia reciente de "fracaso" en otro campo, pronósticos optimistas que duplicarían las ventas, solicitudes "sin cifras claras" de financiamiento, una actitud "echada para adelante". Y listo, don Sergio le dio la bendición y el visto bueno. A partir de ahí las Autolatas Modelo empezarían su expansión por varios estados del territorio nacional, hasta llegar a más de 100 tiendas en México y en Centroamérica. Hoy José Acevedo busca escribir una nueva historia con Autotazas Le Pronto, una idea que surge como proyecto de titulación en 2007 de René Loya Poletti, en la ciudad de Querétaro. A esta aventura se sumaría otro joven emprendedor, Alejandro Velázquez, para lanzarse con todo y posicionar un concepto totalmente diferente e innovador en México de Auto Cafeterías Drive Thru en forma de taza. Sin duda "un café a la mexicana".

¿Y por qué no sobrevolar los cielos con "drones a la mexicana"? A finales de 2013, Jordi Muñoz recibió el premio al "Estudiante Emprendedor del Año" gracias a su labor en 3D Robotics, la empresa fronteriza que ha creado un nuevo concepto en la producción de drones. Seis años atrás este joven mexicano, apasionado de la computación y que soñaba de pequeño con ser piloto, se mudaba con su esposa al otro lado de la frontera, dejando colgados sus estudios de ingeniería en el Centro de Enseñanza Técnica y Superior de Baja California. "Me aburría muchísimo en casa, así que empecé a jugar con chips y controladores; pasaba las horas haciendo pruebas con el código, navegando y leyendo en el ordenador", recuerda el joven. Y fue así como descubrió DIY Drones, un foro donde miles de aficionados en la fabricación de sus propios vehículos aéreos no tripulados (los llamados drones) comparten sus experiencias, las librerías de código que van perfeccionando y adaptando a cada necesidad o los planos de los componentes con los que fabrican sus prototipos. Inmerso en esta gran red de conocimiento compartido, Jordi no sólo prosperó como desarrollador sino que además heredó la filosofía abierta y colaborativa en la que ha basado su carrera como emprendedor y, por si fuera poco, amplió su red de contactos. Sus experimentos caseros llamaron la atención de Chris Anderson —el creador de DIY Drones—, quien observó en un video cómo Muñoz hacía volar un helicóptero de forma autónoma utilizando una placa Arduino (una plataforma de código abierto) y un controlador de una consola Nintendo Wii que había reprogramado. Anderson quedó "apantallado" y aportó una pequeña financiación y Muñoz fabricó manualmente 40 unidades de sus placas. Lograron venderlas el mismo día y, a partir de esa experiencia, visualizaron una magnífica oportunidad de negocio. Éste es el origen del nacimiento de la empresa 3D Robotics, cofundada en 2009 por Chris Anderson —director en aquel entonces de la revista *WIRED*— y Jordi Muñoz, una *startup* que cuenta con más de 180 trabajadores en América del Norte, y más de 28 000 clientes en todo el mundo. 3DR cuenta con oficinas comerciales en Berkeley, California, su área de operaciones está en San Diego y las instalaciones de fabricación e ingeniería en Tijuana, México. 3DR desarrolla drones personalizados, que son innovadores, flexibles y fiables, así como la tecnología de UAV (vehículos aéreos no tripulados) para exploración y aplicaciones de negocio. Las plataformas UAV de 3DR permiten capturar impresionantes imágenes aéreas para el disfrute del consumidor o para el análisis de datos, lo que permite la cartografía, topografía, modelado en 3D y otros usos más a través de múltiples industrias en todo el mundo, incluyendo la agricultura, la fotografía, la construcción, búsqueda y rescate, así como estudios ecológicos. 3DR pretende llevar el poder de los paradigmas en la tecnología UAV para el mercado general.

"Yo te compro azúcar, pero dámela líquida." Cuando me reuní con el ingeniero Enrique Bojórquez, inmediatamente supe que estaba frente a un mexicano comprometido con su país y de mentalidad innovadora. Lo invité a ser vicepresidente en la Comisión Nacional de Innovación de la Coparmex, que yo presidía. Me platicó de un tema del que yo poco sabía, del azúcar. Arrancó su narrativa a partir de 1993, cuando se da la autorización de la disolución y liquidación de la empresa paraestatal Azúcar, S. A. de C. V., y con la publicación del Decreto del 27 de julio de 1993 (promulgado por el presidente Carlos Salinas de Gortari) mediante le cual se establecía que "el precio de la caña de azúcar estaría determinado por las condiciones de mercado". Hasta 1994, la importación de jarabes fructosados de Estados Unidos estuvo limitada por barreras arancelarias, pero con la firma del Tratado de Libre Comercio con América del Norte (TLCAN) se acordó desgravar gradualmente la importación de los bienes agrícolas, con ello implícitamente se aceptó una competencia desigual, México produciría bienes agrícolas sin subsidio, pero Estados Unidos y Canadá seguirían subsidiando a su agricultura. Esto dio lugar a una demanda de la Cámara Nacional de la Industria Azucarera y Alcoholera de México por prácticas de *dumping* en contra de las importaciones de jarabe de fructosa provenientes de Estados Unidos. Por su parte los embotelladores mexicanos de refrescos iniciaron el consumo de alta fructosa aproximadamente en 1995, para sustituir el azúcar, por razones de precio fundamentalmente, lo que permitió a los grandes productores norteamericanos de fructosa, al amparo del TLCAN, exportar a México importantes cantidades de alta fructosa al mismo ritmo que los embotelladores mexicanos adaptaban sus instalaciones.

Al comenzar a verse afectados por dichas importaciones, la industria azucarera solicitó a la entonces Secretaría de Comercio y Fomento Industrial (Secofi) la revisión del proceso de desgravación de las importaciones de fructosa e iniciar una demanda *antidumping*. Como resultado de estas acciones, la Secofi impuso aranceles compensatorios a la alta fructosa que ayudaron a detener el avance de la importación del edulcorante, aunque no detuvieron su producción interna a base de maíz amarillo importado a precios subsidiados originario de los Estados Unidos. La disputa del caso ante la Organización Mundial del Comercio y el propio TLCAN resolvieron a favor de México. Sin embargo se siguieron produciendo alrededor de 280 000 toneladas de alta fructosa con maíz subsidiado de los Estados Unidos e importado indebidamente a México con tasa cero. Muchas industrias mexicanas preferían la fructosa no sólo por el precio sino porque además se trataba de un proceso más limpio, lo que les reducía los costos de manejo y procesamiento.

El proyecto inició en 2002, cuando por ley se aplicó un impuesto especial de productos y servicios (IEPS) de 20% a las bebidas que se endulzaran con fructosa; en ese momento el ingeniero Bojórquez detectó que la industria de bebidas necesitaría azúcar líquida para sustituir el jarabe de fructosa. Con el IEPS se dieron cuenta de que había clientes que se enfrentaban a un grave problema porque no tenían cómo disolver el azúcar para sus productos. Algunos de ellos instalaron sus propias clarificadoras para limpiar el azúcar antes de usarla, este proceso se utiliza para que las bebidas no se enturbien con las impurezas. Es aquí cuando la empresa Lala y otras más que usaban fructosa le lanzaron el reto al ingeniero Bojórquez: "Yo te compro azúcar, pero dámela líquida". Las preguntas que surgían eran varias y desafiantes: ¿Cómo crear azúcar líquida? ¿Cómo desmineralizo el azúcar? ¿Cómo crear la tecnología de purificación? (no existía en ninguna parte del mundo). ¿Y qué pasará si eliminan el IEPS? Iniciaron arrendando las máquinas de clarificado de la empresa Sidral Mundet y probando con la venta de azúcar diluida. Con una inversión de 10 millones de dólares establecieron contacto con el Centro de Investigación y Asistencia en Tecnología y Diseño del Estado de Jalisco, A. C., perteneciente a la red de centros de desarrollo e innovación tecnológica del Conacyt. La relación no estuvo exenta de altibajos y en muchos momentos incluso de rupturas, con fricciones en temas como la propiedad intelectual. Finalmente, superadas muchas barreras y diferencias, en un lapso de dos años lograron tener resultados a nivel laboratorio y contar con un prototipo a nivel industrial. Luego lo patentaron. Habían de llevarse otros cuatro años más para que Sucroliq despegara. Hablamos de una empresa cien por ciento mexicana formada en asociación con la Unión Nacional de Cañeros, y el Fondo de Capitalización e Inversión del Sector

Rural. Además del ingeniero Bojórquez, la participación del ingeniero Carlos Blackaller Ayala, presidente de la Unión Nacional de Cañeros, fue de capital relevancia.

Sucroliq es una empresa dedicada a refinar azúcar líquida, cuyo costo es menor al internacional del jarabe de maíz rico en fructosa y posee las mismas propiedades endulzantes y con un proceso más limpio que los vinculados con el azúcar cristalina tradicional. Esto es justo lo que el ingeniero Bojórquez consiguió: obtener un endulzante como si fuera refinado y entregarlo líquido. Todo a partir de utilizar azúcar de la peor calidad, fuera de especificaciones, llena de cenizas e impurezas, de color oscuro y por la cual la industria de alimentos y bebidas no pagaría un quinto. Enrique me explicó que "los que consumen azúcar batallan con la calidad del endulzante porque tiene impurezas, por eso la industria compra azúcar refinada, que es más cara, nosotros logramos purificarla. Nuestra ganancia es que tenemos la tecnología para hacerlo con azúcar barata". Desde sus inicios la visión fue "ser líder mundial en el desarrollo de tecnologías para la refinación de azúcar líquida y su elaboración". Actualmente cuentan con tres instalaciones en México: Amecameca y Toluca, en el Estado de México, y Apodaca, en Nuevo León. Pronto estarán inaugurando la planta de Sucroliq en Argentina. La planta de Apodaca produce azúcar líquida utilizando las tecnologías más avanzadas a nivel mundial. En el proceso para obtener el producto se genera riqueza a lo largo de la cadena de valor del azúcar, desde el productor primario que cosecha la caña, los ingenios que la procesan, la planta Sucroliq que da mayor valor agregado al producto y el cliente final que la utiliza para la elaboración de sus productos. Entre sus clientes se encuentran Jumex, Danone, Pepsi, Kellogg's y muchos otros más dentro de una amplia gama de aplicación industrial que va desde el sector bebidas, cereales, confitería, helados, repostería, vinos y licores, mermeladas y aderezos.

Sucroliq utiliza, para la obtención de azúcar líquida, tecnología mexicana de innovación, que incluye varios pasos (como filtración, clarificación, purificación y esterilización, entre otros), logrando que el producto cumpla con los requerimientos de pureza e higiene demandados en el mercado. Sucroliq es un buen ejemplo de innovación de producto, de proceso y de modelo de negocio.

¿Y por qué no revivimos el concepto del autocinema en México? Y además lo combinamos con experiencias memorables al estilo de los años cincuenta, que nos transporten al pasado con todo un concepto de la época, innovado con los avances del presente. Esto es Autocinema Coyote, cuyos socios son jóvenes emprendedores como Miriam Mercado, Rafi Farca, Jacqueline Kajomovitz, Salomón Askenazi y, el creador de la idea, Isaac Ezban. Yo tenía que vivir una de esas experiencias y fui con mi familia. Disfruté de una buena película clásica desde la comodidad de mi coche y proyectada hacia una gigantesca pantalla. Al ver una película desde tu auto creas tu propio ambiente y a la vez vives la magia de la colectividad del público y la gran pantalla: es la combinación perfecta. Se especializan en noches temáticas, presentaciones en vivo, conciertos y hasta sacan personajes de la pantalla para divertir y asustar al público. En las vacaciones de verano de 2013 mi hija Ana Claudia me avisó de su decisión de trabajar temporalmente en Autocinema Coyote, atendiendo directamente a los clientes y eventualmente la tienda de productos. Le aconsejé que además de esa experiencia aprendiera sobre el modelo de negocio. La empresa se instala, como lo hacen las carpas de los circos, de manera temporal en un sitio y luego se mueve a otro. Estuvo seis meses en Coyoacán, luego un año más en Santa Fe. Habrá que esperar para conocer su nuevo sitio. Por lo pronto en San Diego ya abrieron un autocinema y van por más… Las experiencias memorables tienen que ser innovadas para poder revivirse.

¿Qué pasa si extrapolamos las experiencias biotecnológicas del algodón mexicano a otros campos? En el mundo la biotecnología tradicional comenzó en los años 3500-3100 a.C., cuando los habitantes de las montañas de Irán consiguieron fabricar de manera accidental algo parecido a la cerveza. No es un campo nuevo de actividad empresarial. Se remonta a la producción del pan, el queso, la cerveza, el vino. El hombre lleva años modificando los vegetales que utiliza como alimento, por ejemplo, las coles de Bruselas, la coliflor y el brócoli, son variedades artificiales de una misma planta. Lo mismo pasa con decenas de variedades de manzanas, maíz, papas, trigo. En 1996 se conceden los primeros permisos para la siembra de algodón genéticamente modificado (GM) en México. Desde entonces el algodón GM ha permitido incrementar los rendimientos e ingresos de los productores, así como un uso más racional de plaguicidas (al grado de que hoy el algodón es considerado la fibra natural más amigable con el ambiente), disminuyendo así el tiempo dedicado al cuidado del cultivo, lo que representa una mejor calidad de vida para los productores y sus familias. Aunque seguimos importando las dos terceras partes de algodón que consumimos, las cifras más recientes son alentadoras. Las hectáreas sembradas con algodón transgénico tuvieron un incremento notable, pasando de alrededor de 107 000 hectáreas en 2010 a más de 191 000 en 2011 y se proyectan hasta 500 000 en 2016. Actualmente el algodón transgénico se siembra en regiones de los estados de Baja California, Chihuahua, Sinaloa, Tamaulipas y en la Comarca Lagunera. Gracias a su siembra hoy se llegan a producir hasta 6.2 pacas por hectárea y se prevé rebasar las siete pacas hacia el año 2020. Con ese ritmo de producción es posible pensar que México alcance un superávit de aproximadamente 900 000 pacas, hacia el año 2016, pudiendo convertirnos en exportadores de producto terminado. Estos buenos resultados son producto de una combinación de investigación + biotecnología (tecnología basada en la biología) + mejores prácticas agronómicas.

¿Y por qué no restaurar a La Ciudadela para convertirla en la Ciudad de los libros y la imagen? Conozco a Consuelo Sáizar desde que el presidente Fox la invitara a dirigir el Fondo de Cultura Económica, labor que realizó de manera extraordinaria. En términos más actuales diría que supo revisualizar las tareas editoriales como parte de la "economía creativa", también conocida como la "economía naranja". Desde el principio nos entendimos bien, nos caímos mejor y nos hicimos buenos amigos. Me impresionaba cómo construía cosas en su mente y luego cómo las plasmaba en la vida real. Tengo presente de manera especial el Centro Cultural Gabriel García Márquez, construido en Bogotá, Colombia. A finales de 2010 viajé a Bogotá, junto con mi hija Ana Claudia, para presentar mi libro *El poder de los paradigmas*, y aproveché para visitar el Centro Cultural, que sólo conocía en una maqueta (prototipo). Ahora estaba yo en uno de los edificios más emblemáticos de México, La Ciudadela, invitado a desayunar por mi amiga —en ese momento flamante directora del Conaculta—. Cuando caminaba por los pasillos y patios de la antigua Real Fábrica de Tabacos que se construyó a finales del siglo XVIII, y que también había sido fábrica de armas, cárcel militar, hospital y cuartel, hasta ser convertida en 1964 por José Vasconcelos en la Biblioteca Nacional, yo sabía que estaba siendo testigo, privilegiado y anticipado, del proyecto cultural del siglo XXI mexicano, como lo había calificado Carlos Monsiváis. Para preservar el sueño de Vasconcelos había que innovarlo. Y eso era justo lo que Consuelo se había propuesto. Para ello convocó a un talentoso grupo de arquitectos y artistas plásticos con el propósito de restaurar y devolver a la construcción su antiguo esplendor. Este exhaustivo esfuerzo se propuso respetar la intervención del arquitecto Zabludovsky —lo cual no le resultó nada fácil— y al mismo tiempo dar paso a La Ciudadela, la Ciudad de los libros y la imagen, uno de los primeros recintos del siglo XVIII convertido en un edificio verde por su bajo consumo energético y de agua y sus bajas emisiones de contaminantes.

Regresé de nuevo el 21 de noviembre de 2012, esta vez acompañado de mi esposa Claudia. La Ciudadela dejaba de ser un sueño y oficialmente se convertía en la Ciudad de los libros y la imagen. El presidente Felipe Calderón la reinauguró enmarcándola con la entrega de la primera edición del Premio Internacional Carlos Fuentes a la Creación Literaria en el Idioma Español, a Mario Vargas Llosa, Premio Nobel de Literatura en 2010. Ahora La Ciudadela era un inmenso y hermoso espacio, con patios, jardines y pabellones, donde se habían reunido las bibliotecas privadas de un puñado de escritores mexicanos —José Luis Martínez, Antonio Castro Leal, Jaime García Terrés, Alí Chumacero y Carlos Monsiváis— que juntas suman cerca de 350 000 volúmenes. Coincido con Vargas Llosa en que probablemente el más literario y original de los pabellones sea la biblioteca de invidentes, que él describió en *El País* de España:

La música es en ella tan importante como en la bella novela de Bruce Chatwin, *The Songlines*, donde éste describía el antiguo mundo de los aborígenes australianos como un fantástico recinto donde las fronteras entre las distintas etnias y comunidades no eran geográficas sino musicales. En el interior de esta biblioteca los espacios están delimitados por composiciones sonoras, cuyos autores han trabajado en su gestación con la asesoría de los propios invidentes. Éstos pueden dirigirse, guiados por la música, hacia los estantes o puntos de lectura que usualmente ocupan. La biblioteca no sólo dispone de una vasta colección de obras en braille sino también de tabletas, cintas y discos de libros grabados que pueden ser escuchados en pequeñas cabinas individuales.

Sin duda una "innovación a la mexicana" que revisualiza nuestra cultura y mira por las personas con discapacidad visual.

¿Por qué no un "Pacto por México" entre el gobierno federal y los tres principales partidos políticos? Intentos ha habido muchos, pero esta vez la revisualización de la política, en materia de acuerdos, ha encontrado un cauce. El 2 de diciembre de 2012 en el Castillo de Chapultepec, en la ciudad de México, se firma el Pacto por México, un acuerdo político nacional. Lo suscriben el presidente de la República, Enrique Peña Nieto; Gustavo Madero Muñoz (mi ex compañero en el Senado de la República), presidente del Partido Acción Nacional; Cristina Díaz Salazar, presidenta interina del Partido Revolucionario Institucional, y Jesús Zambrano Grijalva, presidente del Partido de la Revolución Democrática. Mi buen amigo Marco Antonio Adame, ex senador y gobernador de Morelos y hoy integrante del Consejo Rector del Pacto por México, le ha llamado "el paradigma del sí". Y así lo explica:

Somos parte de una generación de mexicanos que ha vivido, en los últimos 15 años, cambios políticos significativos en un ya largo proceso de transición a la democracia, caracterizados, entre otras cosas, por la pluralidad en la representación nacional, la alternancia en la Presidencia de la República, la distribución del poder político en estados y municipios y una creciente participación ciudadana. Que al mismo tiempo, *atrapados en "el paradigma del no"*, hemos experimentado, como actores o testigos, la incapacidad manifiesta y costosa de la llamada clase política y de una sociedad desarticulada para lograr los acuerdos y transformaciones de fondo que necesita el país, de cara a una realidad desafiante marcada por la inequidad e injusticia social, la inseguridad y la violencia creciente, la pérdida de valores y el debilitamiento de la integración familiar y comunitaria, así como la falta de condiciones para lograr un crecimiento económico sostenible que amplíe las oportunidades, especialmente a los jóvenes, para lograr el desarrollo integral que exige nuestra irrenunciable dignidad humana. Ante todo esto, el Pacto por México, calificado por observadores nacionales e internacionales como inédito y excepcional, representa una vía de concertación política y social para lograr los acuerdos y las grandes reformas que, con sentido de urgencia, deben instalarse en la agenda nacional. El pacto es un mecanismo, sostenido por la voluntad política de las partes, para alcanzar, con el mayor acompañamiento y eficacia, la vigencia de un nuevo paradigma para México, el paradigma del sí.

Gracias a este acuerdo nacional el presidente Peña Nieto ha logrado modificar leyes importantes: la reforma fiscal es la más cuestionada y la reforma energética la más prometedora. Ciertamente el país sigue acosado por el crimen y la economía está estancada. Con todo y todo millones de mexicanos nos levantamos todos los días dispuestos a dar la batalla por mejorar la vida de nuestras familias, de nuestras comunidades, de nuestras ciudades. "Los pactos tienen que ser innovados para volver a ser pactos." Y la innovación pasa por crear resultados haciendo cosas nuevas. Las reformas son sólo un paso, pero un importante paso.

¿Por qué no enseñarles a las niñas y niños de México la ciencia de manera vivencial? Sin duda una buena noticia fue la celebración de los primeros 10 años de vida del proyecto educativo Innovec (Innovación en la Enseñanza de la Ciencia), a finales de 2012. Su surgimiento responde a la necesidad de mejorar las habilidades científicas de los alumnos de educación básica en México. Lo anterior, en virtud de la necesidad de contar en el país con una población científicamente alfabetizada, capaz de integrarse de manera eficaz a los entornos globales y que cuenta con las capacidades necesarias para el trabajo en equipo, la solución creativa de los problemas y la actitud favorable para la innovación y el desarrollo sustentable. En varias ocasiones en las que tuve la oportunidad de conversar con Guillermo Fernández, un hombre por demás culto y amable, y quien es director ejecutivo de la Fundación México-Estados Unidos para la Ciencia

(Fumec), organismo no gubernamental creado a partir del TLCAN, me comentaba que en 1999 iniciaron los programas piloto para la implementación de los Sistemas de Enseñanza Vivencial e Indagatoria de la Ciencia en México y de ahí se siguió su aplicación generalizada. Debido al entusiasmo y compromiso de distinguidos líderes de la academia y las empresas, en agosto de 2002 Fumec decidió conformar una organización cuya misión estuviera centrada en fomentar la investigación, la innovación y el desarrollo de los mecanismos necesarios para mejorar la enseñanza de la ciencia dirigida a niños y jóvenes de educación básica en México. Fue así como se conformó Innovec, presidida por el ingeniero Jorge Lomelín. Actualmente se han visto beneficiados más de 467 000 alumnos de 12 estados de la República por estos novedosos, motivantes y divertidos sistemas de enseñanza. Sally Goetz Shuler, ex directora del Centro de Recursos Científicos de la Smithsonian Institution, con sede en Washington, considera que Innovec es un ejemplo mundial y un referente para ayudar a otros países a emprender proyectos similares.

¿Y por qué no una red que conecte a todos los jaliscienses? La respuesta ha sido a partir de la creación del Instituto Jalisciense de Tecnologías para la Información (Ijalti). La estrategia combina desarrollo para las TIC (parques tecnológicos y clúster) y TIC para el desarrollo (red estatal eJalisco y proyectos especiales). El centro de software Guadalajara CSW fue inaugurado en 2006, es único en su género en toda América Latina y ha sido considerado por consultores privados y analistas como "el proyecto de beneficio público y para el desarrollo del Estado más importante para la industria de alta tecnología del país". En la misma línea tenemos el Chapala Media Park (inaugurado en 2010), que promueve producciones de cine, televisión y publicidad, así como proyectos de multimedia, videojuegos, animación y artes visuales, con servicios y soporte las 24 horas de los 365 días del año. También resalta el Green IT Park en Ciudad Guzmán, la tierra de mi buen amigo y ex compañero en el Senado Alberto Cárdenas Jiménez. En cuanto a la red estatal eJalisco, el proyecto trabaja en la conexión de 7 000 centros de educación, salud y gobierno. Su mira es alta: democratizar las tecnologías de información y reducir con ello la desigualdad digital. Un caso emblemático es el de San Andrés Cohamita. Felicito y le deseo el mayor de los éxitos a Margarita Solís Hernández, directora general del Ijalti y con quien tuve el honor de compartir una gratificante experiencia como evaluadores en Fumec. Para mayor información pueden consultar www.ijalti.org.mx.

Investigación que se traduce en conocimiento novedoso. Novedad que genera valor. El siguiente caso es un interesante ejemplo de innovación. El glaucoma es el responsable de la pérdida de la visión en 8% de la población a nivel mundial, por lo que se considera una de las principales causas de la ceguera, según datos de la Organización Mundial de la Salud. De ahí que el investigador Alexei Licea Navarro (nacido en Tijuana), que colabora en el Centro de Investigación Científica y de Educación Superior de Ensenada, en la división de Biotecnología marina, se haya dado a la tarea de investigar al respecto. Producto de sus investigaciones se creó un anticuerpo que neutraliza o bloquea una proteína que produce el propio organismo, que es la que forma nuevos vasos sanguíneos en la parte posterior del ojo cuando una persona tiene diabetes o glaucoma, provocando la reducción de la capacidad visual e incluso la pérdida de la vista. Actualmente el tratamiento es con una inyección directa en el ojo que neutraliza o bloquea la propia proteína de las personas, pero es una inyección que resulta bastante dolorosa. El anticuerpo que Licea Navarro y su equipo han descubierto es menos invasivo y se puede aplicar en gotas. Al decir de Licea Navarro, esta tecnología ya se transfirió al Grupo Silanes, "ellos ven con muy buenos ojos este proyecto, le tienen fe, pero evidentemente esto no es un asunto de fe, es una cuestión de mercado. Le apuestan tanto que ya generaron una empresa en España para poder introducir estas moléculas del anticuerpo en la Comunidad Europea". En lo personal, he seguido de cerca a esta empresa innovadora que destina 10% de sus ventas a la investigación y el desarrollo. Me han recibido en el instituto Bioclon, de la división de productos Biotecnológicos, que trabaja en la producción de antivenenos seguros y eficaces contra la picadura y mordedura de animales ponzoñosos y he coincidido con don Antonio López de Silanes —presidente ejecutivo de Silanes— en reuniones convocadas por el Foro Consultivo Científico y Tecnológico.

¿Y por qué no convertirse en el primer director mexicano y de habla hispana en ser acreedor a una estatuilla del Oscar, en la categoría de Mejor Director? Eso fue justo lo que el cineasta capitalino, Alfonso Cuarón, consiguió la noche del 3 de marzo de 2014, por su trabajo en la película *Gravity*, en la 86 edición de los premios de la Academia de Ciencias y Artes Cinematográficas de Hollywood, realizada en el Teatro Dolby de Los Ángeles. Una contribución formidable de un mexicano a la economía creativa.

¡Atrás de la raya!, que estoy trabajando. La lista de mexicanos que se han aventurado en el mundo de los "emprendedores innovadores" es cada vez más extensa. Éstos son sólo unos cuantos casos de los que he ido conociendo por el camino:

Ingenia Group: Agencia interactiva con más de 150 colaboradores que combinan lo mejor del *marketing* digital y redes sociales con desarrollo de alto nivel. Su fundador es un joven empresario visionario e innovador, Pablo Hernández O'Hagan. Lo conocí en 2013, cuando fue galardonado por la Unión Social de Empresarios de México y la Coparmex con el Premio Don Lorenzo Servitje al empresario joven con responsabilidad social. Lo visité luego en sus oficinas y quedé impresionado con el talento y el ambiente creativo de sus colaboradores.

Cielito Querido: Empresa "neo-retro" (un concepto novedoso que recupera aspectos del pasado) que apuesta a las tradiciones y a la cultura del café. "Es increíble que seamos el sexto productor de café a nivel mundial y que 65% de las personas de este país consuman café soluble." Pero no sólo vende café sino también otros productos mexicanos, de los que pudieran rescatar algunas recetas posrevolucionarias, por ejemplo la horchata de la casa, que es a base de leche, no la clásica agua de horchata. Se sirve en tazón de peltre o en pocillo. Forma parte del grupo empresarial ADO, de mi amigo Agustín Irurita, hoy compañeros en COPARMEX. En la actualidad cuentan con 19 tiendas en operación y tienen planes de expansión a lo grande, inaugurando 25 establecimientos por año hacia 2018. Italian Coffe Company, Starbucks, café Punta del Cielo y otros jugadores importantes en el mercado del café tendrán que apretar el paso.

HTK: Empresa mexicana que genera valor mediante la identificación por radiofrecuencia.

Grupo Ruz: Empresa mexicana que con sus productos se ha ganado la confianza de estudios como Disney o Universal y de empresas de la talla de Marvel, Hello Kitty o Mattel.

Máscara de látex: Empresa donde puedes adquirir tus playeras (y otros artículos) con diseños personalizados y originales.

Chicza: Empresa de Quintana Roo que en un trabajo conjunto entre las cooperativas de productores chicleros y científicos nacionales e internacionales desarrollaron un producto único en el mundo: el chicle orgánico. Una innovación mundial que se comercializa en el exterior.

Sinanché: Significa "árbol de alacranes". Es una empresa que produce miel artesanal y emplea gente de bajos recursos en Yucatán.

Biosolutions: Empresa fundada por Ana Laborde y que genera bioplásticos sostenibles fabricados con residuos de tequila.

Coco André: Empresa ubicada en Dallas (Estados Unidos) que fabrica zapatos de chocolate. Fundada por la maestra Andrea Pedraza, originaria de San Luis Potosí. Sus creaciones más conocidas son stilettos (tacones de aguja) inspirados en calzados de Christian Louboutin.

Koon Artesanos: Marca mexicana que a partir de la piel fabrica novedosos productos combinando el diseño, la funcionalidad, la originalidad y la artesanía. La talabartería vuelve por sus fueros, esta vez llena de coloridos.

Green Momentum: Firma de inteligencia de mercado enfocada en promover la innovación en tecnología limpia en Estados Unidos, México, Argentina y el resto de Latinoamérica, creadora de una exitosa plataforma social para el desarrollo empresarial de la tecnología verde.

ProVive: Empresa que trabaja en el revitalizamiento de comunidades, adquiriendo y reparando casas a las que les incorporan el uso de ecotecnologías, que aportan al cuidado del medio ambiente. Hoy revitalizan siete fraccionamientos en Tijuana. Las unidades se entregan con la garantía de una casa nueva.

Isla urbana: Proyecto del Instituto Internacional de Recursos Renovables, A. C., y la Fundación Temo, dedicado a desarrollar una solución al problema del agua en México. El proyecto está conformado por un grupo interdisciplinario de diseñadores, urbanistas, ingenieros, sociólogos y artistas dedicados a demostrar la viabilidad de la captación de lluvia en México, encabezados por Enrique Lomnitz. Diseña y pone sistemas de captación de agua de lluvia en casas de bajos ingresos y donde la escasez de agua ya es un problema serio.

Sexto Piso: Empresa que no la tiene nada fácil en un mercado dominado por las multinacionales, pero que le apuesta a una fórmula arriesgada: olvidarse de los *best sellers* y apostar por libros de calidad que le aseguren ingresos constantes.

Imagination Films: Sueños en 3D que se vuelven realidad. El sueño de su fundador Ricardo Gómez es alcanzar una calidad similar a la de Pixar o Dreamworks.

María Patrona: Marca que busca imponer moda, combinando la artesanía mexicana con el estilo europeo en la fabricación de bolsas cuyos bordados son confeccionados por artesanas de Hidalgo, Oaxaca y Chiapas.

Xantronic: Empresa sonorense, innovadora, de alta tecnología y con talento mexicano fundada por mi amigo Luis Fausto Terán Balaguer, quien colabora conmigo en la vicepresidencia de la Comisión Nacional de Innovación de la Coparmex. Buscan iluminar con su tecnología a todo México, con menor gasto de energía y con una vida más extensa. Por ahora su faro móvil pretende salvar vidas y hacer más emocionante la travesía en vehículos *off road*.

Clínicas Cuídate: Empresa —fundada por un ingeniero (que no sabía nada de salud), Antonio Alfeirán, y con una socia que es antropóloga— que da atención y seguimiento al creciente número de mexicanos con diabetes. Con un modelo altamente innovador que integra clínicas especializadas, tecnología de diagnóstico y seguimiento, y un programa de atención a distancia. Cuídate se dirige a pacientes de la base de la pirámide. Un equipo experimentado en salud pública y operaciones dirige este proyecto que ataca a la principal causa de muerte en nuestro país. Su sitio es www.clinicascuidate.mx.

Mecatroniks: Cuando Adar Villa inició en 2009, junto con otros compañeros estudiantes, su proyecto Setec para difundir la ciencia y la tecnología en las escuelas primarias, jamás pensó en hacer negocio: sin embargo, hoy es director general de Mecatroniks Sembrando Tecnología. Hoy presente en 12 estados del país y a nivel internacional en Argentina, Chile, Brasil, Colombia, Sudáfrica. El apoyo de los maestros del Tec de Monterrey ha sido importante para el impulso de esta *startup* mexicana.

Socialdot: Empresa jalisciense experta en software, ha creado una innovación tecnológica auxiliar en la predicción del tráfico, en conjunto con las universidades ITESO y UVM. Tiene como base un simulador vehicular que trabaja en función de los eventos cotidianos en las vialidades. El simulador es una herramienta de predicción que se debe alimentar de modelos reales, de forma que la predicción sea cierta para la vida real.

IDEA Interior: Empresa que surge de la necesidad de ofrecer un concepto nuevo, en lo que a productos funcionales y confiables se refiere en equipamiento y decoración del hogar. El reto de IDEA no deberá ser una comercializadora, ni la IKEA mexicanizada, sino una buscadora e incubadora de diseñadores mexicanos. Tiene todo para dar el salto. Su sitio es www.ideainterior.com.

Redes Sociales de Aprendizaje: Empresa incubada en el IPN y fundada por José Alfredo Reyes de Antuñano y José León Rangel, que proporciona un sistema de aprendizaje en red social a través del proyecto "Cúrsame", que es una red social especializada en educación en la que se crean muchas redes internas, privadas y seguras para que las personas interactúen. Para solicitar la plataforma se debe ingresar a www.cursa.me y en un promedio de 48 horas lo tendrán disponible. Hasta el momento cuentan con 15 000 usuarios. Telefónica Movistar adquirió 10% de su empresa y cuentan con el respaldo de cinco grandes instituciones más.

Solben: Empresa de tecnologías para la generación descentralizada de biocombustibles a partir de fuentes no alimentarias, fundada por Daniel Gómez, para coadyuvar en la transición hacia una economía baja en carbono.

Trubios Communications: Empresa que ofrece animaciones científicas y aplicaciones interactivas para las industrias de biotecnologías, farmacéuticas, académicas y editoriales de América Latina, fundada por un médico mexicano, el doctor J. Roberto Trujillo, con quien recientemente me reuní y me explicaba lo que ellos hacían: "Comprendemos la ciencia y sabemos cómo contar una historia a través de imágenes dinámicas y los medios interactivos". Esto es una innovación que combina el poder de los paradigmas como metáforas y como tecnologías. Los invito a que disfruten el demo que exhiben en su sitio: www.trubioscommunications.com.

Basurama: Pyme jalisciense que busca cambiar el futuro del manejo de la basura en México. Todo comenzó con Sergio Valencia —a quien conocí en un evento de la Coparmex— y un choque cultural que observó con respecto al uso de desperdicios en Alemania. En ese país tuvo la oportunidad de conocer la manera en la que se aprovecha la basura. Detectó una fuerte cultura del reciclaje en ciudadanos, empresas y gobiernos. Actualmente recibe 600 toneladas de desperdicios al mes. Cuenta con 10 unidades vehiculares y 70 personas en distintas áreas de la empresa. Registra una tasa de crecimiento anual de 60%. Su lema es una paradoja: "Unidos separando".

Pago Fácil: Plataforma que ofrece soluciones integrales y servicios a empresas para realizar operaciones y recibir pagos de manera sencilla, rápida y segura, a través de nuevas tecnologías. Caja móvil, uno de sus productos, es el primer dispositivo móvil en México que permite realizar y recibir pagos con tarjeta de crédito y débito en cualquier smartphone, tableta o computadora. Con ello facilita el acceso a millones de pequeños negocios a esta forma de pago. Su sitio es www.pagofacil.net.

IDEAA: Centro de innovación que a través de un equipo multidisciplinario desarrolla proyectos para mejorar la competitividad de sus clientes. Estamos hablando de fabricantes mexicanos de maquinaria agrícola que hacen "trajes a la medida" de los productores. México destina anualmente un promedio de 10 000 millones de pesos para la compra de equipo y maquinaria agrícola en el extranjero. Visualizando una oportunidad es que la empresa Investigación y Desarrollo Aplicado de Aguascalientes (IDEAA) trabaja con los productores del país en el desarrollo de nuevos implementos acordes a las necesidades del campo nacional. Para sus innovaciones utilizan combinaciones electrónicas y mecánicas con una conciencia ecológica y de diseño al límite. Pude conocerlos cuando asistí a la Quinta Jornada Nacional de Innovación y Competitividad celebrada en Aguascalientes.

Asepro Ecología: *Startup* enfocada en el desarrollo, promoción y comercialización de proyectos de inversión de alto impacto en el cuidado y mejoramiento del medio ambiente. Su fundador —y con quien he conversado sobre uno de sus principales proyectos en materia de energías alternativas— es Francisco Javier Sánchez Zaldívar, un empresario visionario y con amplia trayectoria en el sector financiero, y que ha impulsado con éxito proyectos muy diversos en distintos sectores productivos.

Nopal Bros.: Empresa creada por el regiomontano Óscar Torres Hernández, que consiguió posicionar sus botanas saludables de nopal deshidratado en el mercado hispano de Estados Unidos, sin antes venderlas en México. Actualmente envasa, distribuye y vende en 58 establecimientos del sur del país vecino. En México la empresa está asociada con dos procesadores de nopal. "Hay millones de mexicanos que extrañan el país", de que ahí que Nopal Bros. explote el poder de los paradigmas, como recuerdos, para innovar.

Carrot: Es la primera empresa de autos compartidos en México. Con un modelo de renta de autos por hora y una red de estaciones en las principales zonas de alta densidad urbana del Distrito Federal, Carrot ofrece una alternativa más económica y eficiente que ser dueño de un auto, y es completamente ideal para el transporte público. Podemos conocerlos mejor en www.carrot.mx.

EternoGen: Empresa fundada por Luis Jiménez y que explota la aplicación de la nanotecnología para liberar el potencial de colágeno en la reparación de tejidos y la medicina regenerativa. EternoGen combina de forma única el biomaterial más natural y puro con plataformas de nanotecnología para producir colágeno que protege de la degradación enzimática.

Fondeadora Intangible: Empresa propiedad de tres jóvenes mexicanos, cuyo modelo de negocio es una mezcla de una incubadora o aceleradora y un fondo de inversión para apoyar *startups* tecnológicas en el país.

"Nada, ni todos los ejércitos del mundo, puede detener una idea cuyo momento ha llegado" (Victor Hugo).

Toda revisualización de una realidad parte, primeramente, de ponerle atención y luego de cuestionarla. ¿Cómo cambiamos las cosas? ¿Cómo cambia algo? Tenemos que observar la historia y preguntarnos: ¿Dónde cambiaron las cosas y cómo cambiaron? Veamos algunas historias:

La discriminación racial en Estados Unidos. Durante el siglo XVII llegaron 25 000 africanos a las colonias norteamericanas. La esclavitud era legal y cubría la gran demanda de mano de obra barata para las plantaciones de algodón, principal cultivo de la Zona Sur. El 28 de agosto de 1963 se concentraron más de 250 000 personas en la ciudad de Washington y ahí Martin Luther King pronunció su famoso discurso "Tengo un sueño". Con este acto el movimiento negro alcanzó el reconocimiento mundial. En 1964 King recibió el Premio Nobel de la Paz y en 1965 el Congreso aprobó un proyecto de ley sobre los derechos civiles, en contra de la discriminación racial. Hoy en día, en Estados Unidos, el país más poderoso del mundo, gobierna un presidente negro, Barack Obama. Habrá quienes argumenten que la discriminación no se ha terminado. Seguramente tendrán razón. Pero algo ha cambiado cuando antes a un afroamericano lo mandaban hasta atrás en un camión, le impedían el acceso a ciertas tiendas, y tenía que usar baños etiquetados para la gente de color, dado que no podían mezclarse negros y blancos en lugares públicos, y ahora un afroamericano despacha, por segunda ocasión consecutiva, desde la Casa Blanca.

Los azotes en las escuelas. En uno de los grandes libros no sólo de la teología cristiana sino también de la psicología y la filosofía política de Occidente, *Las Confesiones* de San Agustín, podemos leer: "Para esto me enviaron a la escuela a aprender las letras y yo, miserable, no sabía el provecho que había en ellas. Con todo, me azotaban cuando era descuidado en aprenderlas. Este sistema era alabado por los mayores [...] Rompí las ataduras de mi lengua con tu invocación y, aunque yo era pequeño, te suplicaba con no pequeño afecto que no me azotasen en la escuela…" Cuando yo ingresé al párvulos (hoy le llaman kínder) los azotes habían evolucionado a "varazos" y las varas eran de membrillo —un alumno las traía del rumbo de la Laguna—. Y cuando se astillaban las reforzaban con ligas. Aunque mi maestra María de Jesús Tavares no la tomó mucho contra mí, todavía recuerdo cómo a la mayoría de los alumnos les fue de la patada. Llegaban a casa con la espalda marcada. El paradigma vigente era "la letra con sangre entra". Las voces que exigían una moderación en las penas físicas tramitaron y consiguieron, desde finales del siglo XVIII y principios del XIX, que en diversas órdenes se prohibiesen los azotes en los colegios. Una de esas voces fue la de la antropóloga Ashley Montagu:

> Todo tipo de castigo corporal o de paliza es un ataque violento contra la integridad de otro ser humano. Sus efectos permanecen en las víctimas para siempre y se convierten en una parte imperdonable de su personalidad, una enorme frustración que resuelve en hostilidad que se expresará más adelante en la vida con actos violentos en contra de otros. Cuanto antes comprendamos que el amor y la dulzura son las únicas maneras requeridas para tratar a los niños, mejor será. El niño, en especial, aprende a convertirse en el ser humano que ha vivido. Las personas a cargo de los niños deberían aprender esto completamente.

No sólo se trató de voces de expertos que señalaban los efectos negativos de estas prácticas, sino que se sumaron estudios e investigaciones —como el realizado por la Universidad de New Hampshire, en Estados Unidos, en 2009— que demuestran que los niños que son reprendidos con azotes tienen un cociente intelectual (CI) más bajo que los que no lo son, y que pueden generar un estrés crónico que acaba afectando el desarrollo mental. El estudio del profesor Murray Straus también nos revela una buena noticia: el uso del castigo físico se ha ido reduciendo a nivel planetario, lo que podría suponer un incremento en el CI global. Según Straus, "la tendencia global a eliminar los castigos físicos se refleja más claramente en los 24 países que los han prohibido legalmente". Hay evidencias de que las actitudes a favor de este tipo de castigos se han reducido incluso en los países donde no se han hecho leyes contra ellos. Cuando veo el mundo en que han crecido y siguen madurando mis cuatro hijos no dejo de reconocer que los avances han sido impresionantes.

La preocupación por el medio ambiente. La culturas del mundo antiguo consideraron a la naturaleza como una diosa madre, como algo animado por espíritus y dioses que mediaban entre la naturaleza y los humanos e inspiraban rituales y comportamientos basados en la moderación para regular el uso y la explotación del ambiente. Sin embargo, a la ruptura de la visión organicista de la naturaleza como ente vivo, sucedió la consideración de la tierra como una máquina y, lógicamente, la separación artificial del proceso agrícola de sus conexiones con los ecosistemas. A partir del siglo XVIII, con el crecimiento de la población y el aumento de la cantidad de tierras cultivadas y con el surgimiento de la sociedad de mercado, los recursos naturales como las tierras y los bosques se convierten en meras mercancías y se inicia la intensificación de la producción y la acumulación de beneficios que sirven de soporte a una emergente Revolución Industrial, basada en el consumo de materiales y fuentes de energía no renovables y muy contaminantes. El término "educación ambiental" comienza a ser utilizado como tal a finales de la década de los años sesenta y principios de los setenta, periodo en el que se muestra más claramente una preocupación mundial por las graves condiciones ambientales en el mundo, por lo que se menciona que la educación ambiental es hija del deterioro ambiental. En esa época en la que yo apenas rebasaba los 10 años de vida y pasaba mis vacaciones de verano con mis abuelos sembrando maíz en el campo, nadie hablaba de medio ambiente ni de ecología. Por todos lados los niños andábamos armados con nuestra resortera tras la caza de torcasitas, palomas y lagartijas. Pero el mundo estaba cambiando. En Estocolmo (Suecia, 1972) se estableció el Principio 19 que señalaba: "Es indispensable una educación en labores ambientales, dirigida tanto a las generaciones jóvenes como a los adultos, y que preste la debida atención al sector de la población menos privilegiada, para ensanchar las bases de una opinión pública bien informada y de una conducta de los individuos, de las empresas y de las colectividades, inspirada en el sentido de su responsabilidad en cuanto a la protección y mejora-

miento del medio en toda su dimensión humana". Habrían de suce-
derse otros foros como el de Belgrado (Yugoslavia, 1975), Tbilisi
(URSS, 1977), Moscú (URSS, 1987), Río de Janeiro (Brasil, 1992) y
Guadalajara (México, 1992), donde en las conclusiones del Congreso
Iberoamericano de Educación Ambiental se estableció que la educación ambiental es eminentemente política y un instrumento esencial
para alcanzar una sociedad sustentable en lo ambiental y justa en lo
social. Hoy, las torcasitas, las palomas y las lagartijas "andan como
Pedro por su casa" sin quien las moleste —de repente Puca, nuestra
diminuta perrita, les recuerda que ella es la consentida—. De igual
modo que en otros campos, nos falta mucho por hacer, pero los avances son significativos.

La transparencia de los gobiernos. La historia ha sido testigo
de los abusos y excesos con los que los gobiernos de un sinnúme-
ro de países han sometido a los pueblos a lo largo de los siglos basados en el paradigma de "secretos de Estado" o del principio de
oscuridad en su actuación. En el caso de México es emblemática "la
partida secreta presidencial", donde el uso de los recursos públicos
se manejaba de manera arbitraria, oculta y discrecional. Los gobernantes podían negarse a "rendir cuentas", no estaban obligados.
Esta partida ya no se ejerce desde 1998 (Ernesto Zedillo) y a partir
de 2000 (Vicente Fox) se determinó no asignarle recursos en el Presupuesto de Egresos de la Federación. Desde luego que la "opacidad" en el manejo de la información gubernamental abarcaba todos
los órdenes y niveles de gobierno. ¿Cuándo surge en el mundo? Los
suecos muy tempranamente descubrieron que el acceso a la información es un disolvente de prácticas patrimonialistas, discreciona-
les, ilegales o de plano corruptas. La propia experiencia plantea que
contar con acceso a los certificados oficiales fue una palanca pen-
sada para apoyar el proceso de distribución de tierras, pero luego
se difundió a otras áreas del gobierno para volverse parte de la cultura administrativa del Estado. La cosa ha llegado a tal punto de
generalización, sofisticación y sistematización que hoy en día los
funcionarios suecos afirman poder entregar una copia de cualquier
documento elaborado hace 200 años ¡y en 24 horas! Suecia enca-
ró el desafío de la modernización de su gobierno en la última parte

del siglo XVIII, y lo hizo colocando el criterio básico de la transparencia como envoltura de su estrategia. Este tema de transparencia cobró fuerza en Finlandia (1951), Estados Unidos (1966) y Dinamarca (1970), para volverse luego parte de la oleada democratizadora en los últimos cinco años del siglo XX, periodo en el cual más de 40 países del mundo —incluyendo México— tomaron su ejemplo e instituyeron sus propias leyes de acceso a la información. En México el 12 de junio de 2002 entró en vigor la Ley de Transparencia al ser publicada en el *Diario Oficial de la Federación*. En abril de 2007 el derecho de acceso a la información pública adquiere rango constitucional. Falta mucho por avanzar, indudablemente, pero los avances son enormes e innegables.

Ahora bien, en todos estos casos: la discriminación racial en los Estados Unidos, los azotes en las escuelas, la preocupación por el medio ambiente y la transparencia de los gobiernos, lo que vemos es la construcción a lo largo del tiempo de una conciencia, hasta el punto en que esa conciencia captó a un gran número de personas, y éstas actúan sobre esta conciencia. Y esta conciencia se convierte en una nueva cultura. El arzobispo emérito de Ciudad del Cabo, Sudáfrica, y Premio Nobel de la Paz, Desmond Tutu, suele decir que "los actos cotidianos y pequeños pueden construir con el tiempo un gran movimiento. El cambio se da porque te preocupas y se da una coalición que se convierte en movimiento". Así lo confirman la historia del *apartheid* en Sudáfrica, lo mismo que la discriminación racial en los Estados Unidos, los azotes en las escuelas, la preocupación por el medio ambiente y la transparencia en los gobiernos. Estoy convencido de que lo mismo ocurrirá —en el mundo ya está sucediendo— con la "innovación" en México. Si seguimos promoviendo, por aquí y por allá, en nuestra vida, empresa, escuela, familia y comunidad la "cultura de la innovación", llegará el momento en que habremos hecho de la innovación "la cultura nacional".

Por lo pronto pongamos todos nuestros relojes a tiempo para que sepamos qué hora ha dado. La hora de la "innovación a la mexicana" ha llegado.

Éstos son algunos de los sitios donde podemos ponernos al día sobre las historias inspiradoras que están promoviendo la nueva ola de "innovación a la mexicana":

Fundación México-Estados Unidos para la Ciencia (Fumec): www.fumec.org.mx.
Instituto Nacional del Emprendedor (Inadem): www.inadem.gob.mx.
ProMéxico: www.promexico.gob.mx.
Consejo Nacional de Ciencia y Tecnología (Conacyt): www.conacyt.mx.
Foro Consultivo Científico y Tecnológico, A. C.: www.foroconsultivo.org.mx.
Comercio Empresarial Mexicano de Comercio Exterior, Inversión y Tecnología (Comce): www.comce.org.mx.
Instituto Panamericano de Alta Dirección de Empresas: www.ipade.mx.
MIT *Technology Review*: www.technologyreview.es.
Forbes México: www.forbes.com.mx.
OCDE: www.oecd.org/centrodemexico.
Centro de Incubación de Empresas del Instituto Politécnico Nacional: www.ciebt.ipn.mx.
Endeavor: www.endeavor.com.mx.
Premio Estudiante Emprendedor: www.premioestudianteemprendedor.org.
Expansión: www.cnnexpansion.com.
Entrepreneur: www.soyentrepreneur.com.
Asociación Mexicana de Franquicias: www.franquiciasdemexico.org.
Universia México: www.universia.net.mx.
Compra mexicano: www.compramexicano.com.
365 Historias de éxito: http://365historiasdeexito.blogspot.mx/.
Pepe y Toño: www.pepeytono.com.mx.
El Empresario: www.elempresario.mx/casos-exito.
México Innova: www.mexicoinnova.mx/category/casos-de-exito/.
Wayra México: wayra.org/es.
A favor de lo mejor: www.afavordelomejor.org.

Premio Nacional de Ciencias y Artes: www.pnca.sep.gob.mx.

Fundación ProEmpleo: www.proempleo.org.mx.

Endeavor México: http://www.endeavor.org.mx/.

El innovador: www.elinnovador.mx.

Ashoka México: www.mexico.ashoka.org.

Premio Santander a la innovación empresarial:
    www.premiosantander.com.

Instituto Venture México: www.institute.vc.

El Financiero: www.financiero.com.mx.

BIBLIOGRAFÍA

Acemoglu, D., y J. A. Robinson, *Por qué fracasan los países*, Crítica, Barcelona, 2013.

Altman, D., *Futuros imperfectos: las 12 tendencias asombrosas que remodelarán la economía global*, Tendencias Editores, 2011.

Anderson, C., *Makers: the new industrial revolution*, Random House, 2012.

Ansermet, F., *A cada cual su cerebro. Plasticidad neuronal e inconsciente*, Katz, 2004.

Basave, A., *Mexicanidad y esquizofrenia: los dos rostros del mexicano*, Océano, 2011.

Bauman, Z., *Modernidad líquida*, Fondo de Cultura Económica, 2003.

_____, *Tiempos líquidos*, Tusquets Editores, 2007.

Benyus, M. Janine, *Biomímesis. Cómo la ciencia innova inspirándose en la naturaleza*, Tusquets Editores, 2012.

Cabrero Mendoza, E., *La nueva gestión municipal en México: análisis de experiencias innovadoras en gobiernos locales*, CIDE, México, 1996.

Cárdenas, S., E. Cabrero y D. Arellano, *La difícil vinculación universidad-empresa en México*, CIDE, 2012.

Castañeda, J., y H. A. Camín, *Regreso al futuro*, Punto de Lectura, 2010.

Chabris, C., y D. Simons, *El gorila invisible. Cómo nos engaña nuestro cerebro*, 2011.

Champy, J., *Marque la diferencia y triunfe*, Grupo Editorial Norma, 2009.

Collins, J., *Good to great: Why some companies make the leap... and others don't*, HarperCollins, 2001.

Cox, H., *La ciudad secular*, Península, 1968.

Csikszentmihalyi, M., *Fluir (flow). Una psicología de la felicidad*, Kairós, Barcelona, 1990.

Damasio, A., *El error de Descartes*, Drakontos Bolsillo, 2008.

De Botton, A., *Ansiedad por el estatus*, Taurus, 2003.

Derrida, J., *Aprender por fin a vivir*, Amorrortu, 2007.

Diamandis, P., y S. Kotler, *Abundancia: El futuro es mejor de lo que piensas*, Antoni Bosch, editor, 2013.

Douglas, M., *Estilos de pensar*, Gedisa, 2008.

Dyer, Jeff, Hal Gregersen y Clayton M. Christensen,, *El ADN del innovador*, Deusto, 2012.

Eagleman, D., *Incognito: The secret lives of the brain*, Pantheon, 2011.

Elliot, J., y W. L. Simon, *El Camino de Steve Jobs*, Santillana Ediciones, 2011.

Estudios del Centro de Desarrollo, *Startup América Latina. Promoviendo la innovación en la región*, OECD Publishing, 2013.

Estupinyá, P., *El ladrón de cerebros*, Debate, 2011.

Francisco, P., *Evangelii gaudium. Exhortación apostólica: La alegría del Evangelio (Vol. 57)*, Palabra, 2013.

Frith, C., *Descubriendo el poder de la mente*, Ariel, 2008.

Gardner, H., *Mentes flexibles: el arte y la ciencia de saber cambiar nuestra opinión y la de los demás*, 2004.

_____, *Verdad, belleza y bondad reformuladas: la enseñanza de las virtudes en el siglo XXI*, Grupo Planeta, 2011.

Gazzaniga, M. S., *El cerebro ético*, Paidós, 2005.

Gerber, M. E., *El Mito del emprendedor: Por qué no funcionan las pequeñas empresas y qué hacer para que funcionen*, Paidós, 1997.

Goldberg, E., *El cerebro ejecutivo*, Crítica, 2009.

Greefield, S., *¡Piensa!*, Ediciones B, 2009.

Greene, R., *Maestría*, Océano, 2013.

Guanir, P., y P. H. Hernández, *Los moldes de la mente*, Tafor Publicaciones, 2002.

Guiton, J., *Nuevo arte de pensar*, Sophi, 2000.

Hamel, G., *Lo que importa ahora*, Grupo Editorial Norma, 2012.

Hobsbawm, E., y T. Ranger, *La invención de la tradición*, Crítica, 2002.

Hoffman, R., y B. Casnocha, *El mejor negocio eres tú: Adáptate al futuro, invierte en ti mismo e impulsa tu carrera*, Random House Digital, Inc., 2013.

Humphrey, N., *Una historia de la mente*, Gedisa, 1995.

Johnson, S., *Las buenas ideas: Una historia natural de la innovación*, Turner, 2012.

Jung, C. G., *Arquetipos e inconsciente colectivo*, Paidós, 1970.

Kaku, M., *La física del futuro*, Random House Mondadori, 2011.

Kandel, E. R., *En busca de la memoria*, Katz, 2008.

————, *La era del inconsciente*, Paidós, 2013.

Kaplan, R. D., *El retorno de la antigüedad*, Ediciones B, 2002.

Keating, T., *Mente abierta. Corazón abierto*, Desclée De Brouwser, 2006.

Kelly, J. F., *México piensa +*, Grandes Temas, 2011.

Konrad Adenauer Stiftung, PoliLat, Coparmex, El Colegio de México, Índice de Desarrollo Democrático de México, 2013.

Kraemer-Mbula, K., y W. Wamae (eds.), *La innovación y la agenda de desarrollo*, OECD Publishing, 2013.

Krippendorff, K., *The way of innovation*, 2010.

Lacan, J., *Mi enseñanza*, Paidós, 2007.

Lafley, A. G., y R. Charan, *The game changer: How every leader can drive everyday innovation*, Profile Books, 2008.

Lakoff, G., *The political mind: why you can't understand 21st-century politics with an 18th-century brain*, Penguin, 2008.

Langer, E. J., *La mente creativa*, Paidós, 1990.

Laszlo, E., *La revolución de la conciencia*, Kairós, 2008.

Lehrer, J., *Proust y la neurociencia: Una visión única de ocho artistas fundamentales en la modernidad*, Paidós, 2010.

Lemoine, P., *El misterio del nocebo*, Odile Jacob, 2011.

Levinas, E., *Humanismo del otro hombre*, Siglo XXI Editores, 2006.

Lewis-William, D., y D. Pearce, *Dentro de la mente neolítica*, Akkal, 2010.

Linden, D., *El cerebro accidental*, Paidós, 2010.

Lindstorm, M., *Buyology*, Gestión 2000, 2010.

Lonergan, B., *Insight. Estudio sobre la comprensión humana*, Ediciones Sígueme, 1999.

Loser, C., et al., *A new vision for Mexico 2042: Achieving prosperity for all*, Taurus, 2012.

Luntz, F. I., *Ganar*, Océano.

Lynch, G., y R. Granger, *Big Brain. The origins and futures of the human intelligence*, Palgrave Macmillan, Nueva York, 2009.

Macdonald, N., *Futures and culture*, Elsevier, 2011.

Madulung, E., y B. Innecken, *Nuestras imágenes internas*, Ridgen Insititut Gestalt, 2007.

Maffesoli, M., *Posmodernidad*, Universidad de las Américas Puebla, 2006.

———, *El ritmo de la vida. Variaciones sobre el imaginario posmoderno*, Siglo XXI Editores, 2012.

Marina, J. A., *Teoría de la inteligencia creadora*, Anagrama, 1994.

———, y M. T. R. de Castro, *El bucle prodigioso: Veinte años después de "Elogio y refutación del ingenio"*, Anagrama, 2012.

Medina, J., *Los 12 principios del cerebro*, Grupo Editorial Norma, 2010.

Millán, J., y A. Concheiro, *México 2030. Nuevo siglo, nuevo país*, Fondo de Cultura Económica, México, 2000.

Miller, P., y T. Wedell-Wedellsborg, *Innovation as usual: How to help your people bring great ideas to life*, Harvard Business Press, 2013.

Mlodinow, L., *El andar del borracho. Cómo el azar gobierna nuestras vidas*. Drakontos bolsillo, 2010.

Montalcini, R. L., *El as en la manga*, Crítica, 2003.

Morin, E., *La cabeza bien puesta*, Nueva Visión, 2007.

Naím, Moisés, *El fin del poder*, Debate, 2013.

Newberg, A., y M. R. Waldman, *How God changes your brain: Breakthrough findings from a leading neuroscientist*, Ballantine Books, Nueva York, 2010.

OECD, *OECD Reviews of innovation policy. Mexico*, OECD Publishing, 2009.

———, *Innovación en las empresas. Una perspectiva microeconómica*, OECD Publishing, 2012.

———, *La Estrategia de innovación de la OCDE. Empezar hoy el mañana*, OECD Publishing, 2012.

———, *La medición de la innovación. Una nueva perspectiva*, OECD Publishing, 2012.

———, *Lugares de trabajo innovadores. Un mejor uso de las habilidades dentro de las organizaciones*, OECD Publishing, 2012.

Ontiveros, E., y M. F. Guillén, *Una nueva época. Los grandes retos del siglo XXI*, Galaxia Gutenberg/Círculo de Lectores, Barcelona, 2012.

Oppenheimer, A., *¡Basta de historias!*, Debate, 2013.

Ortiz, M., *Camino y destino. Una visión general de las políticas públicas de salud*, Ortega y Ortiz, 2010.

Pensrose, R., *Lo grande, lo pequeño y la mente humana*, Editado por Malcolm Longair, 1995.

Pink, D. H., *A whole new mind. Why right-brainers will rule the future*, Riverhead Books, Nueva York, 2006.

Pinker, S., *The better angels of our nature: Why violence has declined*, Penguin.com, 2011.

Primo, C. B., *et. al.* (eds.), *Innovación y crecimiento. En busca de una frontera en movimiento*, OECD Publishing, 2013.

Ramos, Samuel, *El perfil del hombre y la cultura en México*, Planeta, 1934 (Colección Austral).

Rapaille, Clotaire, *El código cultural*, Grupo Editorial Norma, 2007.

Rebeur, A. V., *La ciencia del color*, Siglo XXI Editores, 2010.

Reese, B., *Infinite Progress: How the internet and technology will end ignorance, disease, poverty, hunger, and war*, Greenleaf Book Group, 2013.

Ries, Eric, *El método Lean Startup*, Deusto, 2011.

Rifkin, J., *La tercera revolución industrial*, Paidós, 2012.

Rogozinski, J., *Mitos y mentadas de la economía mexicana: Por qué crece poco un país hecho a la medida del paladar mexicano*, Debate, 2012.

Rubia, F. J., *La conexión divina. La experiencia mística y la neurobiología*, Drakontos bolsillo, 2009.

Safranski, Rüdiger, *Sobre el tiempo*, Katz, 2012.

Sagasti, F., *Ciencia, tecnología, innovación: Políticas para América Latina*, Fondo de Cultura Económica, 2011.

Sandel, M. J., *Lo que el dinero no puede comprar. Los límites morales del mercado*, 2013.

Schechner, R., *Performance studies: An introduction*, Routledge, 2013.

Schlesinger, L. A., C. F. Kiefer, y P. Brown, *Comience*, Grupo Editorial Norma, 2012.

Schwartz, J. M., y S. Begley, *The mind & the brain. Neuroplasticity and the power of mental force*, Harper Perennial, Nueva York, 2002.

Siegel, D. J., *La mente en desarrollo*, Desclé de Brouwser, 2007.

Taleb, N. N., *Antifrágil: Las cosas que se benefician del desorden*, Paidós, 2012.

Tapscott, D., y M. B. Osorio, *La economía digital*, McGraw-Hill, 1997.

Tapscott, D., y A. D. Williams, *Macrowikinomics: Nuevas fórmulas para impulsar la economía mundial*, Grupo Planeta, 2011.

Therborn, G., *El Mundo: una guía para principiantes*, Océano, 2012.

Tracy, B., *Eat that frog!: Twenty-one great ways to stop procrastinating and get more done in less time*, Berrett-Koehler Store, 2007.

Trias De Bes, F., y P. Kotler, *Innovar para ganar. El modelo ABCDEF*, Empresa Activa, 2011.

Tsan, Miao, *Sólo usa esta mente*, Bright Sky Press, 2010.

Vanston, J. H., *Minitrends*, Technology Futures, Incorporated, 2010.

Vargas, N., *Más aciertos que errores*, Nelson Vargas, 2008.

VV. AA., *La política de competencia en el umbral de la consolidación*, Miguel Ángel Porrúa, 2013.

Von Hippel, E., "Democratizing innovation: the evolving phenomenon of user innovation", *International Journal of Innovation Science*, 1(1), 29-40, 2009.

Wagensberg, J., *A más cómo, menos por qué*, Tusquets Editores, 2006.

Watts, A., *Qué es la realidad*, Kairós, 1994.

Welch, J., *Peregrinos espirituales*, Desclée de Brouwser, 2001.

Westen, D., *Political brain: The role of emotion in deciding the fate of the nation*, PublicAffairs, Nueva York, 2007.

Zaltman, G., y L. Zaltman, *Marketing metaphoria. What deep metaphors reveal about the minds of consumers*, Harvard Business Press, Boston, 2008.

Si tienes alguna idea, proyecto o caso relacionado con "Innovación a la Mexicana" y deseas que sea compartido o debatido en mis conferencias, foros, libros o redes sociales, puedes enviarla a la siguiente dirección:

ideas@innovacionalamexicana.mx

Para saber más visite:
www.neuroinnova.mx